D0365776

MARIACHI PLAZA

Né en 1956, Michael Connelly débute sa carrière en tant que journaliste en Floride, ses articles sur les survivants d'un crash d'avion en 1986 lui valant d'être sélectionné pour le prix Pulitzer. Il travaille au *Los Angeles Times* quand il décide de se lancer dans l'écriture avec *Les Égouts de Los Angeles*, pour lequel il reçoit l'Edgar du premier roman. Il y campe le célèbre personnage du policier Harry Bosch, que l'on retrouvera notamment dans *Volte-face* et *Ceux qui tombent*. Auteur du *Poète*, il est considéré comme l'un des maîtres du roman policier américain. Deux de ses livres ont déjà été adaptés au cinéma, et l'ensemble de son œuvre constitue le cœur de la série télévisée *Bosch*.

MICHAEL CONNELLY

Mariachi Plaza

ROMAN TRADUIT DE L'ANGLAIS PAR ROBERT PÉPIN

CALMANN-LÉVY

Titre original :

THE BURNING ROOM
Publié avec l'accord de Little, Brown and Company, Inc., New York.

Pour l'inspecteur Rick Jackson
Avec tous mes remerciements pour les services
que tu as rendus à la Cité des Anges...
Et en espérant que cette deuxième retraite
tienne bon.
Frappe-les droit, ces balles de golf!

Chapitre 1

Torture sur torture, voilà ce qu'il avait l'impression d'y voir. Penchée au-dessus de la table en acier, les mains gantées et pleines de sang dans le torse éviscéré, Corazon travaillait avec un forceps et un outil à longue lame qu'elle appelait son « couteau à beurre ». Elle n'était pas grande et devait se tenir sur la pointe des pieds pour arriver au fond avec ses instruments. Elle pressa les hanches contre le bord de la table d'autopsie pour faire levier.

Ce qui le gênait dans ce sinistre tableau, c'était que le corps ait été pareillement violé, et pendant si longtemps. Les deux jambes avaient disparu, un bras avait été arraché au niveau de l'épaule et, même vieilles, les cicatrices étaient encore, Dieu sait comment, rouges et à vif. Et l'homme avait la bouche ouverte en un hurlement muet. Tout au fond de lui-même, Bosch savait bien que les morts sont les morts et qu'ils ne souffrent plus des cruautés de la vie, et pourtant… Il avait envie de dire : Ça suffit ! De demander : Quand cela finira-t-il donc ? La mort ne devrait-elle pas être ce qui soulage des tortures de la vie ?

Mais il garda le silence. Se tint là sans rien dire et se contenta d'observer comme il l'avait déjà fait des centaines de fois auparavant. Son besoin de recueillir la balle que Corazon essayait de libérer de la colonne vertébrale du mort était plus important encore que son indignation et le désir qu'il avait de s'élever contre les atrocités continuelles jadis infligées à Orlando Merced.

La légiste se laissa retomber sur les talons pour se reposer. Elle souffla fort, son masque anti-éclaboussures s'en trouvant un instant embué. Elle regarda Bosch à travers le plastique obscurci.

— On y est presque, annonça-t-elle. Et que je te dise : ils ont bien fait de ne pas essayer de la déloger à l'époque. Ils auraient été obligés de scier la T-12 de part en part.

Il hocha la tête, rien de plus. Il savait que c'était d'une vertèbre qu'elle lui parlait.

Elle se retourna vers la table, où s'étalaient ses outils.

— J'ai besoin d'autre chose, reprit-elle.

Elle déposa le couteau à beurre dans un évier en acier inoxydable, où un filet d'eau coulait d'un robinet légèrement ouvert, maintenant celle-ci au ras du drain de débordement. Puis elle porta la main à gauche de l'évier, la fit voleter au-dessus des instruments stérilisés et finit par choisir un crochet long et mince. Aussitôt elle se remit au travail, les mains enfouies dans le torse de la victime. Tous les organes et intestins ayant été ôtés, pesés et glissés dans des sachets, seule resta l'enveloppe que formaient les côtes tournées vers le haut. Une fois encore, Corazon se hissa sur la pointe des pieds et se servit du crochet en acier pour enfin dégager la balle de la colonne vertébrale, en usant de toute la force de son buste. Bosch entendit le projectile rouler dans la cage thoracique du mort.

— Je l'ai ! s'écria Corazon.

Elle ressortit les bras de la poitrine d'Orlando Merced, reposa le crochet et aspergea le forceps avec le tuyau attaché à la table. Puis elle le tint en l'air pour examiner ce qu'elle venait de trouver. Tapa du pied sur le bouton du magnéto posé à terre et continua de parler :

— Projectile ôté de la thoracique 12, partie antérieure. Objet en mauvais état, avec fort aplatissement. Je vais le photographier et le marquer de mes initiales avant de le confier à l'inspecteur Hieronymus Bosch de l'unité des Affaires non résolues de la police de Los Angeles.

Elle tapa à nouveau du pied sur le bouton, l'enregistrement s'arrêta.

— Désolée, Harry, reprit-elle. Tu me connais, toujours à cheval sur les formalités.

— Je ne pensais même pas que tu t'en souviendrais.

Corazon et lui avaient eu une brève aventure, mais elle remontait à loin et très peu de gens connaissaient le nom complet de Bosch à l'époque.

— Bien sûr que si ! lui renvoya-t-elle en faisant semblant de protester haut et fort.

Elle avait maintenant comme une nouvelle aura d'humilité. Très décidée à monter dans l'échelle sociale, elle avait fini par obtenir ce qu'elle voulait – le poste de légiste chef avec tout ce que ça comporte, y compris une émission de téléréalité. Mais parvenir au sommet d'une agence de l'État, c'est se transformer en politicien, et il arrive que les politiciens tombent en disgrâce. Elle avait fini par dégringoler, et durement, et se retrouvait maintenant à son point de départ, à savoir assistante du

coroner, avec la même charge de travail que tout un chacun dans le service. Au moins lui avait-on laissé l'usage
de sa salle d'autopsie privée. Pour l'instant.

Elle apporta la balle au comptoir, l'y photographia et
y apposa une marque au feutre noir indélébile. Bosch
avait un petit sachet en plastique tout prêt avec lui,
elle l'y laissa tomber. Puis il y apposa leurs initiales
afin de préserver la chaîne de traçabilité. Enfin il examina le projectile déformé à travers le plastique. Malgré
les dégâts, il vit alors qu'il s'agissait d'une balle de
calibre 308, ce qui voulait dire qu'elle avait été tirée à
l'aide d'une carabine. Et, si c'était bien le cas, l'info
serait d'importance pour l'affaire.

— Tu restes pour la suite ou c'est tout ce que tu
voulais ?

Elle le lui avait demandé comme s'il y avait quelque
chose d'autre entre eux. Il leva le sachet à éléments
de preuve.

— Vaudrait sans doute mieux que je mette ça en
route, dit-il. On a beaucoup de gens qui surveillent l'affaire de près.

— Oui, bon, eh bien… Je finirai toute seule. Et d'ailleurs, qu'est-ce qui est arrivé à ta collègue ? Elle n'était
pas avec toi dans le couloir ?

— Elle avait un coup de fil à passer.

— Oh. Je croyais qu'elle avait peut-être besoin d'un
petit moment de tranquillité à elle toute seule. Tu lui
as parlé de nous ?

Elle sourit et battit des paupières, Bosch se détour-
nant d'un air gêné.

— Non, Theresa, dit-il. Tu sais bien que je ne parle
jamais de ce genre de choses.

Elle acquiesça d'un signe de tête.

— Tu ne l'as jamais fait, c'est vrai. Tu es un monsieur qui garde ses secrets.

— J'essaie, dit-il en se tournant vers elle. En plus, ça remonte à loin.

— Et la flamme s'est éteinte, c'est ça?

Il recentra la conversation sur son objet.

— Et question cause du décès… Tu ne vois rien de différent des conclusions de l'hôpital, dis?

Elle fit non de la tête. Elle aussi était capable de revenir au présent.

— Non, il n'y a rien de différent ici. Septicémie. « Empoisonnement du sang », comme on dit vulgairement. T'auras qu'à mettre ça dans ton communiqué de presse.

— Et tu n'as aucun mal à relier ça au coup de feu? Tu pourrais en témoigner devant un tribunal?

Il n'avait pas fini sa phrase qu'elle acquiesçait déjà.

— M. Merced est mort d'un empoisonnement du sang, mais j'écrirai « homicide » comme cause de la mort. Cet assassinat remonte à dix ans, Harry, et je serai heureuse de témoigner. J'espère que cette balle t'aidera à trouver le meurtrier.

Il hocha la tête et serra dans sa main le sachet en plastique contenant la balle.

— Je l'espère, moi aussi, dit-il.

Chapitre 2

Il prit l'ascenseur pour redescendre au rez-de-chaussée. Ces dernières années avaient vu le comté dépenser trente millions de dollars pour rénover le bureau du coroner, mais les ascenseurs y montaient et descendaient tout aussi lentement qu'avant. Il trouva Lucia Soto sur le quai de chargement à l'arrière – adossée à une civière vide, elle regardait son téléphone portable. Petite et bien proportionnée, elle pesait 50 kilos à tout casser et portait le genre de tailleur chic en vogue chez les inspectrices. Cela lui permettait de garder son arme à la hanche plutôt que dans un sac. Ce qui disait force et autorité comme jamais une robe n'aurait pu le faire. Son tailleur était marron foncé, et elle le portait avec un chemisier crème : ça allait bien avec son teint de brune à la peau lisse.

Elle leva la tête en entendant Bosch approcher et se redressa à la hâte comme une gamine surprise en train de faire une bêtise.

— Je l'ai, dit-il.

Il leva en l'air le sachet à éléments de preuve avec la balle à l'intérieur. Elle le lui prit et la scruta un instant à

14

travers le plastique. Deux ou trois employés chargés du déplacement des corps arrivèrent dans son dos et tirèrent la civière jusqu'à la porte de ce qu'on appelait la « grande crypte ». Nouvel ajout au bâtiment, il s'agissait d'un espace réfrigéré de la taille d'un marché de Mayfair[1], où tous les cadavres qui arrivaient étaient rangés avant de se voir attribuer un numéro de passage à l'autopsie.

— Elle est grosse, cette balle, fit-elle remarquer.

Il acquiesça.

— Et longue, ajouta-t-il. À mon avis, c'est une carabine qu'il faut chercher.

— Et elle a l'air en assez mauvais état. Elle a champignonné.

Elle lui rendit le sachet, il le remit dans la poche de sa veste.

— Mais y a ce qu'il faut pour faire des comparaisons, enfin… je crois, dit-il. Assez, pour peu qu'on ait de la chance.

Les hommes qui se trouvaient derrière Soto ouvrirent la porte de la « grande crypte » et y poussèrent la civière. Une nappe d'air froid à la désagréable odeur de produit chimique passa sur tout le quai de chargement. Soto se tourna juste à temps pour avoir un aperçu de la gigantesque salle réfrigérée. Une rangée après l'autre, les corps y étaient placés jusqu'à quatre en hauteur dans un savant système d'étagères en acier inoxydable. Tous y étaient enveloppés dans des linceuls en plastique orange, avec pieds qui dépassent et étiquettes d'orteil battant sous la brise propulsée par les ventilateurs de réfrigération.

---

1. Nom d'une chaîne de supermarchés de L.A.

— Ça va? demanda Bosch.

— Oui, ça va, répondit-elle aussitôt. C'est juste que ça me dégoûte.

— En fait, c'est sacrément mieux maintenant. Avant, les cadavres s'alignaient dans les couloirs. Parfois même, ils s'y empilaient les uns sur les autres après un week-end chargé. Ça puait pas mal dans le coin.

Elle leva la main pour l'empêcher d'aller plus loin.

— S'il vous plaît, dit-elle. On a fini?

— Oui, on a fini.

Il commença à avancer, elle lui emboîta le pas. Elle avait tendance à marcher derrière lui et il n'arrivait toujours pas à savoir si c'était par respect pour son âge et son rang, ou s'il s'agissait d'autre chose, disons d'un problème de confiance en soi. Il se dirigea vers les marches au bout du quai de chargement et prit le raccourci jusqu'au parking des visiteurs.

— Où va-t-on? demanda-t-elle.

— On apporte la balle au service des armes à feu. À propos de chance... aujourd'hui, c'est mercredi. Premier arrivé, premier servi. Après, on passe prendre le dossier et les éléments de preuve à Hollenbeck. Et on démarre.

— OK.

Ils descendirent les marches et traversèrent le parking. La partie réservée aux visiteurs se trouvait sur le côté du bâtiment.

— Avez-vous passé votre coup de fil?

— Pardon? lui renvoya-t-elle, perdue.

— Vous ne m'avez pas dit que vous aviez un coup de fil à donner?

— Ah, oui. Oui, je l'ai donné. Désolée.

16

— Pas de problème. Vous avez eu ce que vous vouliez?

— Oui, merci.

Il se dit qu'il n'y avait pas eu coup de fil. Il la soupçonnait d'avoir voulu éviter l'autopsie car elle n'avait
encore jamais vu de corps humain éviscéré. Soto était
non seulement nouvelle à l'unité des Affaires non résolues, mais aussi au service des Homicides. C'était la
troisième affaire qu'elle travaillait avec lui, et la seule
où la mort était encore assez récente pour qu'il y ait
eu autopsie. Elle n'avait probablement pas envisagé de
s'en taper une, et en direct, en rejoignant l'unité. Ce
qu'on voyait et sentait alors était ce à quoi il était généralement le plus difficile de s'habituer dans ce travail.
Et aux Affaires non résolues, c'était rarement nécessaire.

Depuis quelques années, la criminalité avait chuté
de manière significative à Los Angeles, et ce dans tous
les domaines, y compris – et c'était le plus spectacu-
laire – en matière d'homicides. Cela avait entraîné une
redistribution des enquêtes prioritaires et des pratiques
au LAPD. Le nombre de meurtres diminuant, la police
avait mis un peu plus l'accent sur la résolution des
meurtres inexpliqués. Avec plus de dix mille assassinats non résolus toujours dans les registres depuis cinquante ans, ce n'était pas le travail qui manquait. Rien
que l'année précédente, l'unité avait presque triplé ses
effectifs et comptait maintenant un haut commandement avec un capitaine et deux lieutenants. Nombre
d'inspecteurs chevronnés de l'Homicide Special et
d'autres unités de la division des Vols et Homicides
y avaient été versés. Ainsi que toute une génération

de jeunes inspecteurs, qui n'avaient que très peu d'expérience dans ce domaine, voire aucune. L'idée générale que le Bureau du chef de police voulait répandre des hauteurs du dixième étage était que le monde avait changé et qu'il y avait maintenant de nouvelles technologies et façons de voir les choses. Même si rien ne valait le savoir-faire de l'enquêteur, il n'y avait pas de mal à y mêler de nouveaux points de vue et des expériences différentes.

Ces nouveaux inspecteurs – le « Mod Squad[1] » comme l'appelaient certains pour se moquer – avaient droit aux meilleures affaires de l'unité pour toutes sortes de raisons allant des bonnes relations politiques à une perspicacité et à des talents particuliers, en passant par la récompense pour acte d'héroïsme dans l'exercice de ses fonctions. Un de ces nouveaux inspecteurs avait ainsi travaillé dans les technologies de l'information pour une chaîne d'hôpitaux avant de devenir flic et de jouer un rôle de premier plan dans la résolution du meurtre d'un patient en analysant le système de livraison électronique d'une ordonnance. Un autre avait fait des études de chimie en qualité de Rhodes Scholar[2]. Il y avait même un inspecteur qui, lui, avait enquêté pour le compte de la police nationale d'Hawaï.

Soto n'avait que vingt-huit ans et n'était dans la police que depuis cinq ans à peine. « Manche nue » de son état – son uniforme ne s'ornait d'aucun galon

---

1. « La nouvelle équipe », série télévisée d'Aaron Spelling où les flics sont d'anciens « rebelles ».

2. Bourse prestigieuse accordée aux meilleurs étudiants du monde.

indiquant un grade quelconque –, elle était passée inspectrice en raison de son statut de deux en un. Mexicano-Américaine, elle parlait couramment l'anglais et l'espagnol. Et s'était payé un ticket d'entrée plus traditionnel au royaume des inspecteurs en devenant du jour au lendemain une véritable star des médias : aidée par son collègue, elle avait pris part à une fusillade contre quatre bandits armés en train de braquer un magasin de vins et spiritueux de Pico-Union. Son binôme avait été mortellement blessé, mais elle avait, elle, abattu deux des voleurs et coincé les deux autres dans une ruelle jusqu'à l'arrivée d'une équipe du SWAT qui avait achevé leur capture. Les malfrats étant membres de la 13e Rue, un des gangs les plus violents opérant à L.A., son exploit s'était étalé dans toute la presse et sur tous les sites Web et écrans de télé. Plus tard, le chef de police, Gregory Malins, lui avait décerné la médaille de la Valeur, son collègue y ayant droit à titre posthume.

Le nouveau commandant de l'unité, le capitaine George Crowder, avait décidé que la meilleure manière de gérer cet afflux de sang nouveau était de refonder toutes les équipes existantes en réunissant un inspecteur avec beaucoup d'expérience et un autre qui n'en avait aucune. Étant le plus âgé de l'unité, et celui qui y travaillait depuis le plus longtemps, Bosch s'était retrouvé avec la plus jeune recrue, Lucia Soto. « Harry, lui avait expliqué Crowder, le vieux pro, c'est toi. Je veux donc que ce soit toi qui t'occupes de la bleue. »

Bosch, qui n'était pas particulièrement ravi qu'on lui rappelle son âge et son statut, avait néanmoins été content de la tâche qu'on lui assignait. Il attaquait ce qui devait être sa dernière année dans la police et, selon les termes de son contrat, l'heure de la retraite était proche. Pour lui, chaque jour qu'il lui restait à passer au LAPD valait de l'or. Et chacune des heures dont ce jour était fait était comme un diamant d'une valeur inestimable. À ses yeux, former une inspectrice sans expérience et lui transmettre tout ce qu'il pouvait avoir à lui trans-mettre était sans aucun doute une excellente façon de terminer sa carrière. Lorsque Crowder lui avait annoncé que son adjointe serait Lucia Soto, il en avait été ravi. Comme tout le monde dans le service, il avait entendu parler de son exploit lors de la fusillade. Il savait ce que ça signifie et de tuer quelqu'un dans l'exercice de ses fonctions et de perdre un collègue. Il comprenait le mélange de douleur et de culpabilité dont elle allait souffrir. Il s'était dit qu'ils pourraient bien travailler ensemble et que peut-être il arriverait à faire d'elle une enquêtrice solide.

Être en binôme avec Soto offrait un autre avantage. Parce que c'était une femme, il ne serait pas obligé de partager une chambre d'hôtel avec un autre flic lors-qu'une affaire l'obligerait à voyager. Ils auraient cha-cun droit à leur chambre. Et ça, c'était énorme. La part de voyages auxquels il fallait s'attendre dans l'unité était importante. C'était souvent que les assassins qui pensaient s'en être sortis quittaient la ville en espérant que mettre de la distance entre eux et leur crime empê-cherait la police de les retrouver. Et maintenant, Bosch avait envie de mettre fin à son service dans la police sans avoir à partager une salle de bains, ou devoir supporter les ronflements, et autres émissions, d'un quelconque collègue dans une minuscule chambre à deux lits d'Holiday Inn.

Que Soto n'ait peut-être pas hésité à sortir son arme alors qu'elle était seule dans une ruelle de *barrio* mal famé n'empêchait pas qu'assister, et en direct, à une autopsie soit une autre affaire. Bosch avait eu l'impression qu'elle renâclait beaucoup lorsque, ce matin-là, il lui avait appris qu'ils venaient d'hériter d'un meurtre tout frais et devaient donc passer chez le coroner. La première chose qu'elle avait demandée était de savoir s'il était obligatoire que les deux membres de l'équipe assistent à la dissection. Le cadavre étant en terre depuis bien longtemps dans la plupart des *cold cases*, la seule dissection obligatoire se résumait à l'analyse d'anciens dossiers et éléments de preuve. Travailler à l'unité des Affaires non résolues permettait à Soto de s'occuper des dossiers les plus importants, à savoir ceux des meurtres, sans avoir à assister à une autopsie en direct, ni même à découvrir une scène de meurtre.

Ça semblait encore être le cas ce jour-là, jusqu'au moment où Bosch avait reçu l'appel de Crowder. Celui-ci lui avait demandé s'il avait lu le *Los Angeles Times* du matin, Bosch lui répondant qu'il ne recevait pas ce journal. Cela collait parfaitement avec le mépris que, tradition qui remontait à loin, se vouaient les médias et les forces de l'ordre.

Le capitaine s'était ensuite mis en devoir de lui parler de l'article en une qui allait être à l'origine de leur nouvelle tâche. Tout en l'écoutant, Bosch avait allumé son ordinateur pour aller consulter le site Web du journal, où l'affaire avait également droit à beaucoup de publicité.

On y rapportait qu'Orlando Merced était mort. Cible fortuite quelque dix ans plus tôt d'un coup de feu à Mariachi Plaza, en plein cœur de Boyle Heights, celui-ci était devenu une victime célèbre dans toute la ville. Venue des environs de Pleasant Avenue, la balle qui l'avait frappé au ventre avait traversé toute la place et, on le pensait, été tirée lors d'un règlement de comptes entre gangs.

Le coup de feu s'était produit un samedi, à 16 heures. Merced avait alors trente et un ans et jouait de la *vihuela*, une espèce de guitare à cinq cordes essentielle au son folk des groupes de mariachis du Mexique. Installé avec trois autres musiciens sur la place, il attendait qu'on l'embauche pour jouer dans un restaurant, lors d'une fête de *quinceañera*, voire pour un mariage de dernière minute. Merced était grand et avait de l'embonpoint. Apparemment sorti de nulle part, le projectile avait fracassé la table d'harmonie en acajou de l'instrument avant de lui perforer l'intestin et de se loger dans la partie antérieure de sa colonne vertébrale.

Merced ne serait alors devenu qu'une énième victime dans une ville où les affaires de délits de fuite se réduisaient à un communiqué de trente secondes sur les chaînes de langue anglaise et à un article de quatre paragraphes dans le *Times*, seule la presse de langue espagnole leur accordant un peu plus de place.

Mais un simple coup du destin avait tout changé. Trois mois plus tôt, Merced et son orchestre, Los Reyes Jalisco, avaient en effet joué au mariage du conseiller municipal Armando Zeyas, et Zeyas menait maintenant campagne pour le poste de maire.

Merced avait survécu. La balle lui avait endommagé la colonne vertébrale et fait de lui tout à la fois un hémiplégique et une cause célèbre. La campagne électorale pour le poste de maire commençant à prendre forme, Zeyas s'était mis à le promener dans son fauteuil roulant lors de tous ses meetings et allocutions. Il avait ainsi fait de lui le symbole même de l'abandon dont souffraient les minorités de Los Angeles. La criminalité étant élevée et l'attention de la police faible, on n'avait toujours pas attrapé l'individu qui lui avait tiré dessus. La violence des gangs avait libre cours, les services municipaux de base et les projets de longue date, telle la prolongation de la Metro Gold Line, étaient depuis longtemps repoussés à plus tard. Zeyas avait promis d'être le maire qui changerait tout ça et s'était servi de Merced et d'East Los Angeles pour se constituer une base et élaborer une stratégie qui l'avait vite distingué de la meute des autres prétendants. Il avait tenu jusqu'à l'élection et l'avait facilement emporté. Et de tout ce temps, Merced était resté à ses côtés, assis dans son fauteuil roulant et vêtu de son costume *charro*, voire parfois du chemisier taché de sang qu'il portait le jour où il avait été touché.

Zeyas avait fait deux mandats. East Los Angeles faisant l'objet d'une attention nouvelle de la part de la police, la criminalité avait diminué. La Gold Line avait été achevée – jusqu'à un arrêt en sous-sol à Mariachi Plaza –, le nouveau maire se prélassant alors dans la lumière de ses succès. Mais l'individu qui avait tiré sur Orlando Merced n'ayant toujours pas été pris, le corps de sa victime avait fini par payer le prix fort du passage du temps. Des infections répétées l'avaient conduit à de nombreuses hospitalisations et interventions chirurgicales. Merced avait commencé par y perdre une jambe, puis l'autre. Insulte qui s'ajoute à la blessure, le bras et la main qui lui avaient jadis permis de produire les rythmes propres à cette musique folklorique du Mexique en jouant de son instrument avaient eux aussi été amputés.

Et Orlando Merced avait fini par mourir.

— C'est à vous de jouer, avait poursuivi Crowder à l'adresse de Bosch. Je me contrefous de ce que peut raconter ce torchon de journal, c'est à nous qu'il revient de décider s'il s'agit oui ou non d'un homicide. Si cette mort peut être médicalement attribuée au coup de feu d'il y a dix ans, on ouvre un dossier et Lucia et vous pourrez reprendre l'affaire.

— Compris.

— Ou l'autopsie dit qu'il s'agit d'un homicide, ou c'est toute l'affaire qui s'éteint avec Merced.

— Compris.

Bosch ne refusait jamais une enquête : il savait qu'il commençait à en manquer. Cela étant, force lui était aussi de se demander pourquoi Crowder leur confiait, à lui et à Soto, le *cold case* de la mort de Merced. Il savait, et depuis le début, qu'on soupçonnait la balle qui l'avait frappé d'avoir été tirée par un membre de gang. Cela signifiait que cette nouvelle enquête allait devoir se centrer presque exclusivement sur la White Fence et sur d'autres gangs importants d'East L.A. opérant à Boyle Heights. Ce serait donc essentiellement une affaire où l'on parlerait espagnol, et si Soto était manifestement excellente dans cette langue, il n'en connaissait, lui, que des rudiments. Il était certes capable de passer commande à un vendeur de tacos dans une camionnette et d'ordonner à un suspect de se mettre à genoux avec les mains sur la tête, mais poser des questions précises à quiconque, voire mener des interrogatoires dans cette langue, ne comptait pas au nombre de ses talents. La tâche en reviendrait à Soto et, au moins à ses yeux, elle n'avait pas encore ce qu'il fallait pour ce travail. Il y avait dans l'unité au moins deux autres binômes avec des inspecteurs parlant espagnol et ayant plus d'expérience en matière d'enquête. C'était à l'un d'eux que Crowder aurait dû s'adresser.

Qu'il n'ait pas opté pour ce qui convenait ou semblait évident rendait Bosch soupçonneux. D'un côté, il se pouvait que l'ordre soit venu d'en haut. L'enquête serait sensible question médias et avoir l'héroïque Soto dans l'équipe aiderait peut-être à ce que leurs réactions soient positives. L'autre possibilité était plus sombre, à savoir que Crowder veuille que leur binôme échoue afin de très publiquement miner la décision qu'avait prise le chef de police de rompre avec la tradition en formant la nouvelle unité des Affaires non résolues. En faisant passer plusieurs enquêteurs jeunes et sans expérience avant des anciens qui attendaient une place dans une des brigades des Vols et Homicides, le chef de police ne s'était pas fait des amis dans les rangs. Crowder cherchait-il à mettre son supérieur dans l'embarras pour avoir agi de la sorte?

Bosch essaya de ne plus penser à ce genre de mobiles alors qu'ils tournaient au coin de la rue et entraient dans le parking visiteurs. Il songea à ce qui les attendait ce jour-là et s'aperçut qu'ils étaient probablement à moins de quinze cents mètres du commissariat d'Hollenbeck, et encore plus près de Mariachi Plaza. Ils pouvaient prendre par Mission Street avant de passer sous la 101. Dix minutes max. Il décida d'inverser l'ordre des arrêts qu'il avait dit vouloir faire à Soto.

Ils avaient traversé la moitié du parking pour gagner la voiture lorsqu'il entendit quelqu'un appeler Soto derrière lui. Il se retourna et découvrit une femme qui s'avançait dans la section des employés, un microphone sans fil à la main. Derrière elle, un caméraman avait du mal à ne pas baisser sa caméra en se faufilant entre les voitures.

— Merde, lâcha Bosch en regardant autour de lui pour voir s'il y avait d'autres reporters.

Quelqu'un – qui sait, peut-être même Corazon – avait averti les médias.

Il reconnut la femme, mais fut incapable de se rappeler pour quel bulletin télévisé ou quel organe de presse elle travaillait. Cela dit, s'il ne la connaissait pas, elle non plus ne le connaissait pas, et elle fonça droit sur Soto avec son micro. Côté médias, Soto était bien plus intéressante que lui.

— Inspecteur Soto, Katie Ashton, Channel 5, vous vous souvenez de moi?

— Euh, je crois que…

— La mort d'Orlando Merced est-elle reconnue officiellement comme un homicide?

— Pas encore, lui répondit tout de suite Bosch alors même qu'il était hors champ.

Le caméraman et la journaliste se tournèrent vers lui. Passer aux infos était la dernière chose qu'il souhaitait. Ce qu'il voulait, c'était avoir un peu d'avance sur les médias concernant l'affaire.

— Les services du coroner sont en train d'examiner les dossiers médicaux de M. Merced et devraient le décider bientôt, reprit-il. Nous espérons savoir quelque chose sous peu.

— Cela remettra-t-il en route l'enquête sur le coup de feu qui a tué M. Merced ?

— L'affaire est toujours en cours et c'est tout ce que nous avons à en dire pour l'instant.

Sans ajouter un mot, Ashton effectua un virage à 90 degrés sur sa droite et colla son micro sous le menton de Soto.

— Inspecteur Soto, vous avez reçu la médaille de la Valeur de la Police pour votre rôle dans la fusillade de Pico-Union. Cherchez-vous à abattre l'individu qui a tué Orlando Merced ?

— Je ne cherche à abattre personne, lui renvoya Soto, un instant abasourdie.

Bosch s'interposa devant le caméraman qui avait fait demi-tour pour filmer l'entretien par-dessus l'épaule gauche d'Ashton. Arrivé à la hauteur de Soto, il la tourna vers la voiture.

— C'est tout, dit-il. Fin des commentaires. Appelez le service médias si vous désirez autre chose.

Ils laissèrent la journaliste et le caméraman où ils étaient et se hâtèrent de regagner la voiture, Bosch s'installant au volant.

— Bonne réponse, dit-il en mettant le contact.

— C'est-à-dire ?

— La réponse que vous lui avez faite à la question de savoir si vous vouliez « abattre » l'assassin de Merced.

— Ah…

Ils passèrent dans Mission Street et prirent vers le sud. Ils étaient enfin à quelques rues de distance du bureau du coroner lorsque Bosch se rangea le long du trottoir, coupa le moteur et tendit la main à Soto.

— Permettez que je voie votre téléphone une seconde? demanda-t-il.

— Comment ça?

— Laissez-moi voir votre portable. Vous m'avez dit avoir un appel à passer quand je suis allé à l'autopsie. Je veux voir si c'est vous qui avez appelé la journaliste. Il n'est pas question que ma collègue file des infos aux médias.

— Non, Harry, dit-elle, ce n'est pas moi qui l'ai appelée.

— Parfait, alors laissez-moi jeter un coup d'œil à votre portable.

Indignée, elle le lui tendit. C'était un iPhone, le même que le sien. Il vérifia les appels. Soto n'en avait passé aucun depuis la veille au soir. Et le dernier qu'elle avait reçu était celui par lequel il lui avait fait savoir le matin même qu'ils venaient d'hériter d'une affaire.

— Vous lui avez envoyé un texto?

Il ouvrit l'application messages et découvrit que le plus récent avait été envoyé à une certaine Adriana, et qu'il était en espagnol. Il mit le téléphone sous le nez de Soto.

— Qui est-ce? demanda-t-il. Et ça dit quoi?

— C'est mon amie. Écoutez, je n'avais pas envie d'entrer dans la salle, OK?

Il la regarda.

— Quelle salle? Qu'est-ce que vous…

— La salle d'autopsie. Je ne voulais pas avoir à regarder ça.

— Et donc, vous m'avez menti?

— J'en suis désolée, Harry. Ça me gêne. Je pensais ne pas pouvoir supporter.

Il lui rendit l'appareil.

— Ne me mentez pas, Lucia, dit-il. C'est tout.

Il jeta un coup d'œil dans le rétroviseur extérieur et déboîta du trottoir. Ils gardèrent le silence jusqu'à la 1re Rue, où Bosch prit la file de gauche. Soto comprit alors qu'ils n'allaient pas apporter la balle au labo régional de criminologie.

— Où allons-nous? demanda-t-elle.

— Comme nous sommes dans le quartier, je me suis dit qu'on pourrait faire un saut à Mariachi Plaza, juste quelques minutes avant de passer prendre le dossier d'enquête au commissariat d'Hollenbeck.

— Je vois. Et pour l'arme?

— On fera ça après. Ç'a à voir avec la fusillade... que vous n'ayez pas voulu assister à l'autopsie?

— Non. Enfin... je ne sais pas. Je ne voulais pas voir ça, c'est tout.

Il laissa filer, pour le moment. Deux minutes plus tard, alors qu'ils approchaient de Mariachi Plaza, il vit deux camions de la télé garés le long du trottoir, antennes montées pour du direct.

— Ils sont vraiment à fond sur l'affaire, dit-il. On reviendra plus tard.

Il passa devant les camions sans s'arrêter. Huit cents mètres plus loin ils arrivèrent devant le commissariat. Flambant neuf et complètement modernisé avec ses vitres inclinées en façade qui reflétaient les rayons du

soleil selon des angles multiples, il ressemblait plus
à un immeuble de bureaux qu'à un commissariat de
police. Bosch se gara dans la section visiteurs du parking et coupa le moteur.

— Ça va être agréable, dit-il.
— Comment ça?
— Vous verrez.

Chapitre 3

Bosch n'aimait jamais se retrouver devant une affaire « à emporter ». Lorsqu'il travaillait aux Homicides d'Hollywood, il arrivait souvent que les gros dossiers soient pris par la division des Vols et Homicides. Plus tard, lorsqu'il y avait lui-même travaillé, il s'était retrouvé dans cette position et avait souvent retiré des affaires à des brigades régionales plus petites. À l'unité des Affaires non résolues, cela se produisait rarement parce que les dossiers y étaient vieux et poussiéreux. Mais celui de Merced – et il avait pourtant dix ans d'âge – n'avait pas été mis aux Archives. Il était toujours entre les mains des deux premiers enquêteurs qui en avaient hérité le jour même du coup de feu. Jusqu'à maintenant.

Bosch et Soto entrèrent par la « porte du boulot », nom donné à l'entrée en retrait du parking des voitures de patrouille. Ils longèrent un couloir à l'arrière du bâtiment jusqu'à la salle des inspecteurs, Bosch allant frapper à la porte ouverte du bureau du lieutenant.

— Lieutenant Garcia ?

— Lui-même.

Bosch entra dans le minuscule bureau, Soto sur les talons.

— Je m'appelle Harry Bosch, dit-il, et elle, c'est Soto. Nous sommes de l'unité des Affaires non résolues et nous venons prendre tout ce qu'il y a sur Merced. Nous aimerions parler avec les inspecteurs Rodriguez et Rojas.

Garcia hocha la tête. Il avait tout de l'administratif du LAPD. Chemise blanche, cravate sans intérêt, veste accrochée au dossier de son fauteuil. Boutons de manchette en forme de minuscule badge de la police. Aucun flic digne de ce nom n'aurait porté des boutons de manchette en patrouille. Bien trop voyant et facile à perdre dans une bagarre.

— Oui, le haut commandement nous a avertis. C'est prêt. Le bureau des CCP est à l'arrière, juste au coin, après la salle d'allaitement.

— Merci, lieutenant.

Bosch se retourna pour y aller et se cogna presque dans Soto qui n'avait pas saisi qu'ils en avaient fini avec le lieutenant. Elle recula gauchement d'un pas et se tourna elle aussi pour partir.

— Euh, inspecteurs… ? leur lança Garcia.

Bosch se retourna de nouveau.

— Rendez-moi un service. Si vous résolvez l'affaire, n'oubliez pas mes gars.

C'était du crédit à gagner dans la résolution d'une affaire d'importance qu'il parlait. L'ennui avec les affaires « à emporter », c'était que le travail de base était souvent effectué par les inspecteurs de la division et que, en les leur piquant, les gros bonnets du centre-ville leur volaient aussi toute la gloire d'avoir procédé à une arrestation. S'étant déjà trouvé des deux côtés de la barrière, Bosch comprit ce que leur demandait Garcia.

— On ne les oubliera pas, répondit-il. En fait, si vous pouvez vous en séparer, on se servira d'eux le moment venu.

C'était à une possible arrestation qu'il faisait allusion. Si jamais ils arrivaient à tenir un suspect et qu'ils devaient alors faire une demande de mandat ou monter une équipe d'arrestation, ce serait à Rodriguez et Rojas qu'ils feraient appel.

— Sympa, dit Garcia.

Ils quittèrent le bureau et trouvèrent la brigade des CCP dans une alcôve située après la salle d'allaitement du commissariat. La ville avait récemment ordonné que tous les bâtiments publics soient équipés d'une salle « familiale » où les employées et les visiteuses puissent être tranquilles pour donner le sein à leur bébé. Aucun des dix-neuf commissariats de la ville n'ayant été conçu pour disposer de ce genre de pièce, il avait été ordonné qu'une des salles d'interrogatoire de toutes les brigades d'inspecteurs soit transformée en un espace répondant aux exigences de la municipalité. Ces salles avaient été repeintes en tons clairs et apaisants, des autocollants y étant souvent apposés. Il arrivait donc que, lorsqu'il y avait encombrement, ces pièces soient utilisées pour des interrogatoires, le malheureux suspect s'y retrouvant alors questionné sous le nez d'individus tels que Bob l'Éponge et Kermit la Grenouille.

La salle des CCP d'Hollenbeck se réduisait à cinq bureaux collés ensemble de façon à ce que chacun des deux membres des deux binômes se retrouve en face de l'autre, le bureau du patron étant lui à l'autre bout desdits bureaux. Il n'y avait pour l'instant que deux hommes assis selon cette configuration sous le panneau *Crimes contre les personnes*, Bosch se disant aussitôt qu'il devait s'agir d'Oscar Rodriguez et de Benito Rojas.

Une pile de trois classeurs bleus se trouvait sur une de leurs tables. Bosch y lut le nom *Merced* sur le dos de deux d'entre eux, le troisième s'ornant du simple mot *Tuyaux*. Sur le bureau se trouvait aussi un carton scellé à l'aide du ruban rouge « pièces à conviction ». Appuyé à la table, Bosch découvrit encore un étui noir et se dit qu'il devait s'agir de celui où Orlando Merced rangeait son instrument. Les autocollants qui agrémentaient les trois classeurs disaient qu'on avait visité beaucoup de villes et de régions du Mexique et du Sud-Ouest des États-Unis pour les besoins de l'enquête.

— Salut, les gars ! lança Bosch. On est des Affaires non résolues.

— Tiens donc, lui répondit l'un d'eux. Les gros bonnets sont là.

Bosch hocha la tête. Il s'était conduit de la même façon autrefois, quand on lui enlevait une affaire. Il tendit la main à l'inspecteur en colère.

— Harry Bosch, dit-il. Je vous présente Lucia Soto. Et vous, c'est Oscar ou Benito ?

L'homme lui serra la main à contrecœur.

— Ben, dit-il.

— Content de vous connaître. Et je suis désolé. Nous le sommes tous les deux. Personne n'apprécie, d'un côté comme de l'autre… L'affaire à emporter, je veux dire. Je sais que vous y avez beaucoup bossé, et ce n'est pas

34

juste. Mais c'est comme ça. Nous faisons tous ce que les génies d'en haut nous demandent de faire.

Ce petit discours parut calmer Rojas. Rodriguez, lui, resta impassible.

— Emportez le bazar, c'est tout, dit-il. Bonne chance, mec.

— En fait, je ne veux pas que l'emporter, ce bazar, lui renvoya Bosch. On aimerait aussi avoir votre aide. J'aimerais, moi, vous poser des questions sur l'affaire. Maintenant, et plus tard, quand on aura le nez dedans. Parce que c'est vous deux, les cerveaux. Et depuis le premier jour. Je me tirerais une balle dans le pied si je ne faisais pas appel à vous.

— Ils ont ressorti la balle ? demanda Rodriguez.

— Oui. On arrive de l'autopsie.

Bosch glissa la main dans sa poche et en sortit le sachet à éléments de preuve. Il le tendit à Rodriguez et attendit sa réaction. Rodriguez se retourna et tendit le sachet à son collègue.

— Putain de Dieu ! s'écria Rojas. On dirait une balle de .308 !

— C'est aussi mon avis, dit Bosch en reprenant le sachet. Prochain arrêt, le labo régional. Vous n'aviez jamais pensé à une carabine, hein ?

— Pourquoi on y aurait pensé ? lui renvoya Rodriguez. On l'a jamais eu, ce putain de projectile !

— Vous avez vu des radios de l'hôpital ? demanda Soto.

Les deux inspecteurs la regardèrent comme si elle était grossière de douter de leur travail. Bosch, lui, aurait pu se le permettre parce qu'il avait de l'expérience. Pas elle.

— Oui, on en a vu, répondit-il avec de l'agacement dans la voix. Mais l'angle n'était pas bon. Tout ce qu'on avait, c'était le champignon. Pas moyen d'en tirer quoi que ce soit.

Elle acquiesça. Bosch essaya de la leur faire oublier.

— Dites, si vous êtes pas trop occupés, on aimerait bien vous payer un café et parler de ce qu'il y a dans ces classeurs.

À la réaction de Rodriguez, il comprit qu'il avait fait un faux pas.

— Dix ans sur un dossier et on a droit à un café? Merci, mon cul, mais non, j'ai pas besoin d'un café. En plus de quoi, ajouta-t-il en montrant Soto d'un coup de menton, t'as la *heroina con la pistola* dans ton équipe, mec. Lucky Lucy. T'as pas besoin de nous.

Bosch se rendit compte que perdre l'affaire n'était pas la seule chose qui agaçait Rodriguez. Il était furieux de devoir encore travailler dans une brigade d'inspecteurs de la division alors que Soto, qui n'avait aucune expérience, venait d'être promue aux Affaires non résolues. Bosch sentit qu'il n'y avait pas moyen de rattraper le coup pour l'instant et décida de quitter le commissariat avant que tout ne s'aggrave. Il avait remarqué que Rojas ne s'était pas joint à son collègue pour se moquer de Soto ou de cette réaffectation du dossier. Ce serait vers lui qu'il reviendrait lorsqu'ils seraient prêts.

— OK, dit-il, alors on va juste prendre le bazar.

Il s'avança, posa les trois classeurs sur le carton à éléments de preuves et s'empara du tout.

— Lucia, dit-il, l'étui à guitare.

— C'est une *vihuela*, frangin, lui lança Rodriguez. Vaudrait mieux pas se tromper avant la conférence de presse.

— Très juste, dit Bosch. Merci.

Il se redressa et jeta un coup d'œil aux bureaux au cas où il aurait oublié quelque chose.

— OK, les gars, merci de votre aide. On reste en contact.

Il gagna l'alcôve, Soto sur les talons.

— C'est ça, dit Rodriguez dans leur dos. Et la prochaine fois, apportez-le, ce café.

Ils étaient déjà dans le parking quand Soto brisa le silence qui régnait entre eux.

— Je suis désolée, Harry, dit-elle enfin. Je ne devrais vraiment pas être sur ce dossier. Ni même seulement dans cette unité.

— Ne les écoutez pas, Lucia. Vous vous en sortirez comme un chef et je vais avoir sacrément besoin de vous dans cette affaire. Vous serez d'une importance capitale.

— Quoi ? Comme interprète ? C'est pas du travail d'inspecteur, ça. J'ai l'impression d'avoir hérité de quelque chose que je ne mérite pas. Et je le sens depuis qu'on m'a donné le choix entre plusieurs unités. J'aurais dû demander les Cambriolages.

Bosch posa le carton et les classeurs sur le capot de la voiture pour pouvoir sortir ses clés. Il ouvrit le coffre à distance, passa à l'arrière du véhicule et eut toutes les peines du monde à caser l'étui, le carton et les classeurs dans la malle. Dès que tout fut en place, il ouvrit les fermetures de l'étui, souleva le couvercle et regarda la *vihuela* sans la sortir. Il avait suffi d'une balle pour en fracasser la table d'harmonie cirée. Il referma l'étui. Puis il se retourna et répondit enfin à sa partenaire.

— Écoutez-moi bien, Lucia, dit-il. Vous auriez perdu votre temps aux Cambriolages. Je ne travaille avec vous que depuis quelques semaines, mais je sais déjà que vous êtes un bon flic et que vous ferez une excellente inspectrice. Arrêtez de vous rabaisser. Comme vous venez d'en faire l'expérience, il y aura toujours des gens pour le faire à votre place. Vous aurez juste à ne pas les écouter. Ils veulent ce que vous avez et ça, vous n'y pouvez rien.

— Merci, dit-elle. Et je vous en prie, appelez-moi Lucy. Quand vous m'appelez Lucia, j'ai l'impression que nous ne formerons jamais une vraie équipe.

— Bon, Lucy alors. Et maintenant, n'oubliez pas ceci : ce genre d'affaire est « à emporter ». On fonce dessus et on prend. Personne n'apprécie que les Vols et Homicides se pointent et écrasent tout le monde comme Bigfoot. Alors les gens disent des trucs, mais finissent par s'en accommoder. Ces gars-là ? Ça ne sera même pas terminé qu'ils nous aideront, et beaucoup. Vous verrez.

Elle n'avait pas l'air convaincue.

— Je ne sais pas pour Rodriguez. Il a l'air d'avoir un sérieux manche à balai dans l'cul, dit-elle.

— Mais au bout du compte, c'est quand même un inspecteur et il fera ce qu'il faut. Allons-y.

— OK.

Ils remontèrent dans la voiture, quittèrent la 1re Rue, longèrent le cimetière chinois et gagnèrent la 10e. De là, il ne leur fallut que deux minutes de route bien tranquille pour rejoindre la bretelle de sortie de la California State University, où se trouvait le laboratoire régional de criminologie.

Structure de cinq étages, il s'élevait au milieu du campus et avait été construit en partenariat avec le LAPD et les services du shérif du comté de Los Angeles, cette décision étant des plus logiques dans la mesure où ces deux agences du maintien de l'ordre traitaient plus d'un tiers des crimes perpétrés en Californie, nombre de ces derniers à cheval sur leurs deux juridictions.

Cela étant, à l'intérieur du laboratoire, les deux services disposaient d'équipements et d'installations distincts. Dont la LAPD Firearms Analysis Unit, où l'on trouvait le labo dit « des projectiles » sur lesquels les techniciens travaillaient dans une salle faiblement éclairée et se servaient de lasers et d'ordinateurs pour essayer de les relier à telle ou telle autre affaire.

C'était là qu'il y avait beaucoup à espérer pour le dossier Merced. L'enquête menée dix ans plus tôt par Rodriguez et Rojas avait peut-être été exhaustive, mais ils n'avaient jamais retrouvé aucune douille et la balle était jusqu'alors restée dans le corps de la victime. Les chances étaient faibles, mais s'il était possible de la relier à un autre crime, ce serait alors de tout autres perspectives d'enquête qui s'ouvriraient à Bosch et à Soto.

La procédure habituelle dans ce labo était de soumettre une balle ou une douille pour analyse et, engorgement oblige, d'attendre parfois des semaines entières avant d'obtenir une réponse et un rapport. Mais les mercredis portes ouvertes, on pouvait apporter une balle et être servi selon son ordre d'arrivée.

Bosch alla voir le superviseur et fut dirigé vers un technicien au nom fort approprié de Gun Chung[1]. Bosch avait déjà travaillé avec lui et savait que c'était bien son nom, et pas un sobriquet.

— Salut, Gun. Ça va ? demanda-t-il.

— Très bien, Harry. Qu'est-ce que tu m'apportes aujourd'hui ?

— Commençons par le commencement. Je te présente ma nouvelle coéquipière, Lucy Soto. Et maintenant, ce que je t'apporte aujourd'hui, c'est du pas facile.

Chung leur serra la main à tous les deux, puis Bosch lui tendit le sachet avec la balle à l'intérieur. Chung l'ouvrit avec des ciseaux et en sortit le projectile. Il le soupesa dans sa main, puis le tint sous une loupe lumineuse qu'il tira par son bras articulé.

— Remington, dit-il. Calibre 308 semi-blindée à tête molle… champignonnage maximum. Surtout utilisée dans le tir à longue portée.

— Tu veux dire par un sniper ?

— Non, c'est plutôt une arme de chasse.

Bosch hocha la tête.

— Et tu peux en tirer quelque chose ?

En fait, Bosch lui demandait si l'état de la munition empêchait toute analyse comparative. Elle avait traversé l'avant et l'arrière en bois de la *vihuela*, puis pénétré dans le corps de la victime avant d'aller se loger dans sa douzième vertèbre. À chacun de ces impacts, elle avait champignonné, ne laissant intacte qu'une faible partie de l'étui. Et c'était là que les striations de l'intérieur du canon de l'arme avec laquelle elle avait été

---

1. Chung le Flingue.

tirée formaient un dessin unique permettant de la comparer à d'autres projectiles répertoriés dans la base de données Bullettrax.

La balle que Bosch venait de donner à Chung ne présentait qu'un quart de pouce de surface non déformée[1]. Chung l'examina attentivement à la loupe et parut prendre son temps avant de décider si oui ou non elle pouvait être candidate à un profilage balistique, Bosch faisant de son mieux pour pousser à la roue.

— Affaire vieille de dix ans, dit-il. Le coroner vient juste de l'extraire de la colonne vertébrale du type. Je pense que c'est à peu près notre seule chance de faire avancer les choses.

— C'est un processus en deux temps, Harry, lui dit Chung en hochant la tête. Un, il faut que je voie s'il y a assez de matière pour travailler. Et deux, même si nous passons la balle à la banque de données, il n'est pas garanti que nous trouvions une correspondance. La base de données pour les munitions de carabine ou de fusil est limitée. Les trois quarts des balles utilisées dans des crimes sont tirées avec des armes de poing.

— Je comprends, dit Bosch, mais... ton verdict? Y a assez de matière?

Chung s'écarta de la loupe et les regarda tous les deux.

— Je crois qu'on peut essayer, dit-il.

— Parfait, dit Bosch. Combien de temps devra-t-on attendre, en gros?

— C'est plutôt calme aujourd'hui. Je regarde ça tout de suite et on voit ce que ça donne.

---

1. 0,68 cm.

— Merci, Gun. On te laisse tranquille ou on reste dans le coin ?

— Comme vous voulez. Il y a une cafète au premier si vous avez envie d'un café.

— Bonne idée.

Bosch et Soto ne s'étaient pas plus tôt assis à la cafète, Bosch devant un café noir et Soto devant un Diet Coke, que le téléphone d'Harry se mettait à bourdonner. C'était Crowder au PAB.

— Où êtes-vous, Harry ?

— Au labo régional avec la balle.

— Les nouvelles sont bonnes ?

— Pas encore. On attend qu'ils la passent à la banque de données.

— Parfait. Mais moi, j'ai besoin que vous reveniez ici tout de suite.

— Pourquoi ? Qu'est-ce qui se passe ?

— La famille Merced est ici avec les médias et la conférence de presse est dans vingt-cinq minutes.

— Quelle conférence de presse ? Nous n'avons pas…

— Aucune importance, Harry. La quantité de reporters a atteint la masse critique et le chef a décidé d'en faire une. Les services du légiste ont déjà fait savoir que pour eux il s'agit d'un homicide.

Bosch faillit insulter Corazon à haute voix.

— Le chef vous veut tous les deux à côté de lui. Alors vous rappliquez. Tout de suite !

Bosch mit longtemps à répondre.

— Harry ? Vous m'entendez ?

— Oui, je vous entends. On arrive.

Chapitre 4

Au deuxième étage, au bout du couloir conduisant au service médias, se trouvait une grande salle réservée aux conférences de presse. Bosch et Soto étaient, eux, retenus dans une petite pièce juste à côté, où un lieutenant de ce service, un certain DeSimone, leur disait comment la conférence allait se dérouler. Il avait été prévu que le chef Malins parle en premier, puis qu'il présente la famille d'Orlando Merced à la presse. Après seulement, le micro serait passé à Bosch et à Soto. La plupart des journalistes appartenant à des médias de langue espagnole, Soto serait disponible pour des interviews en espagnol après la conférence. Bosch interrompit DeSimone en plein milieu de ses explications pour lui demander ce qui allait être annoncé.

— Nous allons parler de l'affaire et dire comment la mort de M. Merced hier a réinitialisé l'enquête, lui répondit DeSimone.

Bosch détestait les mots du genre « réinitialiser ».

— Bon, mais ça, ça prendra à peu près cinq secondes, dit-il. On a vraiment besoin d'une confé…

— Inspecteur, le coupa DeSimone, à 10 heures nous avions déjà dix-huit demandes de briefing sur l'affaire. Appelez ça une journée pauvre en nouvelles si vous voulez, mais celle-ci a attiré l'attention du monstre médiatique. À tel point même que pour nous, la meilleure façon de procéder est de donner une conférence de presse. Vous résumez l'affaire, puis vous donnez les résultats de l'autopsie… Tous savent déjà que pour le service de médecine légale, il s'agit d'un homicide… et vous développez. Vous dites que la balle qui se trouvait dans le corps de la victime depuis dix ans est en ce moment même comparée à des milliers d'autres répertoriées dans les banques de données de tout le pays. Puis vous répondez à quelques questions. Un quart d'heure en tout et vous retrouvez votre enquête.

— Je n'aime pas les conférences de presse, dit Bosch. Si vous voulez mon avis, elles n'ajoutent jamais rien. Elles ne font que compliquer les choses.

DeSimone le regarda et sourit :

— Vous savez quoi ? Je n'ai aucune envie d'avoir votre avis. Je vous dis seulement ceci : nous allons donner une conférence de presse.

Bosch se tourna vers Soto. Il espérait que ça lui apprenne quelque chose.

— Bon, et on fait ça quand ? demanda-t-il.

— Les médias attendent déjà dans la salle. On entrera avec le chef. Bref, dès qu'il descend, on y va.

Bosch sentit son portable vibrer dans sa poche. Il s'écarta de DeSimone et répondit. C'était Gun Chung.

— Fais-moi plaisir, Gun, dit-il. Je t'en prie.

— Désolé, Harry, pas moyen. Aucune correspondance dans la base Bullettrax.

Bosch attira de nouveau le regard de Soto et fit non de la tête.

— Harry? T'es toujours là?

— Oui, oui, Gun. Je suis toujours là. Autre chose?

— Oui. Je pense avoir identifié l'arme.

Cela allégea un peu la déception de Bosch.

— Et c'est quoi? demanda-t-il.

— Six rayures, pas de douze… pour moi, c'est à une Kimber Modèle 84 qu'on a affaire. Ce qu'on appelle la « Montana au catalogue »… une carabine de chasse.

Rayures et pas décrivaient certains aspects de l'intérieur du canon. Ils avaient permis à Chung d'en identifier le modèle, mais pas de relier la balle à une arme précise. C'était mieux que rien et Bosch fut heureux que ce nouveau renseignement soit sorti de l'autopsie.

— Ça va t'aider? lui demanda Chung.

— La moindre info nous aide. C'est cher, comme arme?

— C'est pas donné. Mais on en trouve d'occasion.

— Merci, Gun, dit Bosch en hochant la tête.

— À ton service, mec. Tu passes prendre la balle ou je te la garde?

— Faut que je la reprenne pour la filer aux Scellés.

— Entendu. Et n'oublie pas, Harry : tu me trouves une douille et ça change tout. Il y a bien plus de douilles que de balles dans la base de données. Si tu m'en trouves une, on pourra peut-être faire quelque chose.

Bosch savait que ça ne risquait pas d'arriver. Difficile de trouver une douille liée à un coup de feu vieux de dix ans.

— D'accord, Gun, merci, dit-il.

Il rempocha son portable et revint vers DeSimone.

— C'était la balistique, dit-il. La balle qu'on a extraite du corps de Merced ne donne lieu à aucune correspondance dans la base. On se retrouve à la case départ. Annulez la conférence de presse… y a rien à dire.

— Pas question d'annuler, lui renvoya DeSimone en hochant la tête. Vous ne parlez pas de la balle, c'est tout. Transformez l'affaire en une demande d'aide générale. Il y a dix ans de ça, le soutien du public a été énorme et on en a à nouveau besoin aujourd'hui. Vous êtes tout à fait capable de nous faire ça, Bosch. D'autant plus que… vous avez vraiment envie d'annoncer que la balle ne mène à rien ? Non, ce que vous voulez, c'est que le tireur se dise que vous tenez peut-être quelque chose.

Bosch n'aimait pas que le type des médias lui dise ce qu'il fallait faire… c'était même la raison pour laquelle il ne lui avait pas dit que Gun avait probablement identifié le modèle de l'arme utilisée lors du tir. Il songea à faire demi-tour et filer, tout simplement, plutôt que de rester pour cette mascarade. Mais ç'aurait laissé Soto toute seule et l'aurait forcée à faire des choses dont elle ne comprenait probablement pas la portée. Ce qui aurait aussi eu probablement pour conséquence de le faire virer, lui, de l'affaire.

C'est alors que la radio de DeSimone se mit à crachouiller, l'informant que le chef venait de prendre l'ascenseur pour descendre.

— Bien, dit-il. Allons-y.

Ils passèrent dans le couloir et attendirent que l'ascenseur arrive du dixième. Lorsque les portes s'ouvrirent, le chef en sortit, suivi d'un type en qui Bosch reconnut aussitôt Armando Zeyas, l'ancien maire qui s'était fait le champion de la cause d'Orlando Merced dix ans plus tôt. Et le chef l'avait ramené pour la conférence de presse ? Ou alors, c'était Zeyas qui avait joué des coudes pour en être ? On disait qu'il se préparait à faire campagne pour le poste de gouverneur et se servir de Merced l'avait bien aidé politiquement la première fois. Pourquoi pas une deuxième ?

Bosch n'avait aucun mal à penser de manière aussi cynique : il n'était pas tombé de la dernière pluie. Mais il remarqua que les yeux de Soto s'étaient mis à briller en voyant Zeyas. L'homme était un vrai héros dans la communauté latina. Un vrai pionnier.

Zeyas et le chef étaient suivis par un homme qu'il reconnut lui aussi. Connor Spivak avait été le grand stratège politique de l'ancien maire. Tout semblait dire qu'il allait l'accompagner dans sa tentative de moins en moins secrète d'avoir droit à la demeure du gouverneur.

DeSimone s'approcha du chef et lui souffla quelque chose à l'oreille. Malins hocha une fois la tête et rejoignit Bosch. Ils se connaissaient depuis des années. À peu près du même âge, ils avaient suivi le même itinéraire au sein de la police : patrouille, inspecteur au commissariat d'Hollywood, puis aux Vols et Homicides. Mais alors que Bosch y avait trouvé la maison de ses rêves, Malins avait des ambitions qui allaient plus loin que résoudre des meurtres. Il avait opté pour l'administration et s'était vite hissé au niveau du commandement jusqu'à être enfin nommé au poste le plus élevé par la commission police de la municipalité. Il arrivait au bout de son premier mandat de cinq ans et allait bientôt devoir se représenter. Tout le monde ou presque pensait que c'était gagné d'avance.

— Harry Bosch! lança-t-il cordialement. J'apprends que l'idée d'une conférence de presse te troublerait?

Bosch acquiesça, l'air un rien embarrassé. Il n'y avait pas beaucoup de place et tout le monde pouvait entendre ce qu'ils disaient. Néanmoins, il ne renonça pas à lui faire part de l'appréhension qu'il éprouvait à l'idée de discuter de l'affaire devant les médias.

— La seule piste qu'on avait… la balle… n'a rien donné, dit-il. Je ne vois pas ce qu'on pourrait raconter.

Malins acquiesça à son tour, sans pour autant abonder dans son sens.

— Il y a plein de choses à dire, Harry, lui remontra-t-il. Nous avons besoin d'assurer aux citoyens de cette ville qu'Orlando Merced ne sera pas oublié. Que nous recherchons toujours l'individu qui a fait le coup et que nous le trouverons. Ce message-là est plus important que tout le reste, y compris ton bout de plomb.

Bosch se retint de lui renvoyer le fond de sa pensée.

— Si tu le dis…

— Je le dis, insista le chef. Ou bien tout le monde compte ou bien personne… C'est pas ce que tu m'as dit un jour?

Bosch lui fit signe que si.

— Alors ça, ça me plaît! s'écria Zeyas. Ou bien tout le monde compte ou bien personne. C'est vraiment bien.

Bosch fut incapable de masquer son effroi. Dans la bouche de Zeyas, ça sonnait comme un slogan de campagne électorale.

Le chef regarda Soto derrière Bosch – comme à son habitude, elle se tenait deux pas derrière lui.

— Inspecteur Soto, comment vous traite-t-on au Vols et Homicides? lui demanda-t-il.

Soto lui serra la main.

— Très bien, chef. Et j'apprends tout du meilleur d'entre eux, dit-elle en désignant Bosch d'un signe de tête.

Le chef sourit. Elle venait de lui ouvrir la voie.

— Ce type-là? dit-il. C'est un vrai « dos argenté ». Apprenez tout ce que vous pourrez avec lui aussi longtemps qu'il sera là.

— Oui, chef, dit-elle pleine d'enthousiasme. J'en apprends tous les jours.

Elle irradiait, le chef irradia à son tour. Tout le monde était content. Bosch comprit alors que c'était le chef qui avait tout goupillé pour le mettre en tandem avec elle. Crowder n'avait fait qu'obéir aux ordres.

— Bien, reprit DeSimone. Allons-y. La famille Merced est déjà dans la salle, au premier rang. Le chef Malins sera le premier à monter sur l'estrade et en présentera les membres. Après, ce sera au tour de l'ancien maire de dire quelques mots, puis l'inspecteur Bosch parlera de…

— Et si on demandait à l'inspectrice Soto, dit le chef. Elle n'ignore rien de tout ce que l'inspecteur Bosch sait de l'affaire, n'est-ce pas? Allez, faisons comme ça. Ça ne te gêne pas, Harry, hein?

Et il regarda Bosch.

— Non, ça ne me gêne pas, dit celui-ci. C'est toi le patron.

Tout le groupe descendit le couloir. Un des subordonnés de DeSimone se tenait devant la porte déjà ouverte sur la salle des médias. Il y entra pour signaler aux gens qui attendaient de se tenir prêts. Projecteurs, caméras et enregistreurs, tout fut allumé.

Soto s'approcha de Bosch et lui murmura :

— Harry, j'ai jamais fait ça. Qu'est-ce que je dis ?

— Vous avez entendu DeSimone. Faites court, c'est tout. Dites qu'on est en train de reprendre l'affaire et que l'aide de la communauté serait la bienvenue. Que tous ceux qui se rappellent ou savent quelque chose n'hésitent pas à appeler la ligne réservée aux renseignements anonymes ou l'unité directement. Et vous ne parlez pas de la carabine. Ça, on se le garde.

— D'accord.

— Mais surtout, n'oubliez pas : on fait court. Les politiciens seront tous très longs. Ne soyez pas comme eux.

— Compris.

Tout le monde passa dans la salle. Elle était équipée d'une estrade avec un lutrin au milieu, trois rangées de tables étant disposées devant pour les journalistes. Derrière ces tables se trouvait une autre estrade, où des caméras avaient été installées pour pouvoir filmer par-dessus la tête des journalistes. Bosch et Soto suivirent le chef et l'ancien maire sur l'estrade et se tinrent derrière eux. Bosch jeta un coup d'œil à la première rangée devant les journalistes. Quatre personnes y avaient pris place, trois femmes et un homme, mais il ignorait les liens qu'elles pouvaient avoir avec Orlando Merced. L'affaire lui était si nouvelle qu'il n'avait même pas encore fait la connaissance des parents de la victime. Ça aussi, c'était quelque chose qui l'agaçait dans tout ce show.

— Je vous remercie d'être venus, lança DeSimone au micro. Je vais maintenant vous présenter le chef de police Gregory Malins qui va vous dire quelques mots et qui sera suivi par l'ancien maire Armando Zeyas et l'inspectrice Lucia Soto. Chef?

Malins se posta devant le micro et parla sans notes. Il avait plus que l'habitude de parler devant des journalistes et des caméras.

— Il y a dix ans de cela, commença-t-il, Orlando Merced était touché par une balle perdue à Mariachi Plaza. M. Merced est resté paralysé et s'est battu de toutes ses forces pour recouvrer la santé et mener une vie productive. Hier matin, il a perdu ce combat et nous sommes ici aujourd'hui pour dire qu'il ne sera pas oublié. L'unité des Affaires non résolues de mes services a repris le dossier dès aujourd'hui et poursuivra l'enquête avec vigueur jusqu'à ce que nous puissions déterminer l'identité du tireur. Comme vous le savez, nous avons conclu qu'il s'agit d'un homicide, et nous ne mettrons fin à cette enquête que le jour où nous arrêterons le responsable et l'accuserons de meurtre.

Il marqua une pause, sans doute pour que les journalistes de la presse écrite qui prenaient fiévreusement des notes puissent rattraper leur retard.

— Avec nous ici même se trouvent aujourd'hui des membres de la famille d'Orlando Merced. Son père, Hector, et sa mère, Irma. Sa sœur, Adelita, et son épouse, Candelaria. Nous leur faisons le serment de ne jamais oublier Orlando et leur jurons que notre enquête sera efficace et exhaustive. C'est maintenant un ami personnel de M. Merced et de sa famille, l'ancien maire Armando Zeyas, qui va vous dire quelques mots.

Le chef se mit en retrait et Zeyas prit sa place.

— C'est à cause de ce qui est arrivé à Orlando Merced que j'ai appris ce que sont la douleur et la violence lorsqu'elles s'abattent sur notre communauté, commença-t-il. Mais j'ai appris bien plus encore que cela de cet homme qui est devenu un ami. J'ai appris la persévérance. J'ai appris la compassion. J'ai appris ce que c'est que de faire avec les cartes qu'on a en main. C'est grâce à lui que j'ai appris ce qu'est la résilience de l'esprit humain. Jamais Orlando ne s'est demandé : « Pourquoi moi ? » Il s'est juste demandé : « C'est quoi, la suite ? » S'il est un héros à mes yeux, c'est parce qu'il a pris ce que la vie lui donnait et en a tiré le maximum. De bien des façons, c'était encore plus beau que la musique qu'il sortait jadis de son instrument. Je fais ici le serment d'aider cette enquête au mieux de mes possibilités. Je ne suis peut-être plus maire, mais j'aime cette communauté et les êtres qui la composent. C'est à de tels moments que tous nous nous ressaisissons et sommes à nouveau et véritablement de la Cité des Anges. C'est à de tels moments que nous comprenons que, dans cette cité et dans notre société, ou bien tout le monde compte ou bien personne. Merci.

DeSimone revint au micro et informa l'assistance que l'affaire était maintenant entre les mains de Bosch et de Soto. Il précisa que ce serait Soto qui en donnerait le dernier état et qu'elle pourrait le répéter en espagnol. Lucy s'approcha du micro et l'abaissa devant sa bouche.

— Nous euh… suivons toutes les pistes et demandons l'aide de tous. Il y a dix ans, le soutien du public a été massif. Beaucoup de gens ont appelé la police pour lui offrir de l'aide et lui donner des tuyaux. Nous demandons à tout individu ayant des renseignements sur le coup de feu de prendre contact avec nous. Vous pouvez nous appeler sur la ligne des renseignements anonymes ou directement à l'unité des Affaires non résolues. Même si vous croyez que nous savons déjà ce que vous avez à nous dire, nous vous demandons d'appeler.

Elle se tourna vers Bosch et lui lança un bref coup d'œil comme pour lui demander s'il y avait autre chose à dire. Zeyas en profita pour revenir au pupitre. Il posa doucement une main dans le dos de Soto et, de l'autre, il approcha le micro de sa bouche.

— Je veux simplement vous dire qu'il y a dix ans de cela, j'ai donné une conférence de presse où je me suis personnellement engagé à faire don de vingt-cinq mille dollars à toute personne nous fournissant un renseignement propre à résoudre ce crime. Personne n'ayant jamais pu toucher cette récompense, elle est toujours d'actualité, à ceci près qu'aujourd'hui, j'en double le montant. Et je jure de travailler avec mes anciens collègues du conseil municipal afin que la ville de Los Angeles en fasse autant. Je vous remercie.

Bosch en grogna presque. Promettre une récompense allait changer la nature des appels à venir. Il était maintenant quasiment garanti que Soto et lui allaient devoir éplucher une montagne de coups de fil sans intérêt, beaucoup de gens allant leur balancer des théories à dormir debout dans l'espoir de gagner de l'argent. L'offre de l'ancien maire venait de changer la donne.

DeSimone rejoignit Soto et demanda aux journalistes s'ils avaient des questions. Nombre d'entre eux se mirent aussitôt à crier, DeSimone devant alors choisir. Le premier à parler – un type du *Times* que connaissait Bosch – voulut savoir la cause exacte de la mort et comment, dix ans après le coup de feu, on avait pu déterminer qu'il s'agissait d'un meurtre. Pas très sûre de la manière de lui répondre, Soto se tourna de nouveau vers Bosch, celui-ci montant alors sur l'estrade pour prendre le micro.

— L'autopsie n'ayant été effectuée que ce matin, il n'y a encore rien d'officiel sur ce point, commença-t-il. Cela dit, les services du coroner pensent que la mort de M. Merced sera effectivement reliée au coup de feu tiré il y a dix ans. Officieusement, la mort est due à un empoisonnement du sang, ce dernier étant directement lié aux blessures subies par M. Merced lors de ce coup de feu. Voilà pourquoi c'est sur un homicide que nous allons faire porter nos recherches.

Poursuivant dans cette voie, le journaliste demanda ensuite si la balle avait été extraite du corps et si elle serait utile à l'enquête. Bosch garda le micro. Il avait conscience que le reporter parlait en termes purement cliniques du corps d'un homme cher aux quatre personnes assises au premier rang.

— Oui, la balle a été extraite et apportée au labo régional aux fins d'analyse et de recherche de correspondances. Nous pensons effectivement que cette balle nous sera très utile pour l'enquête.

— Une correspondance a-t-elle déjà été trouvée ? lança un autre journaliste.

DeSimone se dépêcha de reprendre le micro à Bosch.

— Nous reparlerons de tout ça plus tard, dit-il. Sachez que l'enquête est ouverte, et nous allons en rester là pour l'instant.

— Pourquoi une enquêtrice très inexpérimentée a-t-elle été assignée à cette affaire ? cria le type du *Times*.

S'ensuivit un instant de silence, chacun se demandant qui devait répondre, ou si même il le fallait dans la mesure où DeSimone venait de mettre fin à la conférence de presse. Pour finir, ce fut DeSimone qui prit la parole.

— Comme je vous l'ai dit, nous allons en rester…

Le chef se posta dans son dos et lui tapota l'épaule. DeSimone se mit en retrait et le chef prit les choses en main.

— L'inspectrice Soto est peut-être novice côté expérience, mais la rue, elle connaît, et elle sait ce que ça signifie d'être officier de police dans cette ville. Nous l'avons mise en binôme avec un des inspecteurs les plus expérimentés du LAPD à ce jour. Personne n'a enquêté sur plus d'homicides que l'inspecteur Bosch dans cette ville. Je n'ai aucune crainte quant à savoir qui va mener cette enquête. Et le travail sera fait.

Le chef se retirant, DeSimone reprit encore une fois la parole pour répéter qu'il n'y aurait plus de questions. Cette fois, sa décision fut respectée. Les journalistes commencèrent à se lever et les cameramen à démonter leur matériel. Bosch descendit de l'estrade, gagna le premier rang de l'assistance, serra des mains et se présenta aux quatre membres de la famille Merced. Et se rendit vite compte qu'ils ne comprenaient pas grand-chose de ce qu'il leur disait. Il fit signe à Soto de le rejoindre et lui demanda d'organiser une rencontre avec eux dès que cela leur serait possible. Il voulait leur parler, mais pas sous les feux des médias.

Il recula et regarda Soto se mettre au travail. Mais DeSimone s'approcha de lui et l'informa que le chef voulait le voir dans son bureau. Bosch quitta la salle de conférence et suivit le couloir jusqu'aux ascenseurs en espérant rattraper le chef et son entourage. Trop tard. Il prit l'ascenseur suivant jusqu'au dixième et entra dans les bureaux du chef de police, où il fut rapidement introduit dans le saint des saints. Malins l'attendait, assis derrière son bureau. Il n'y avait trace ni de Zeyas ni de son représentant.

— Harry, je suis désolé de t'avoir collé devant les médias. Je sais que tu n'as jamais trop aimé ce genre de cirque.

— Pas de problème. J'imagine que ça devait être fait.

— On a vraiment besoin de la résoudre, celle-là. Fais de ton mieux.

— Comme toujours.

— C'est pour ça que j'ai dit à Crowder de faire appel à toi.

Bosch acquiesça d'un signe de tête, pas très certain de savoir s'il devait le remercier de l'avoir mis en binôme avec une bleue dans une affaire que plombaient les implications politiques et un fort risque d'échec.

— Autre chose que je devrais savoir, chef? demanda-t-il.

Celui-ci regarda ailleurs un moment et scruta son sous-main. Puis il prit une carte de visite professionnelle et la tendit à Bosch par-dessus le bureau. Bosch la lui prit et la lut. On y avait porté le nom de Connor Spivak, ainsi que son numéro de téléphone.

— C'est l'homme du maire, reprit Malins. Tiens-les au courant au fur et à mesure des progrès de l'enquête.

— C'est bien de l'ancien maire que tu parles, n'est-ce pas?

Malins lui décocha un regard du genre « j'ai-pas-de-temps-à-perdre-avec-ça ».

— Tiens-les au courant, c'est tout, dit-il.

Bosch glissa la carte de visite dans sa poche de chemise. Il savait qu'il en dirait le moins possible à Spivak. Le chef aussi, probablement.

— Bon, reprit-il. Tu me prends donc pour un vieux gorille…

Le chef sourit.

— Ne le prends pas mal, Harry. C'est un compliment. Le dos argenté est celui qui sait le plus de choses dans la troupe. Toute l'expérience, c'est lui qui l'a. J'ai vu un truc sur National Geographic… C'est comme ça que je sais qu'un groupe de gorilles s'appelle « une troupe ».

— Ça, c'est bon à savoir, dit Bosch en hochant la tête.

Chapitre 5

Bosch, Soto, Crowder et le lieutenant Winslow Samuels, le responsable en second de l'unité des Affaires non résolues, se réunirent dans le bureau du capitaine Crowder après la conférence de presse. Bosch les mit au courant des conclusions du laboratoire, en particulier du fait que c'était avec une carabine qu'on avait tiré sur Merced, ce qui n'avait jamais été découvert au cours des dix ans d'enquête. Il expliqua ensuite qu'il tenait à ce que cette information ne soit pas portée à la connaissance des médias pour l'instant, Crowder et Samuels acquiesçant aussitôt.

— Bon et maintenant, vous en faites quoi ? demanda Crowder.

— Que ce soit une carabine change tout, lui répondit Bosch. Tir d'une voiture en marche ? Non. C'est peu probable. Balle perdue tirée quelque part dans le quartier ? Peut-être. Mais que l'arme soit une carabine apporte quelque chose de nouveau.

— Autrement dit, ça n'est plus du tout du ressort de notre unité, dit Samuels. Pas de balle magique, pas d'affaire. On devrait filer ça à l'Homicide Special. Qu'ils s'en débrouillent donc !

L'unité des Affaires non résolues obéissait à un protocole strict dans les enquêtes sur les *cold cases*. La présence de nouveaux éléments de preuve était le critère fondamental pour la reprise d'une enquête. Et ces nouveaux éléments de preuve provenaient en général de l'application de nouvelles technologies de médecine légale à d'anciens dossiers, et de l'apparition de banques de données nationales permettant de retrouver des criminels par leur ADN, leurs empreintes digitales et de nouvelles analyses balistiques. Tels étaient les trois grands piliers. Les « balles magiques ». Sans correspondance dans l'une de ces trois banques de données, l'affaire était considérée comme non viable et invariablement renvoyée aux archives.

À suivre ce protocole, en théorie, le dossier Merced aurait dû l'être. La balle extraite du corps de la victime n'avait rien donné dans la base nationale des données balistiques. Même avec un type et un modèle d'arme identifiés, il en fallait plus pour poursuivre. Mais vu l'intérêt des médias et ce que l'affaire suscitait dans les milieux politiques, sans même parler au sein du Bureau du chef de police, il ne faisait aucun doute que l'enquête irait jusqu'à son terme. Ce que disait Samuels, c'était qu'elle devait être dirigée par quelqu'un d'autre que Bosch, Soto et l'unité des Affaires non résolues. Superviseur de la brigade, il surveillait les résultats de l'unité et devait en justifier les coûts de fonctionnement en termes d'affaires résolues. Il n'avait aucune envie qu'une de ses équipes se retrouve empêtrée dans une enquête au prix exorbitant.

— Je veux la garder, dit Bosch en regardant Crowder. C'est le chef qui nous l'a donnée, on la garde.

— Bosch, lui lança Samuels, la dernière fois que j'ai compté vous aviez seize affaires en cours.

— Toutes en attente de résultats du labo. Dans celle-ci, on a quelque chose de nouveau. Cette carabine ouvre une piste pour la première fois depuis dix ans. Suivons-la. Si quelque chose d'intéressant nous revient du labo pour une autre affaire, on s'en occupera.

— En plus de quoi, on vient juste de donner cette conférence de presse, s'empressa d'ajouter Soto. Ç'aura l'air de quoi si on prend l'affaire aujourd'hui et qu'on la laisse tomber demain ?

Crowder hocha la tête d'un air pensif. Bosch apprécia la petite intervention de Soto, même si elle ne se rendait pas compte qu'elle venait de franchir la ligne jaune… en passant droit devant la gueule du fusil que tenait Samuels. Elle risquait de le payer plus tard.

— Bien, pour l'instant on laisse les choses en l'état, conclut Crowder. Vous vous y mettez tous les deux et on se revoit dans quarante-huit heures. Je mettrai le chef au courant à ce moment-là et nous déciderons de la suite à donner.

— Sauf que ce n'est pas un *cold case*, insista Samuels. Le mec est mort hier.

— On en reparle dans quarante-huit heures, répéta Crowder en mettant fin à la discussion.

Bosch acquiesça. C'était ce qu'il avait voulu entendre en premier lieu : que Soto et lui allaient garder l'affaire, au moins pendant encore quarante-huit heures. Mais il ne voulait pas que ça.

— Et qu'est-ce qui se passera quand le téléphone va se mettre à sonner parce que les gens voudront la récompense promise par l'ancien maire ? On aura droit à de l'aide pour gérer ça ?

— C'était juste un coup de pub, répondit Crowder. Il est en lice pour le poste de gouverneur.

— Ça ne change rien à l'affaire. On va quand même être inondés d'appels et il n'est pas question de rester coincé au téléphone toute la journée.

Crowder regarda Samuels, qui hocha la tête.

— Tout le monde a des affaires en cours, dit celui-ci en faisant référence aux autres équipes de la brigade. Et maintenant que vous disparaissez du lot, je ne vois vraiment pas qui je pourrais y affecter.

Perdre Bosch et Soto pour une durée indéterminée lui était déjà à peine supportable. Alors ajouter des inspecteurs pour répondre à des appels de ce genre n'était même pas envisageable pour lui, ni de près ni de loin.

Bosch s'attendait à ce que sa demande soit rejetée, mais ce refus pourrait être utile plus tard si Soto et lui demandaient autre chose. Crowder fonctionnant sur le mode « je te donne ceci, tu me donnes cela », lui rappeler qu'il avait refusé une demande pouvait faire pencher la balance vers un « oui ».

— Autre chose encore, reprit Samuels. Ce Merced était-il même seulement citoyen américain ?

Bosch le regarda un instant avant de répondre, mais Soto le devança.

— Pourquoi ? demanda-t-elle. Ç'aurait de l'importance ?

Et elle en vint au fait : si Samuels laissait entendre qu'il ne mettrait personne d'autre sur l'affaire parce que la victime n'était pas américaine, elle voulait que ce soit porté à la connaissance de tous. Bosch apprécia qu'elle ait posé la question. Mais avant que Samuels ne lui réponde, Crowder mit fin au problème.

— Laissez-moi voir ce que je peux faire, dit-il. Peut-être qu'une des nanas du Bureau du chef pourrait descendre à notre étage et répondre à ces appels pendant quelques jours. Ça fait déjà un moment que je pense à demander au chef de nous donner un coup de main pour tous ces appels quotidiens. Je vous tiens au courant. Et que je vous dise : avec ce que cet enfoiré de Zeyas a filé à la police, ça ne me dérangerait vraiment pas de le voir faire un chèque de cinquante mille dollars !

— Bien reçu, dit Bosch.

C'était la vérité. Zeyas ne s'était pas montré très sympa avec la police pendant son mandat de maire. Il disposait d'une majorité qui adhérait à sa ligne politique et lui accordait ce qu'il voulait. Les huit années pendant lesquelles cette majorité avait dirigé la municipalité l'avaient vu constamment tailler dans le budget des heures supplémentaires et se montrer inflexible dans les augmentations de salaire, même les plus minimes, des neuf mille policiers assermentés de la ville[1].

Mais il savait que la réunion avait pris fin. Il se leva, Soto en faisant autant. Samuels, lui, resta assis. Il allait discuter de certaines choses avec le capitaine après qu'ils seraient partis.

— Quarante-huit heures, Harry, répéta-t-il. Et après, on cause.

— D'accord.

_____

1. Aux États-Unis, hormis le FBI et certaines agences fédérales, la police est payée par les villes.

Bosch et Soto regagnèrent le box où leurs bureaux, disposés chacun contre une cloison, les voyaient travailler dos à dos. C'était ce qu'il restait de l'époque où avec David Chu, son binôme précédent, ils avaient organisé l'espace. Cela avait bien fonctionné parce que Chu, en enquêteur chevronné, n'avait pas besoin que Bosch le surveille. Mais Soto n'avait strictement rien d'une inspectrice chevronnée et Bosch avait demandé aux services de la ville de venir leur reconfigurer la disposition des lieux de façon à ce que leurs deux bureaux soient face à face. Il avait fait cette demande la semaine même où Soto avait pris ses fonctions et il attendait toujours.

Sur son bureau se trouvaient l'étui de l'instrument, le carton à éléments de preuve et les classeurs qu'ils y avaient laissés avant de partir pour la conférence de presse. Depuis qu'ils avaient quitté le commissariat d'Hollenbeck, Bosch mourait d'envie d'ouvrir le carton et de mettre les mains dans le cambouis. Il resta debout et se servit d'un canif pour couper le ruban rouge apposé dessus. Comme il n'y avait pas d'étiquette de chaîne de traçabilité, il n'eut aucun moyen de savoir quand Rojas et Rodriguez avaient scellé le carton.

— J'ai bien aimé ce que vous avez dit tout à l'heure, reprit Bosch. Pour qu'on garde l'affaire.

— Y avait pas besoin d'être un génie pour comprendre, lui renvoya-t-elle. Pourquoi croyez-vous que Samuels voulait savoir si Merced était citoyen américain ?

— Parce que c'est un bureaucrate. Ce qui l'intéresse, ce sont les statistiques et avoir le plus de gens possible sur le plus de dossiers possible parce que ça améliore les statistiques. Il aimerait bien qu'on laisse tomber Merced et qu'on passe à quelque chose de plus facile.

— Ce qui veut dire que s'il n'était pas américain, Merced ne compterait pas et qu'on pourrait passer au suivant?

Bosch leva le nez du carton et la regarda.

— La politique, dit-il. Bienvenue aux Homicides.

Il ouvrit le carton et fut surpris de voir qu'il contenait très peu de choses. Il en sortit deux piles d'étuis de DVD retenues par des élastiques. Il les mit de côté et souleva l'un après l'autre des morceaux de vêtements ensanglantés rangés dans des sacs. Il s'agissait de la tenue de mariachi que portait Merced au moment des faits.

— Nom de Dieu! s'exclama-t-il.

Il lui montra le sac en papier marron contenant une chemise blanche tachée de sang séché.

— C'est la chemise de Merced, dit-il. Celle qu'il portait quand il a été touché.

Il lui tendit le sac, qu'elle tint à deux mains en regardant à l'intérieur.

— OK, dit-elle. Et... ?

— Eh bien, je ne sais pas grand-chose de cette affaire parce qu'on n'a pas encore regardé les classeurs, mais je me souviens quand même qu'à l'époque Zeyas cherchait à se faire élire maire et n'arrêtait pas de pousser Merced dans un fauteuil roulant dans ses meetings. Et c'était a priori cette même chemise que Merced avait alors sur le dos.

Soto ne put cacher sa stupeur en apprenant que Zeyas, son héros, avait pu s'abaisser jusqu'à tromper le public pour obtenir sa sympathie et ses votes.

— C'est vraiment triste qu'il ait pu faire ça, dit-elle.

Cela faisait longtemps que Bosch était plus que cynique envers les hommes politiques. Mais il se sentit mal de lui avoir infligé cette leçon.

— Bah, dit-il, Zeyas ne le savait probablement même pas. Vous voyez un peu ce Spivak qui travaille pour lui et a assisté à la conférence de presse ? Il nage dans la politique municipale du plus loin que je me souvienne. C'est tout à fait le genre de mec à concocter un truc pareil sans même se donner la peine de le faire savoir en détail à son candidat. C'est un pur mercenaire.

Soto lui rendit le sac sans mot dire. Il le posa sur son bureau avec les autres vêtements et remit le nez dans le carton. Tout au fond, il y découvrit huit photos de la scène de crime au format 18 × 24, et rien d'autre. Il fut déçu que l'affaire n'ait engendré que si peu de preuves matérielles.

— C'est tout, dit-il. C'est tout ce qu'ils ont trouvé.

— Je suis désolée, dit-elle.

— De quoi êtes-vous désolée ? Ce n'est pas votre faute.

Il prit une des piles de DVD et en rompit l'élastique d'un coup sec. Elle comportait six étuis en plastique différents, tous portant des noms, des dates et des indications d'événements qui s'étaient déroulés – à l'exception d'un seul – avant le jour du coup de feu à Mariachi Plaza. Il compta quatre mariages et deux anniversaires.

— Il doit y avoir des vidéos de l'orchestre de Merced en train de jouer à des mariages, dit-il.

Il ôta l'élastique de la deuxième pile et trouva diverses indications sur chacun des trois étuis la composant. *Pont de la 1re Rue, Fournitures et musique mariachis, Poquito Pedro's.*

— Poquito Pedro's, dit-il à haute voix.

— Chez Petit Pierre.

Il la regarda.

— Désolée, dit-elle. Vous le saviez sans doute.

— Arrêtez de dire que vous êtes désolée toutes les cinq minutes. À mon avis, ça doit être des vues de la place prises par une caméra. Chez Petit Pierre est un restaurant à quelques dizaines de mètres de la Plaza… Je l'ai vu tout à l'heure quand on est passés devant… ils avaient mis des caméras sur le pont de la 1re Rue pour essayer d'arrêter les suicides.

— Quels suicides ?

— Il y a dix ou douze ans de ça, une fille a sauté du haut du pont dans le fleuve. Après, il y a eu tout un tas d'imitateurs. D'autres gamins. C'était bizarre. Comme si le suicide était contagieux. Alors la CalTrans[1] a fait monter des caméras pour suivre ce qui se passait sur le pont depuis le centre des communications, où ils ont des écrans destinés à surveiller les sites de suicide populaires. Vous savez bien… de façon à ce que si un type est en train de se donner du courage pour sauter, on puisse envoyer quelqu'un et essayer de l'arrêter avant.

Elle acquiesça d'un signe de tête.

— Bref, va falloir les visionner, dit-il.

— Maintenant ?

— En temps et en heure. Faut d'abord lire les classeurs de bout en bout. C'est toujours par là qu'on démarre.

— Comment voulez-vous qu'on se les partage ?

1. Compagnie des transports de Californie.

— On ne va pas se les partager. On va tous les deux se familiariser avec chacun des aspects de l'affaire. Et donc, on va tout lire, tous les deux… même le classeur des appels anonymes. Parce que si on demande à avoir une copie de chacun d'eux, on perdra une semaine. Pourquoi ne commenceriez-vous pas à vous y mettre pendant que je retourne au labo pour reprendre la balle et récupérer le rapport de Chung ? Quand je rentrerai, vous en serez probablement au deuxième classeur et alors je prendrai le premier.

— Non. C'est peut-être mieux que vous commenciez. J'ai ma réunion à 13 heures. Je pourrais passer au labo maintenant et me prendre quelque chose pour déjeuner avant de filer à Chinatown. Le temps que je revienne ici, vous aurez entamé le deuxième.

Il acquiesça. L'idée de pouvoir tout de suite s'attaquer au premier classeur lui plaisait bien. La réunion dont elle parlait était le rendez-vous qu'elle avait toutes les semaines avec un psy du centre des sciences du comportement de Chinatown. Parce qu'elle avait pris part à une fusillade où il y avait eu des morts – dans le cas présent, celles de son binôme et de deux des tireurs –, elle devait impérativement subir une évaluation continue et une thérapie post-trauma pendant un an.

— Ça me va, dit-il.

Il posa les deux piles de DVD sur un coin de son bureau et remit les vêtements empaquetés dans le carton à éléments de preuve. Puis il plaça ce dernier par terre derrière son fauteuil et se concentra sur l'étui de l'instrument. Avant de l'ouvrir, il examina tous les autocollants apposés sur la table d'harmonie. Ils montraient que Merced était un musicien ambulant qui avait beaucoup voyagé dans la Central Valley jusqu'à Sacramento et vers le sud partout au Mexique. Il y avait des autocollants de villes frontières américaines en Arizona, au Nouveau-Mexique et au Texas.

Il ouvrit l'étui et examina la *vihuela*. Le compartiment dans lequel elle était rangée était doublé de velours violet. Il souleva l'instrument avec précaution et le tint par le manche. Puis il le retourna pour voir l'orifice de sortie de la balle. Il était plus grand que celui qu'elle avait fait en traversant la table d'harmonie parce qu'elle avait champignonné lors du premier impact.

Il tint ensuite l'instrument contre lui comme l'aurait fait un musicien et regarda à quelle hauteur de son torse se situait l'impact de la balle.

— *Stairway to Heaven*[1], Harry ?

Il regarda dans le box voisin. La demande émanait de Tim Marcia, le plaisantin de la brigade.

— C'est pas mon style, lui renvoya Bosch.

D'après l'article du *Times* qu'il avait lu ce matin-là, Merced était assis sur un banc de table de pique-nique lorsque la balle l'avait atteint. Bosch s'assit dans son fauteuil et posa l'instrument sur sa cuisse. Puis il plaqua un accord sur les cinq cordes de l'instrument et vérifia de nouveau où se trouvait le trou de sortie.

— Quand vous aurez les trucs de Chung, passez à la balistique et demandez voir si quelqu'un ne pourrait pas nous retrouver demain à Mariachi Plaza avec un kit de trajectoire.

Elle acquiesça.

---

1. Un des morceaux les plus célèbres du groupe anglais Led Zeppelin.

— D'accord. C'est quoi, un kit de trajectoire?

— Des tubes et des lasers. (Il plaqua un autre accord.) On a les deux trous dans ce truc et l'endroit du corps de Merced où la balle a terminé sa course. Si nous arrivons à déterminer le lieu et la position dans laquelle il se trouvait, on pourra peut-être déterminer l'endroit d'où la balle est partie. Maintenant que nous savons qu'elle a été tirée avec une carabine, je pense qu'il s'agit d'un endroit en hauteur.

— Vous ne croyez pas que Rojas et Rodriguez ont déjà fait cette analyse?

— Non, pas si, pour eux, la balle a été tirée avec une arme de poing ou d'une voiture en marche. C'est ce que j'ai dit au capitaine : que ce soit une carabine change la donne. Cela signifie que le coup n'a probablement pas été tiré au hasard. Pas plus qu'il n'a été tiré d'une voiture en mouvement, et l'affaire n'a peut-être même rien à voir avec des gangs. On repart de zéro et la première chose à faire est de déterminer d'où le projectile a été tiré.

— Je comprends.

— Parfait. On se revoit après Chinatown.

Chapitre 6

Bosch devinait toujours beaucoup de choses sur un inspecteur et sur sa façon de travailler rien qu'à la manière dont il tenait ses dossiers. Des résumés complets, des notes lisibles et un enchaînement logique des rapports étaient tous la marque d'une enquête bien menée. Il savait aussi que, dans les trois quarts des binômes d'inspecteurs, on se répartissait le travail. Souvent, l'un des deux se chargeait de la paperasse parce qu'il ou elle était doué pour l'écrit ou parce que cela correspondait mieux à sa personnalité. C'était tout aussi simple que bien répartir le travail de la tête et celui des jambes. Dans les équipes où il se trouvait, Bosch préférait éviter la paperasse. Mais ça ne marchait pas toujours comme ça, et alors il faisait très attention aux détails lorsque c'était à lui de tenir les dossiers.

Il lui semblait que dans l'équipe Rojas-Rodriguez, c'était Rodriguez qui s'en chargeait. Sa signature se trouvant au bas de presque tous les documents, il comprit mieux son ressentiment de se voir retirer l'affaire. Ses résumés étaient concis et complets. Pas de jargon flic ni de « les faits rien que les faits, s'il vous plaît, madame ». Ses rapports sur les témoins résumaient bien leur personnalité et ce qu'ils avaient déclaré, et cela l'aida beaucoup. Cela lui fit aussi comprendre qu'il s'était trompé en jaugeant les deux hommes lors de la confrontation qu'ils avaient eue au commissariat d'Hollenbeck. Rodriguez était contrarié parce que l'affaire lui importait, alors que son collègue, Rojas, n'entretenait pas le même lien viscéral avec elle. Conclusion, il allait devoir trouver une façon de rétablir le lien avec Rodriguez et de vaincre sa colère. Parce que le type avec qui traiter, c'était lui.

Les éléments essentiels de l'affaire étaient établis dès les premières pages d'un classeur bleu que l'on pouvait, et seulement maintenant, qualifier de « livre du meurtre ». Qui, quoi, quand et où, tout était dans le rapport d'incident du 11 avril 2014, celui-ci en constituant la base même.

Orlando Merced et les trois musiciens qui l'accompagnaient avaient fini de jouer tôt dans la journée à une fête que des parents avaient organisée pour les quinze ans de leur fille dans l'île située au milieu du lac d'Echo Park. L'affaire se déroulant un samedi – le jour où il y avait le plus de travail –, l'orchestre était ensuite revenu à Mariachi Plaza dans son van dans l'espoir de décrocher un deuxième boulot dans la soirée. La place était alors pleine d'autres mariachis qui eux aussi attendaient l'occasion de jouer une deuxième fois. Les quatre hommes composant le Los Reyes Jalisco avaient trouvé où s'asseoir à une table de pique-nique sur le côté est de la place. Ils s'étaient alors mis à jouer, reprenant ainsi la tradition des duels musicaux entre orchestres. Le clash de toutes ces musiques était si bruyant que très peu de gens avaient entendu le coup de feu. Pour ceux qui l'avaient entendu, il était parti du côté ouest de la place triangulaire, à l'endroit bordé par Boyle Avenue. D'après un rapport que Rodriguez avait rédigé après avoir écumé les déclarations des témoins, à ce moment-là, Merced était assis sur le plateau de la table en béton, les pieds posés sur le banc. Ses camarades n'avaient pas entendu la détonation et ne s'étaient aperçus qu'il était touché qu'au moment de sa dégringolade par terre. L'un d'eux avait aussitôt appelé le 911 à 16 h 11.

Parce que la détonation avait été entendue par certains et pas par d'autres, la scène était qualifiée de « chaotique » dans les rapports. Ceux qui l'avaient entendue, ou vu Merced s'effondrer, avaient paniqué et couru se mettre à couvert. Ceux qui ne savaient pas ce qui se passait étaient restés perplexes. Certains avaient suivi ceux qui couraient, d'autres tournant en rond en se demandant ce qui arrivait. On n'avait retrouvé aucun témoin disant avoir vu un tireur faire feu à pied ou d'une voiture en mouvement. Ni les témoins ni les vidéos de surveillance n'avaient décelé la présence d'un suspect en train de s'enfuir, mais beaucoup de témoins s'accordaient pour dire que le coup de feu était parti du côté Boyle Avenue de la place.

Artère principale du quartier de Boyle Heights, North Boyle Avenue traversait aussi le cœur de territoires tenus par un important et très violent gang de rues, la White Fence. Ce gang tirait son nom de la barrière blanche entourant l'église de La Purisima. Ses origines remontaient à un club d'hommes de cette église dans les années 30. Le nom de White Fence avait peu à peu changé de sens au fil des décennies, jusqu'à symboliser la ligne de partage entre l'élite anglo-blanche de la ville et la population latino d'East Los Angeles. Celle qui séparait les nantis de ceux qui leur tondaient la pelouse et de celles qui leur faisaient le ménage. Fierté ethnique et solidarité mises à part, le gang était devenu l'un des plus violents et des plus craints de la ville, et n'hésitait pas à s'en prendre à cette même population latino. Des « WF » ornaient presque tous les murs et surfaces de Mariachi Plaza. La Gang Intelligence Unit du LAPD soupçonnait les membres de la WF de prélever régulièrement un « impôt » sur les musiciens qui y attendaient du travail.

C'était sur la White Fence que les inspecteurs Rodriguez et Rojas avaient commencé par se focaliser. Partant de Boyle Avenue pour former l'arrière de la place, Pleasant Avenue était connue pour en abriter plusieurs membres particulièrement durs. Que les collègues musiciens d'Orlando Merced aient déclaré n'avoir eu aucune embrouille avec la White Fence, ni avoir été approchés par personne leur réclamant cet impôt n'avait pas empêché Rojas et Rodriguez de se concentrer sur les gangsters de Pleasant Avenue dans la phase initiale de l'enquête. Plusieurs membres de la WF avaient été détenus et interrogés les quelques jours qui avaient suivi le coup de feu. Aucun de ces interrogatoires n'avait donné quoi que ce soit impliquant un gang, ou conduisant à un autre mobile ou cause quelconque.

Aucune douille n'ayant été retrouvée dans Boyle ou Pleasant Avenue, l'origine exacte du tir n'avait jamais été déterminée. Bosch avait du mal à comprendre qu'un coup de feu tiré dans une place où s'étaient rassemblées plus de cinquante personnes n'ait donné lieu à aucun témoignage crédible. C'était bien là le résultat de la puissance et de la force des menaces de la White Fence.

Rojas et Rodriguez avaient aussi enquêté sur le passé de la victime afin de déterminer si Orlando Merced constituait une cible particulière. Rien dans leurs conclusions ne suggérait que c'eût été le cas. Il leur était alors apparu, et c'était ce qui avait été annoncé au public, que Merced était une victime innocente visée par hasard.

Les deux inspecteurs en avaient été vite réduits à donner suite aux renseignements anonymes qu'on leur fournissait, ce qui ne les mena nulle part. Aucune liste de suspects n'avait été dressée, mais à voir le nombre de rapports constituant le dossier, il était clair qu'ils avaient porté une bonne partie de leur attention sur un donneur d'ordres de deuxième génération de la White Fence, un certain C.B. Gallardo. C.B. comme *cerco blanco*. Tel était le nom que lui avait donné son père en l'honneur du gang auquel il avait fait allégeance.

Avec lui, Rojas et Rodriguez s'étaient livrés à une enquête classique : ils l'avaient arrêté pour un mobile mineur et l'avaient cuisiné sans relâche pour le plus important. Ils étaient convaincus que Gallardo savait qui avait tiré, même si ce n'était pas lui qui en avait donné l'ordre. Ils savaient qu'il dirigeait un atelier de réparation automobile servant de couverture à une casse où l'on désossait des voitures volées par des gangsters avant de tout revendre, ferraille et pièces détachées, aux États-Unis et au Mexique. Ils s'étaient ensuite associés avec des inspecteurs spécialisés dans les vols de voitures pour effectuer une descente sur l'El Puente Auto de la 1re Rue dix jours après le coup de feu. Gallardo avait été arrêté pour vol de voitures et recel lorsque les numéros de série de tout un tas de pièces détachées avaient été reliés à des voitures volées dans le Westside et la San Fernando Valley.

Mais l'individu qui portait le nom du gang auquel il était affilié n'avait pas craqué. Bien qu'il ait été interrogé plusieurs heures sur le coup de feu, Gallardo avait refusé de reconnaître toute implication dans l'incident, finissant même par ne plus vouloir parler aux inspecteurs. En fin de compte, il avait plaidé coupable pour vol de voiture et avait fait six mois à la prison de Wayside Honor Rancho.

Les conclusions de Rodriguez portées au dossier étaient qu'il n'en demeurait pas moins suspect dans l'affaire Merced. Il suggérait que le mobile était de terroriser les musiciens qui cherchaient du travail à Mariachi Plaza et de les rendre ainsi moins rétifs à payer la « taxe de protection » à la White Fence. Selon cette théorie, Merced était victime du hasard et avait reçu une balle tirée sur la place sans cible précise. La dernière fois que les inspecteurs d'Hollenbeck avaient parlé à Gallardo remontait à deux ans, date à laquelle il avait été incarcéré au pénitencier de San Quentin pour tentative de meurtre. Mais comme précédemment, Gallardo ne leur avait rien dit.

Bosch termina la lecture des deux dossiers avant que Soto ne revienne de son rendez-vous à Chinatown. Il passa aux DVD du carton à éléments de preuve et les visionna sur son ordinateur portable, en commençant par celui des spectacles. Pendant quelques minutes, il regarda l'orchestre jouer en extérieur et en intérieur à l'occasion de divers événements. Il se concentra surtout sur Orlando Merced et sur la manière dont il tenait son instrument en jouant. À l'exception d'une seule vidéo – lors d'un mariage où les quatre musiciens étaient assis sur des chaises sur une estrade –, toutes les autres montraient Merced jouant debout. Bosch remarqua qu'il n'appuyait pas la *vihuela* sur sa cuisse. Il la tenait plus haut et la faisait reposer sur le renflement de son petit ventre naissant. Ce détail aurait son importance lorsqu'ils essaieraient de recréer la trajectoire de la balle. La manière dont il était assis lorsqu'il jouait et celle dont il tenait alors son instrument seraient les deux éléments clés à comprendre.

Un de ces spectacles avait été filmé le jour même de l'incident, lorsque, plus tôt dans la journée, Los Reyes Jalisco avait joué à la fête d'anniversaire donnée à Echo Park. Alors qu'il avait visionné la plupart des autres vidéos en accéléré, il regarda celle-là du début à la fin en espérant y découvrir quelque chose qui lui donnerait une piste pour comprendre ce qui s'était passé plus tard. Il savait, bien évidemment, que Rojas et Rodriguez avaient fait la même chose, mais cela ne le découragea pas. Il se fiait à son jugement et pensait être au minimum capable de repérer des choses qui échappaient aux autres. Il savait que c'était un rien égotiste, mais il fallait un solide ego pour faire ce boulot. Croire qu'on est plus finaud, plus dur, plus brave et plus résilient que l'inconnu qu'on recherche est un prérequis. Et quand on travaillait sur des *cold cases*, il fallait penser la même chose des inspecteurs qui avaient étudié le dossier avant. Sinon, on était perdu. C'était ce sens de la mission à accomplir qu'il espérait insuffler à Soto au cours de la dernière année de sa carrière.

La vidéo d'Echo Park montrait un père et une mère heureux de célébrer la *quinceañera* de leur fille. Beaucoup de parents et d'amis étaient présents et les tables de pique-nique croulaient sous les cadeaux et les plats traditionnels. La jeune fille au centre de l'attention portait une robe blanche et une tiare ornée du nombre quinze. Elle avait aussi une petite cour composée de six autres demoiselles. Des gens dansaient sur des airs qui, pensait-il, devaient être traditionnels et spécifiques de cette fête. À un moment donné, ses parents respectèrent deux traditions différentes, la mère offrant à sa fille sa « dernière poupée » pour symboliser la fin de son enfance, le père lui remplaçant ses chaussures plates par une paire à talons hauts pour signifier qu'elle devenait une femme.

Il y avait beaucoup d'amour et de moments poignants dans cette vidéo. Tellement même que Bosch en oublia l'affaire et pensa à sa propre fille. Dès lors, la culpabilité le tarauda. Père célibataire, il était surtout un père absent à cause de son travail. Âgée de dix-sept ans, sa fille n'avait pas eu de fête pour ses seize ans. Jamais non plus il ne lui avait organisé de goûter d'anniversaire, se contentant de célébrer ces événements seul avec elle. Visionner cette vidéo lui noua la gorge tant elle lui rappelait ses nombreux échecs en tant que père.

Il l'arrêta. Il n'y avait rien remarqué qui lui ait mis la puce à l'oreille ou qui aurait éclairé l'incident qui devait se produire à peine quelques heures plus tard. Merced et les autres musiciens étaient des professionnels et ne se mêlaient jamais à la foule. Rarement filmés, on les voyait néanmoins de temps en temps en arrière-plan. Bosch éjecta le DVD et passa à la deuxième pile.

Ceux-là contenaient des vidéos prises par des caméras de surveillance proches de Mariachi Plaza. En tant que telles, elles n'étaient donc pas spécialement centrées sur ce qui s'y était passé et n'en montraient que des fragments. À sa grande surprise, il découvrit que la première renfermait une séquence prise de loin et pleine de bruit, mais où l'on voyait Merced au moment de l'impact. À ce qu'il en savait, cet enregistrement n'avait jamais été rendu public. La vidéo avait été prise de l'intérieur du magasin de fournitures de musique mariachi de la 1re Rue, soit de l'autre côté de la place. La caméra était installée en hauteur dans un coin du magasin, le but étant de décourager et d'enregistrer tout vol à l'étalage. Malheureusement, tout cela avait été pris à travers la vitrine du magasin, de l'autre côté de la 1re Rue.

Il se repassa plusieurs fois le passage où Merced était touché et observa la façon dont il plaquait ses accords avant que la balle s'enfonce dans sa colonne vertébrale et le fasse tomber de la table. Puis il laissa repartir l'enregistrement pour se concentrer sur ce qui suivait. Les images étaient troubles car prises de loin et cachées par ce qui était écrit sur la vitrine du magasin. Sans même parler du fait que la caméra était tout naturellement centrée sur l'intérieur de la boutique plutôt que sur ce qui se passait de l'autre côté de la rue.

Au moment de l'impact, Merced était entouré par les membres de son groupe. Il était assis sur la table, les pieds posés sur le banc. L'accordéoniste se tenait sur sa droite, le guitariste légèrement en retrait sur sa gauche. Le trompettiste s'était placé derrière la table et tenait son instrument à deux mains en l'approchant de ses lèvres.

Une fois encore, Bosch regarda la manière dont Merced basculait en arrière et tombait de la table sous l'effet du projectile. Le trompettiste se mettait aussitôt à courir vers la droite jusqu'à en sortir de l'image, tandis que le guitariste se glissait sous la table en retournant son instrument en guise de bouclier. L'accordéoniste, lui, semblait perdu, son langage corporel indiquant qu'il ne comprenait dans un premier temps ni ce qui venait de se passer, ni même que Merced était touché. Ce n'était qu'au moment où il voyait le guitariste se cacher sous la table que lui aussi s'y glissait pour se mettre à l'abri. Au bout d'un moment, les deux hommes en ressortaient pour porter secours à Merced. Le trompettiste revenait dans l'image et lui aussi s'agenouillait à côté de son camarade.

Bosch continua de regarder la vidéo. Des gens rejoignaient bientôt la table de pique-nique, se rassemblaient autour de la victime et, l'activité générale aidant, il lui devint difficile de distinguer Merced au milieu de tout ce monde.

La demi-heure qui suivit le vit observer la manière dont la police et les premiers secours répondaient à l'appel passé au 911. Merced était d'abord soigné à terre, puis hissé et emporté sur une civière, son image disparaissant alors de l'écran. La table de pique-nique et ses environs immédiats étaient alors interdits au public à l'aide d'un ruban de scène de crime, les officiers de police présents sur les lieux se mettant aussitôt à prendre les noms des témoins pour les inspecteurs. L'enregistrement se terminant à cet instant, Bosch se demanda si Rojas et Rodriguez avaient procédé à des coupes dans la vidéo ou s'il y avait encore d'autres plans en provenance du magasin de musique.

Il vérifia les deux autres, mais ni l'une ni l'autre ne présentaient d'intérêt et ne lui servirent à quoi que ce soit. Toutes les deux étant pourvues d'un code temporel, il put néanmoins synchroniser le moment de l'impact, mais peu de renseignements nouveaux en ressortirent. La première avait été filmée d'un parking attenant au restaurant Poquito Pedro's, à au moins une rue de là. On n'y voyait en fait pas grand-chose de Mariachi Plaza car elle montrait surtout le croisement de la 1re Rue avec Boyle Avenue. Bosch n'y repéra aucun véhicule qui passait, ni aucune voiture de gang fonçant à travers l'intersection quelques secondes après le tir.

La troisième vidéo, celle des suicides, avait été prise par la caméra montée sur le pont de la 1re Rue. Parce qu'elle se trouvait à trois rues de la place, on ne voyait rien de l'incident, la vue qu'elle offrait étant bloquée par le vieil hôtel situé au croisement de la 1re Rue et de Boyle Avenue. Il la regarda une fois, comprit qu'elle ne lui serait d'aucune utilité et l'éjecta de son ordinateur.

Et réfléchit. Il savait qu'il allait devoir organiser un rendez-vous avec Rojas et Rodriguez afin de passer en revue bon nombre de détails en une seule fois plutôt que de procéder au coup par coup. Il n'en décrocha pas moins son téléphone pour appeler le Bureau des inspecteurs d'Hollenbeck. Et demander expressément qu'on lui passe Rodriguez alors que Rojas avait des chances d'être plus bavard.

— Inspecteur Rodriguez à l'appareil.

— Bosch. Comment va ?

Pas de réponse. Bosch attendit un instant, puis reprit :

— Je viens de finir la lecture de votre dossier sur l'affaire Merced.

Il marqua une pause – toujours rien.

— Je ne vais pas vous enfumer le crâne en vous racontant à quel point vous avez été minutieux. Vous le savez déjà. Mais j'ai quelques questions à vous poser. J'aurais pu demander à parler à Rojas, vu que lui ne s'est pas conduit comme un con aujourd'hui, mais non : c'est vous que j'ai demandé. C'est votre dossier à vous, Rodriguez. Ça se voit. Et donc, je me suis dit que c'était à vous que j'avais besoin de parler. Est-ce que vous pouvez m'aider ?

Toujours pas de réponse, mais cette fois, il attendit. Et Rodriguez finit par répondre :

— Qu'est-ce que vous voulez, Bosch ?

Bosch hocha la tête : il ne s'était pas trompé. Les bons flics ont tous comme un espace creux en eux-mêmes. Un vide où la flamme ne cesse de brûler. Pour quelque chose. Appelons ça la justice. Ou le désir de savoir. Le besoin de croire que les tenants du mal ne sauraient profiter des ténèbres à jamais. Pour finir, Rodriguez était un bon flic, qui voulait la même chose que lui. Il ne pouvait pas rester en colère et continuer à se taire si cela risquait d'interdire que justice soit rendue à Orlando Merced.

Chapitre 7

Après ce coup de fil, Bosch reprit son ordinateur et se mit à rédiger son premier rapport sur l'affaire. Il s'agissait essentiellement de mettre le dossier à jour en y incluant la cause du décès et une évaluation des éléments de preuve existants et des pistes à suivre. Il y travaillait depuis vingt minutes lorsque son téléphone sonna. Il décrocha sans regarder l'écran d'affichage en se disant que c'était Soto qui l'appelait après sa séance chez le psy.

— Bosch, dit-il.

— Oui, je veux qu'on m'enregistre pour la récompense.

C'était un appel généré par l'annonce de l'ancien maire. Il répondit en faisant monter le site Internet du *Los Angeles Times* sur son écran.

— Comment ça, qu'on vous « enregistre » ? Ce n'est pas une loterie, monsieur. Avez-vous un renseignement susceptible de nous aider ?

Comme il fallait s'y attendre, sur le site Web était déjà publié un article avec en une du journal la photo de Zeyas annonçant la récompense lors de la conférence de presse.

— Oui, j'en ai un. Le tireur s'appelle Jose. Vous pouvez l'inscrire.

— Jose quoi?

— Ça, je sais pas. Je sais juste que c'est Jose.

— Et comment le savez-vous?

— Je le sais, c'est tout.

— Et c'est lui, le tireur?

— Exactement.

— Vous le connaissez? Vous savez pourquoi il a tiré?

— Non, mais tout ça, je suis sûr que vous le saurez une fois que vous l'aurez arrêté.

— Et je l'arrête où?

L'homme donna l'impression de trouver la question ridicule.

— Ça, je sais pas non plus. C'est vous l'inspecteur.

— Très bien, monsieur. Vous me dites donc d'aller arrêter un type qui s'appelle Jose, Jose sans nom de famille, ni lieu de résidence connu. Savez-vous à quoi il ressemble?

— Il a l'air mexicain.

— Très bien, monsieur, merci. *Connard*, murmura-t-il en reposant violemment le téléphone sur son socle.

Il avait encore la main sur l'appareil lorsqu'il sonna de nouveau.

— Bosch, dit-il d'un ton agacé.

— Oui, j'ai une question sur la récompense.

C'était quelqu'un d'autre.

— À savoir?

— Est-ce que je peux l'avoir si je me rends?

Bosch réfléchit un instant. À son avis, l'appel était tout aussi bidon que le premier.

— Bonne question, répondit-il. Je ne vois pas pourquoi on vous la refuserait. La récompense est offerte contre tout renseignement conduisant à l'énoncé d'une peine. Des aveux devraient marcher. Vous voulez avouer?

— Oui.

— Cela étant, il faudrait quand même que nous prouvions que c'est vous qui avez fait le coup. On ne pourrait pas se contenter de votre parole, si vous voyez ce que je veux dire.

— Je comprends.

— Et donc, pourquoi avez-vous fait ça?

— Parce que je déteste ces conneries de mariachi. On est en Amérique ici. Tu viens chez nous, tu joues de la musique américaine.

— Je vois. Et de quelle arme vous êtes-vous servi?

— De mon Smith & Wesson. Je suis bon tireur.

Bosch sourit intérieurement. Son instinct ne l'avait pas trompé.

— Je n'en doute pas, dit-il. Merci d'avoir appelé.

Il raccrocha et fixa le téléphone des yeux un long moment en s'attendant à ce qu'il sonne à nouveau. Ce qu'il fit bien évidemment, sauf que l'écran indiquait maintenant qu'il s'agissait d'un appel en interne. Il décrocha.

— Bosch.

— Inspecteur, c'est Gwen au PBX[1].

Une des opératrices du standard, mais il n'était pas certain de savoir où elle se trouvait dans l'immeuble. Les opérateurs du PBX géraient tous les appels en

---

1. Private Branch Exchange : commutateur téléphonique privé.

provenance de l'extérieur – tels ceux passés au numéro de la division des Vols et Homicides indiqué dans l'article du *Times* –, et les ventilaient comme requis.

— Oui, Gwen.

— J'ai une hispanophone pour la récompense. Vous voulez la prendre ?

Il fit non de la tête. L'avalanche contre laquelle il avait mis en garde Crowder et Samuels venait de démarrer.

— Je n'ai personne qui parle espagnol autour de moi. Prenez son nom et son numéro et quelqu'un la rappellera.

— Ce sera fait.

Il raccrocha, un peu plus doucement cette fois. Puis il passa sur le site de *La Opinión*, cliqua sur la page des *Locales* et, c'était couru d'avance, découvrit une autre photo de Zeyas accompagnant un article sur l'affaire, offre de récompense comprise. Il resta un instant abasourdi par la vitesse avec laquelle les médias réagissaient.

Il revint au rapport qu'il avait commencé à rédiger et accéléra l'allure. Il voulait quitter le bureau, que Soto y revienne bientôt ou pas. Il avait l'impression que le téléphone allait vite le clouer sur place et qu'il se noierait sous les appels. Il n'avait pas encore fini de taper lorsque le téléphone sonna encore une fois. C'était le premier type qui le rappelait.

— Hé mais, vous avez pas pris mon nom pour la récompense ! s'écria-t-il.

— C'est exact, monsieur. Je n'en veux pas.

— Eh ben, et la récompense ?

— Il n'y en aura pas. Pas pour vous.

— Je me tue à vous dire que c'est un mec qui s'appelle Jose. C'est lui qu'a fait le coup.

— Vous me rappelez si nous arrêtons un type qui s'appelle Jose, d'accord? lui renvoya Bosch.

Et cette fois, il remit si violemment l'appareil sur son socle qu'il attira l'attention des inspecteurs des autres box. Mais ne leur offrit aucune explication. Il avait encore la main sur l'appareil lorsqu'il sonna de nouveau.

— Quoi? lança-t-il d'un ton bourru en décrochant.

— C'est Gwen. Au PBX.

— Oui, Gwen. Qu'est-ce qu'il y a?

— Je voulais juste vous dire que la femme qui parle espagnol a refusé de donner son nom et son numéro.

— Parfait, Gwen. Ça nous fait donc un appel dont je n'aurai pas à m'inquiéter. Merci.

Il termina vite son rapport, l'imprima sur du papier perforé et l'inséra dans le livre du meurtre. Puis il décrocha son téléphone, appela le PBX et demanda qu'on lui passe Gwen.

— Gwen, dit-il, c'est l'inspecteur Bosch. Je vais sortir et ma collègue n'est pas disponible. Pouvez-vous transférer tous les appels concernant l'affaire Merced et la récompense au lieutenant Samuels?

— Au lieutenant Samuels. Pas de problème.

— Bien. Merci. Et rédiger une note pour dire que tous ces appels doivent être transférés au lieutenant jusqu'à plus ample informé de ma part?

— Ce sera fait, inspecteur. Bonne journée.

— À vous aussi, Gwen.

Il se leva et jeta un coup d'œil à la pendule murale au-dessus de la porte de la brigade. Les séances de Soto duraient en général une heure, plus une demi-heure de

trajet à l'aller comme au retour. Même si elle était passée au labo pour y reprendre la balle, elle aurait déjà dû
être rentrée. Cela l'agaça : Soto avait tendance à disparaître ou à perdre toute notion du temps. Il voulait
faire avancer les choses, mais elle manquait à l'appel.
Cela étant, il ne voulait pas l'appeler sur son portable
de peur qu'elle ne soit encore en pleine séance avec le
docteur Hinojos, la responsable psy du service. Il n'en
était pas moins frustré qu'elle ne lui ait pas envoyé de
texto pour l'informer qu'elle n'avait pas fini. Ce n'était
quand même pas à lui d'envoyer des SMS et d'appeler
pour savoir où elle était.

Il prit ses clés et les vidéos. Sur le panneau de présence à côté de la porte, il écrivit *Labo* à côté de son
nom et sortit.

Rodriguez lui avait dit que Rojas et lui n'avaient pas
apporté les vidéos de surveillance au labo pour voir s'il
n'y avait pas moyen de les améliorer. Il lui avait expliqué que ça ne leur avait pas semblé en valoir la peine
puisque le tireur n'y apparaissait nulle part. Sans compter que, dix ans plus tôt, la forensique en matière de
vidéos se réduisait à peu de chose près au travail d'un
rat de laboratoire jetant un deuxième coup d'œil aux
images déjà analysées par l'inspecteur des Homicides.

Depuis, tout avait changé. Il y avait maintenant
un service dédié aux vidéos et données numériques
avec des experts capables d'amplifier si fort le son
et les images qu'il en sortait souvent des renseignements indécelables au premier visionnage. La décennie
précédente avait connu une véritable explosion dans
l'utilisation des vidéos comme outils d'enquête. Los
Angeles étant une ville de caméras de surveillance,

publiques et privées, il était maintenant tout aussi courant de visionner les enregistrements pris sur et autour de la scène de crime que d'aller jadis frapper aux portes pour recueillir les témoignages des voisins. C'était ce qui avait présidé à la formation de la VFU, ou Video Forensic Unit. Toutes les caméras n'étant pas « égales de naissance », il fallait quelque savoir-faire pour maximiser ce que pouvaient révéler les images et les sons enregistrés sur une scène de crime ou aux alentours.

Bosch mit vingt minutes pour arriver au labo. Il était encore en route lorsque Soto l'appela pour lui dire qu'elle venait juste de terminer sa séance.

— Elle avait trop de nouveaux tireurs, lui expliqua-t-elle. Mais je suis en route pour le labo. Je vais récupérer la balle.

— Ne vous inquiétez pas pour ça. J'y vais moi aussi avec les vidéos. Je la récupérerai chez Gun.

— Je croyais que…

Elle ne termina pas sa phrase, mais il savait ce qu'elle allait lui demander.

— Oui, bon, dit-il. Je les ai toutes visionnées et il n'y a pas grand-chose d'intéressant dedans. La caméra de surveillance du magasin de musique a bien enregistré Merced au moment de l'impact, mais les images ne sont pas très nettes. J'espère que l'unité vidéo pourra en tirer quelque chose.

— Bien, dit-elle.

L'explication ne semblait pas l'avoir beaucoup amadouée.

— Si vous voulez, je peux vous attendre pour que vous y jetiez un coup d'œil avant qu'on démarre.

— Non, non, allez-y. C'est tout aussi bien. Vous repasserez à la brigade après?

— En fait, j'essaie d'éviter. La récompense de l'ancien maire est déjà sur tous les sites Web et les appels commencent à affluer. C'est sur l'affaire que je veux travailler, pas passer mon temps à répondre au téléphone.

Il entra dans le parking du labo et chercha une place.

— Mais, et si jamais on tombait sur le bon appel?

— À mon avis, y a une chance sur un million que ça arrive. Mais s'il y a quelqu'un qui peut nous livrer le tireur, il saura nous trouver. En attendant, j'ai fait transférer tous les appels sur Samuels. Ça mettra peut-être le feu aux poudres et il collera alors quelqu'un aux appels pour qu'on puisse travailler sur l'affaire.

— Bon, et pour demain... À quelle heure voulez-vous que je demande à la balistique d'établir la trajectoire?

Il avait oublié et se demanda si ce n'était peut-être pas un peu trop tôt maintenant.

— Attendons un peu pour l'instant, dit-il. Voyons ce qu'ils vont nous trouver dans ces vidéos. Ça pourrait nous aider à définir la trajectoire.

— Bien. Où voulez-vous que j'aille maintenant?

— Donnez-moi une demi-heure et retrouvez-moi à Mariachi Plaza. On verra si les médias ont libéré la place.

— OK. Ça me laisse le temps de passer au Starbucks. Vous voulez quelque chose?

Bosch évalua son niveau de caféine.

— Non, ça ira, dit-il. Je vous retrouve là-bas.

Il se gara et descendit de voiture. Il se dirigeait vers les portes en verre du bâtiment lorsque son téléphone sonna de nouveau. C'était le lieutenant Samuels.

— Bosch ! Où êtes-vous, bon sang ?

— Je m'apprête à entrer au labo… c'est écrit au panneau d'affichage. Qu'est-ce qu'il y a ?

— Ce qu'il y a, c'est que les appels nous rendent fous !

— Que voulez-vous que j'y fasse, lieutenant ? Je bosse sur mon affaire. J'ai deux types à voir au labo et après, je retrouve ma collègue à la scène de crime. Et je vous avais bien dit que ça arriverait.

— Où est Lucky Lucy ?

— Elle a ses séances de psy tous les mercredis après-midi. Des appels intéressants ?

— Comme si je pouvais le savoir ! C'est vous qui avez organisé ça !

— Je n'ai rien organisé du tout. Pour commencer, je ne voulais pas qu'on parle de récompense. Je savais que…

— Aucune importance. Je mets quelqu'un au téléphone. Dès demain matin.

Il raccrocha avant que Bosch ait le temps de réagir. Mais celui-ci arborait un grand sourire lorsqu'il poussa les portes du labo.

Chapitre 8

Lucia Soto était déjà à Mariachi Plaza lorsqu'il y arriva. Rien n'indiquait clairement la présence d'un membre des médias sur la scène de crime. Bosch traversa la place en observant tout ce qui s'y passait. Elle commençait à se remplir de musiciens espérant y décrocher du travail pour la soirée. Le long de Boyle Avenue, les camionnettes aux teintes vives où s'affichaient les noms et numéros de téléphone des groupes étaient déjà garées pare-chocs contre pare-chocs sur les places de stationnement. Bancs et tables, tout était pris.

Soto parlait avec trois types serrés sur un banc, leurs instruments dans des étuis posés à leurs pieds. Ils portaient des gilets noirs ornés de brocarts dorés, des chemises blanches et des cravates ficelle. Bosch la rejoignit et les salua. Soto tenait une espèce de café glacé surmonté d'une couche de crème fouettée.

— Harry, dit-elle tout excitée, ces messieurs étaient là quand Merced a été touché.

— Que se rappellent-ils ?

— Ils étaient assis ici même. Ils ont bondi et sont allés se cacher derrière la statue quand ils ont entendu le coup de feu.

Bosch regarda la statue en bronze derrière le banc. Elle représentait une femme les mains sur les hanches, portant un châle par-dessus une robe à motifs. La statue était posée sur un grand piédestal en béton et bois. Une plaque apposée à sa base l'identifiait comme étant Lucha Reyes, la reine des mariachis qui, originaire de Guadalajara, avait vécu et joué à Los Angeles dans les années 20.

— Ils ont été interrogés sur le moment?

Soto leur parla en espagnol, puis lui traduisit leur réponse bien qu'il ait compris pas mal de choses de ce qu'ils disaient.

— Oui, ils ont fait des dépositions.

Il acquiesça d'un signe de tête, mais ne se rappela pas en avoir lu une seule où un témoin disait s'être mis à couvert derrière la statue. On avait dû trouver leur témoignage insignifiant et ne pas les noter.

— Demandez-leur de me montrer où ils se sont cachés.

Elle obtempéra, l'un d'entre eux se levant aussitôt pour rejoindre la statue. Il s'accroupit, posa les mains sur le piédestal et fit semblant de regarder autour des jambes de la femme pour voir qui tirait. C'était vers Boyle Avenue qu'il s'était tourné.

Bosch acquiesça de nouveau et tenta de voir la scène comme elle devait se présenter ce jour-là.

— Qu'est-ce qui leur a fait croire que le coup de feu avait été tiré de ce côté-là? demanda-t-il en pointant du doigt la direction.

Elle traduisit. L'homme commença par hausser les épaules, mais l'un des deux autres encore assis sur le banc lui répondit, mais trop vite pour que Bosch comprenne quoi que ce soit.

— Il dit avoir entendu la détonation et s'être mis à couvert en courant. Les deux autres l'ont suivi, mais sans être certains d'avoir entendu quoi que ce soit. Ils avaient seulement vu tout le monde se mettre à courir.

— Qu'est-ce qu'il a vu ?

Deux d'entre eux hochèrent la tête, le troisième disant alors :

— *Nada*.

— Connaissaient-ils Merced ?

Encore une fois Soto traduisit, puis écouta.

— Pas vraiment, finit-elle par répéter. Ils le connaissaient de la place parce qu'il y cherchait du travail.

Bosch s'écarta et se dirigea vers l'escalier mécanique conduisant à la station de métro en sous-sol. La structure en verre qui lui servait de toit était très nettement à motifs aztèques, le tout ressemblant à une gigantesque aile d'aigle posée au-dessus de l'entrée. En panneaux de verre multicolores, les plumes de l'oiseau projetaient les rayons du soleil en travers de la place dans une débauche de couleurs.

Un large escalier carrelé séparait les Escalator montant et descendant. Une fois en haut, Bosch se tourna pour regarder la place. Puis il contempla le magasin de musique de l'autre côté de la 1re Rue à gauche, celui dont la caméra de surveillance avait filmé la scène. Il fit ensuite un léger pas sur la droite et songea qu'il devait se trouver très près de la table de pique-nique où Merced s'était assis. Il savait que son estimation n'avait aucune valeur forensique. Une équipe de la balistique vérifierait plus tard. Pour l'heure, néanmoins, il savait être tout près de l'endroit où Merced était assis lorsqu'il avait reçu la balle.

Il regarda vers Boyle Avenue, dans la direction d'où elle était venue. Ayant déjà écarté l'idée qu'elle ait pu être tirée d'une voiture en mouvement ou même seulement à hauteur d'homme, il se concentra sur le trottoir d'en face et plus particulièrement sur l'hôtel Boyle. Il le connaissait bien. Souvent appelé « hôtel Mariachi », il faisait trois étages et, bâti en pierre, était de style Queen Anne. Vieux de plus de cent ans, il comptait au nombre des plus anciens édifices encore debout à Los Angeles. Mais une décennie après l'autre, il s'était délabré jusqu'à ne plus être qu'un asile de nuit infesté de cafards pour mariachis et sans-abri de passage. Il s'y était rendu plus d'une fois, une photo d'identité à la main, pour y cueillir un suspect retrouvé après analyse de la scène de crime.

Mais tout avait changé. L'hôtel avait bénéficié d'une restauration de plusieurs millions de dollars allant de pair avec la construction du métro de la place. Ce n'était d'ailleurs même plus un hôtel, mais un complexe à usage multiple où l'on trouvait pêle-mêle des appartements et des espaces commerciaux à des prix abordables. Sa façade en brique rouge et son toit en coupole caractéristique avaient été préservés lors des travaux de rénovation, mais même à ces prix prétendument abordables, les loyers étaient trop élevés pour les trois quarts des mariachis de passage à East L.A. Ils étaient maintenant obligés d'aller ailleurs.

Soto rejoignit Bosch et regarda dans la même direction que lui.

— Vous pensez que la balle est partie de là-bas ? lui demanda-t-elle.

— Ce n'est pas impossible. Allons voir.

Ils retraversèrent la place en sens inverse, Bosch s'apercevant que de plus en plus de musiciens se pressaient autour des tables et des bancs. On approchait de 17 heures, c'était le moment de chercher et d'espérer trouver du travail. Il remarqua aussi une petite boutique derrière un groupe de musiciens. *Libros Schmibros, librairie et bibliothèque*, disait le panneau apposé sur la porte. Il le lui montra du doigt sans ralentir l'allure.

— Ici, dit-il, avant d'être latino, c'était un quartier juif. Dans les années 20 et 30. Dans les années 50, tout le monde a émigré du côté de Fairfax Avenue.

— Les Blancs qui prennent la fuite.

— En quelque sorte. Je pense qu'un de mes grands-parents y habitait. Cet endroit me rappelle des trucs. L'ancien commissariat d'Hollenbeck, quand j'y venais avec ma mère dans les années 50...

Bosch essayait de se rappeler un souvenir brumeux et vaguement désagréable. Il avait passé les onze premières années de sa vie avec sa mère et, bien souvent, comme les sans-abri de passage à l'hôtel Mariachi. Il y avait trop d'endroits dont se souvenir, et tout ça remontait à environ cinquante ans. Il essaya de changer de sujet.

— Où avez-vous grandi, Lucy ? demanda-t-il.

— Un peu partout. Du côté de ma mère, on est du comté d'Orange, vers El Toro, mais les parents de mon père habitaient ici. Ils ont été chassés de Chavez Ravine dans les années 40. Ils ont terminé à Westlake et c'est là que je suis née. Mais j'ai surtout grandi dans la Valley. À Pacoima.

Il hocha la tête, puis lui demanda :

— Vous n'êtes donc pas une fan des Dodgers, hein ?

— Je ne suis jamais allée à un match et je n'irai jamais en voir. Mon père me tuerait si jamais il apprenait que je l'ai fait.

Ç'avait été l'une des plus grandes saisies de terrain de toute l'histoire de la ville, et Bosch connaissait bien l'histoire qui, toute sa vie durant, l'avait tiraillé entre son amour du base-ball et des Dodgers et l'horrible vérité enfouie sous les lieux mêmes où il avait vu les lanceurs Sandy Koufax et Don Drysdale à l'ouvrage. Il lui semblait que toutes les réussites de la ville se doublaient d'un côté sombre, en général juste hors de vue. Pendant des décennies Chavez Ravine avait été une enclave de Mexicains pauvres qui s'entassaient dans des taudis à flanc de colline et essayaient de se faire une place dans des lieux où on avait certes besoin d'eux, mais où on ne voulait pas vraiment les voir. Avec la fin de la Deuxième Guerre mondiale, la ville avait connu une nouvelle prospérité et des fonds fédéraux avaient été alloués à la construction de logements pour les pauvres. L'idée directrice était que tout le monde quitte Chavez Ravine, puis que tout passe au rouleau compresseur pour que tout soit reconstruit ensuite, les anciens habitants de la petite vallée étant alors invités à revenir dans un véritable jardin de tours d'habitation à faible loyer. L'ensemble devait même porter un nom reflétant le grand rêve américain de toujours décrocher la timbale en argent : Elysian Park Heights[1].

---

1. Les Hauteurs de l'Élysée.

Certains avaient quitté Chavez Ravine de leur plein gré, d'autres devant en être chassés. Maisons, églises, écoles, tout avait été rasé. Mais aucune tour n'avait été construite par la suite. Et le monde avait changé. Édifier des tours pour les pauvres avait été considéré comme « socialiste », le nouveau maire allant jusqu'à parler d'« activité antiaméricaine ». La cité de l'avenir avait alors décidé qu'elle avait besoin d'une équipe de sportifs professionnels pour asseoir son image et en faire plus qu'une simple colonie du cinéma et un douteux avant-poste aux confins occidentaux du pays. Les Brooklyn Dodgers avaient émigré à l'ouest, un stade de base-ball tout scintillant étant alors construit à l'endroit où devaient se dresser les tours pour les pauvres. Les habitants de Chavez Ravine avaient été dispersés à jamais, leurs descendants en nourrissant une solide rancune qui durait encore, et le joli nom d'Elysian Park Heights n'était pour finir jamais sorti des cartons.

Bosch garda le silence jusqu'à ce qu'ils traversent Boyle Avenue et arrivent devant les doubles portes de ce qui avait jadis été l'hôtel Mariachi. Elles étaient fermées à clé, un clavier numérique apposé juste à côté permettant de contacter les locataires et le gérant.

— Vous voulez entrer ? lui demanda Soto.

— Il le faut bien.

Elle appuya sur le bouton *Oficina*. La serrure fut débloquée sans que personne ne leur demande qui ils étaient par l'Interphone. Bosch leva les yeux et vit une caméra installée en hauteur, dans un coin du parement.

Soto ouvrit et ils se retrouvèrent dans un hall avec une liste des locataires et un plan de l'immeuble dans des vitrines fixées au mur. Bosch commença par le plan et s'aperçut que le projet de restauration était doublé d'une consolidation. Trois bâtiments avaient été reliés pour former un complexe. Celui de devant – l'ancien hôtel Boyle, appelé Cummings Block dans les plans cadastraux du XIXᵉ siècle – avait été transformé en espace commercial, et les deux bâtiments attenants en immeubles locatifs. Il alla consulter la liste et y découvrit quantité de petits bureaux, dont les trois quarts étaient des études d'avocats/*abogados*.

— Bosch, lui dit Soto, le bureau du gérant est ici, en bas.

— Je sais. On pourra y passer après avoir fait un tour.

Au premier, il tomba sur trois portes de bureaux en verre, deux d'avocats avec un panneau promettant qu'« ici » on parlait espagnol, le troisième paraissant vide, sans locataire.

Bosch recula et regarda autour de lui. Tout était propre et clair, rien à voir avec le souvenir qu'il en avait gardé de ses visites antérieures. Il se rappelait une suite d'appartements minuscules avec, tout au bout du couloir, une salle de bains commune qui puait comme un égout. Il fut heureux de constater que l'immeuble avait été sauvé de ce délabrement et de cette indignité.

Il monta à l'étage suivant, Soto sur ses talons. Au deuxième, il y avait encore des bureaux, dont la moitié semblaient vides. Il essaya une porte, elle n'était pas fermée à clé et permettait d'accéder au toit. Il monta jusqu'à la coupole, Soto toujours derrière lui.

La coupole offrait une vue à 360 degrés, y compris sur une vaste étendue partant du pont jusqu'en centre-ville. Il aperçut le fleuve de béton et les voies ferrées qui entourent la cité comme un ruban. Il se tourna vers l'est, regarda la place et vit les membres d'un groupe ranger leurs instruments dans leur mini-van : ils avaient trouvé où se produire pour la soirée.

— Vous pensez que le coup a pu partir d'ici ? reprit Soto.

— J'en doute. Trop à découvert. Et l'angle est probablement trop restreint.

Il leva les bras comme s'il visait en suivant le canon d'une carabine, pointa l'arme imaginaire sur le haut de l'escalier mécanique et hocha la tête : trop raide pour qu'une balle puisse traverser l'instrument et le torse de Merced selon l'angle apparent.

— Je pense aussi que tout a été restauré. Je ne crois pas qu'il y ait eu quoi que ce soit ici il y a dix ans, ajouta-t-il.

Il remarqua un homme assis tout seul sur un banc. Il le regardait. Puis la porte de l'escalier de la coupole s'ouvrit et une femme s'approcha d'eux rapidement en parlant espagnol à toute vitesse. Soto s'avança vers elle et sortit son badge pour lui montrer qu'ils étaient de la police. La femme parlait trop vite pour que Bosch la comprenne, mais ce n'était pas vraiment nécessaire. Il savait qu'elle était en colère de les voir sur le toit.

— Voici Mme Blanca, dit enfin Soto. Elle dit que nous n'avons pas le droit d'être ici et qu'on aurait dû passer au bureau du gérant. Je lui ai dit qu'on s'excusait.

— Demandez-lui si elle travaillait ici avant la rénovation.

Blanca fit non de la tête avant même que la question lui soit traduite.

— Vous parlez anglais ? lui demanda Bosch.

— Un peu, oui.

— Bon, répondez-nous dans la langue que vous voulez. Cet immeuble… est protégé, non ? L'Historical Society ?

— Oui, il est classé. Construit en 1889.

— Qu'est-il advenu des plans de l'hôtel quand la rénovation a commencé ?

Elle eut l'air si perdue que Soto traduisit la question, puis sa réponse :

— Elle dit que la réception et tous les vieux registres de l'hôtel ont été récupérés par l'Historical Society. Ils sont dans un garde-meuble municipal, mais il est question de les exposer ici.

Il hocha la tête. Il n'avait rien vu dans les rapports d'enquête de Rojas et Rodriguez indiquant qu'ils seraient allés frapper aux portes pour interroger des gens de l'hôtel Mariachi sur ce qu'ils avaient vu ou entendu lors de l'incident sur la place.

À ses yeux, c'était une faute.

Chapitre 9

Il resta tard au bureau, à lire et relire les rapports et résumés portés dans le livre du meurtre, et à noter les observations et nouvelles questions qui lui venaient à l'esprit. Tous les mercredis, sa fille passait la soirée à la Police Explorer Unit du commissariat d'Hollywood où elle s'était inscrite. Ce groupe était ouvert à tous les lycéens qui envisageaient de faire carrière dans les forces de l'ordre. Ils y avaient un premier aperçu du travail des policiers et partaient souvent avec eux en opération. Les activités ne manquant pas, il n'avait aucune raison de rentrer chez lui même s'il avait commencé sa journée aux aurores suite au coup de fil du capitaine Crowder.

Grande comme un terrain de football américain, la salle des inspecteurs était maintenant vide et il goûtait le silence complet qui y régnait et les ténèbres de l'autre côté des fenêtres. De temps à autre, il quittait son box pour se promener et regarder comment ses collègues avaient installé et décoré les leurs. Il remarqua ainsi que, dans plusieurs d'entre eux, ils s'étaient débarrassés des fauteuils fournis par l'administration pour les remplacer par des modèles avec accoudoirs ajustables et supports lombaires. Et bien évidemment, comme on était au LAPD, ils les attachaient à leurs bureaux avec des chaînes de vélo avant de rentrer chez eux.

Il trouva tout cela assez triste. Pas parce que ces objets personnels n'étaient pas en sécurité dans les locaux même du Police Administration Building, mais parce que le travail de policier se réduisait de plus en plus à des tâches administratives. Claviers d'ordinateurs et téléphones portables, tels étaient maintenant les outils essentiels de l'enquêteur moderne. Les inspecteurs s'installaient dans des fauteuils à douze cents dollars et portaient d'élégants souliers design à glands. Avec les chaussures à semelles épaisses avait disparu la prévalence de la fonction sur la forme, celle d'une époque où le mot d'ordre de tout inspecteur était de « se bouger le cul et d'aller frapper aux portes ». Plein de mélancolie après son dernier petit tour des lieux, il se demanda si le moment n'était pas venu de mettre fin à sa carrière.

Il travailla jusqu'à 20 heures, rangea toutes ses affaires dans sa mallette, quitta le bâtiment et descendit Main Street jusqu'au Nickel Diner. Il s'assit seul à une table et commanda un steak pointe de palette avec une bouteille de Newcastle. Il se réhabituait à peine à manger seul. Sa relation avec Hannah Stone ayant pris fin un peu plus tôt dans l'année, il était condamné à passer beaucoup de soirées seul. Il s'apprêtait à sortir des documents de travail de sa mallette lorsqu'il décida de laisser tomber le boulot en mangeant. Et passa tellement de temps à parler avec Monica, la patronne du restaurant, qu'elle lui offrit un doughnut au bacon glacé de sirop d'érable, cadeau de la maison, pour couronner son repas. Son sang s'en trouvant tout ragaillardi, Bosch décida qu'il était trop tôt pour aller retrouver sa maison vide.

En revenant au PAB, il s'arrêta au Blue Whale[1] pour voir qui y jouait et qui y viendrait plus tard dans le mois, et fut agréablement surpris de découvrir Grace Kelly avec un groupe de quatre musiciens sur la scène. Grace était une jeune saxophoniste au son particulièrement puissant. Et en plus, elle chantait. Il avait quelques morceaux d'elle dans son téléphone et songeait parfois qu'elle s'inscrivait dans la tradition du grand Frank Morgan, l'un de ses saxophonistes préférés. Comme il ne l'avait jamais vue jouer, il régla son ticket d'entrée, commanda une deuxième bière et s'assit au fond de la salle, sa mallette par terre entre ses pieds.

Le set lui plut, surtout par la façon dont l'artiste travaillait avec la section rythmique. Elle mit fin à sa prestation avec un solo qui lui alla droit au cœur. Dans son interprétation d'*Over the Rainbow*, elle sortit un son qu'aucune voix humaine n'aurait pu égaler. C'était tout à la fois triste et plaintif, mais sous-tendu par un espoir indéniable. Il finit par se dire qu'il avait encore sa chance, qu'il pouvait encore trouver ce qu'il cherchait, même si le temps lui était compté.

Il partit juste après et regagna le PAB. En parcourant les deux blocs qui l'en séparaient, il envoya un SMS à sa fille pour savoir si elle était toujours de sortie avec les Explorers. Elle lui répondit aussitôt qu'elle était déjà rentrée et que, fatiguée par sa journée d'école et ce

---

1. La Baleine bleue.

qu'elle avait fait à l'unité, elle était sur le point d'aller se coucher. Il consulta sa montre et s'aperçut que le temps avait passé vite. Il était presque 23 heures. Il appela sa fille pour lui souhaiter bonne nuit et lui dire qu'il travaillerait tard puisqu'elle allait déjà se mettre au lit.

— Ça ira si je ne rentre pas tout de suite ?

— Évidemment. Tu travailles ?

— Oui, je retourne au PAB. Mais j'ai dîné. J'ai juste quelques trucs à revoir.

— On dirait que t'as bu.

— J'ai pris une bière. Tout va bien. Je serai à la maison dans deux heures maximum.

— Fais attention à toi.

— T'inquiète pas. Qu'est-ce qu'ils vous ont fait faire ce soir ?

— Barrage routier pour contrôler des conducteurs en état d'ivresse. En gros, on a surtout observé. Y avait un type… Il n'était pas saoul, mais complètement à poil. Répugnant.

— Tiens donc ! Bienvenue à la division d'Hollywood. J'espère que ça ne te marquera pas à vie.

— J'y survivrai. Ils l'ont enveloppé dans une couverture et l'ont collé au bloc.

— Bien. Et maintenant, dodo. Je te retrouve demain matin avant l'école.

Il coupa la communication et se demanda une fois de plus si sa fille voulait vraiment être flic ou si elle faisait tout ça juste pour la forme, pour lui faire plaisir. Il se dit qu'il devrait peut-être en parler au docteur Hinojos. Maddie allait la voir une heure par mois, la psy de la police la recevant en douce. Hinojos s'était en effet proposé de suivre Maddie depuis qu'elle était venue vivre avec lui après la mort de sa mère. Service qu'elle continuait de lui rendre.

La salle des inspecteurs était toujours déserte, mais son regard s'arrêta aussitôt sur le bureau de sa coéquipière : son sac à main était posé sur son fauteuil. C'était habituellement là qu'elle le laissait tomber tous les matins en arrivant avant d'aller chercher un café. Mais là, il était 23 heures. Il commença par se demander si elle ne l'avait pas oublié en partant plus tôt dans l'après-midi, mais cela semblait improbable : c'était dans ce grand sac en cuir qu'elle gardait ses clés et son arme quand elle n'était pas en service.

Il pivota sur les talons et regarda toute la salle. Aucun signe de sa présence. Jusqu'au moment où il crut sentir une légère odeur de café. Elle était là. Quelque part.

Il sortit son portable et lui envoya un texto pour lui demander où elle se trouvait. Sa réponse le rendit encore plus perplexe :

Chez moi. À deux doigts d'aller me coucher. Pourquoi ?

Il ne sut absolument plus que faire. Il lui renvoya un autre texto :

Pour rien. Je me demandais, c'est tout.

Il envoyait encore son deuxième texto lorsqu'il crut entendre comme une légère sonnerie pas très loin. L'essentiel de ses SMS lui arrivant de sa fille, il avait réglé ses notifications sur vibreur parce qu'il ne voulait pas qu'une sonnerie vienne interrompre une tâche en cours. Soto, elle, procédait autrement. Elle avait choisi pour les siennes une sonnerie parfaitement audible et, tout d'un coup il fut sûr et certain de l'avoir entendue. Il lui expédia un troisième texto :

À demain.

Il appuya sur la touche « envoi », s'immobilisa et écouta. Dans l'instant ou presque il entendit la sonnerie. Elle venait de la porte, ouverte, de l'armoire aux dossiers à l'autre bout de la salle.

En fait d'armoire, il s'agissait plutôt d'une énorme pièce de rangement où étaient entreposés tous les livres du meurtre et cartons à éléments de preuve que l'unité des Affaires non résolues envisageait d'étudier. Il ne manquait pas de place, mais les affaires étaient si nombreuses que, l'année précédente, le service avait fait installer un système de rayonnages mobiles comme ceux qu'on trouve souvent dans les bibliothèques universitaires et les grands cabinets d'avocats. Montés sur rails, ils peuvent basculer et permettent de ranger plus de choses dans un espace confiné. Lorsqu'il avait besoin de consulter tel ou tel autre livre de meurtre, l'inspecteur devait ouvrir à l'aide d'une roue à manivelle la rangée où il était classé. Toutes les équipes de l'unité pouvaient utiliser les deux côtés de chaque rangée pour leurs affaires.

Bosch s'approcha sans bruit de la porte ouverte et jeta un coup d'œil à l'intérieur de la pièce. L'odeur de café y était plus forte. Il vit que la rangée de rayonnages qu'il partageait avec elle avait été sortie. Mais trois mètres plus loin en longeant les étagères qui montaient jusqu'au plafond, il s'aperçut que la rangée suivante réservée à deux autres inspecteurs était entrouverte.

Il entra et la parcourut entièrement. Il hésita à l'ouverture, puis passa la tête dans l'allée large de un mètre.

Personne.

Perplexe, il regarda de l'autre côté de la pièce. À la hauteur du dernier rayonnage se trouvait une alcôve avec une photocopieuse. Il s'y dirigea et n'en était plus qu'à quelques mètres lorsqu'il entendit la machine se mettre en route.

Le bruit qu'elle faisait lui offrant une bonne couverture sonore, il s'avança rapidement et regarda dans l'alcôve. Lucia Soto se tenait debout devant l'appareil et lui tournait le dos. Sur le comptoir à sa droite étaient posés un livre du meurtre, anneaux de classeur ouverts et, juste à côté, une pile de trois autres classeurs. Avec une tasse de café fumant achetée au L.A. Café voisin ouvert vingt-quatre heures sur vingt-quatre.

Sans rien dire, il la regarda photocopier les pièces et rapports du livre. Le bac de sortie se remplissait de feuilles.

Que faire ? Il ignorait tout de ses motivations, mais c'était très clairement le livre du meurtre d'une affaire qui ne les concernait pas qu'elle photocopiait. Il recula et regarda les rayons ouverts. À chaque équipe était assignée la responsabilité de certaines années bien précises, chaque membre du tandem devant glisser sa carte professionnelle dans un lecteur installé sur la rangée. Bosch découvrit que l'affaire appartenait à Whittaker et Dubose. Sur le coup, il fut incapable de se rappeler les années qui leur étaient dévolues, mais les quatre livres du meurtre que Soto avait devant elle avaient l'air anciens. Le vinyle bleu qui en recouvrait les dos avait pâli et s'était craquelé, et les pages étaient toutes jaunies.

Il regarda de nouveau l'alcôve et songeait à repartir aussi silencieusement qu'il était venu lorsqu'une foule d'idées lui traversèrent l'esprit. Il songea tout d'abord que Soto était complètement folle de photocopier ces dossiers. Tous les inspecteurs de la brigade avaient un code de photocopieuse qu'il fallait entrer dans le pavé numérique de la machine afin qu'elle puisse fonctionner. Cela voulait dire qu'elle laissait derrière elle une trace de tout ce qu'elle avait photocopié, et quand. Il songea ensuite à la sécurité qui avait beaucoup baissé depuis quelques années – chose que personne n'ignorait –, et aux petits voyous arrêtés pour des délits mineurs liés aux gangs et à la drogue qui avaient réussi à entrer dans le commissariat. Certains pensaient que le crime organisé, voire des organisations terroristes, avait infiltré la police. Il se demanda si Soto ne travaillait pas comme agent double pour quelqu'un : on travaille aux Affaires non résolues le jour et on recueille des renseignements sur les dossiers la nuit.

Puis il se dit que c'était sans doute son imagination qui vagabondait, sauf qu'elle lui avait quand même menti dans ses textos. Qu'est-ce qu'elle ne voulait donc pas qu'il sache ?

N'ayant jamais été de ceux qui reculent devant les difficultés, il prit brusquement sa décision et retourna dans l'alcôve. Lucia y récupérait une grosse pile de feuilles dans le bac de sortie. Complètement absorbée par sa tâche, elle ne remarqua même pas sa présence.

— Vous avez tout ce qu'il vous faut ? lui lança-t-il.

Elle bondit sur place et dut réprimer un hurlement lorsqu'elle se tourna vers lui. Il lui fallut quelques instants pour retrouver ses esprits et lui répondre :

— Harry ! s'écria-t-elle. Vous m'avez flanqué une peur bleue ! Qu'est-ce que vous faites ici ?

— Ça ne serait pas plutôt à vous de répondre à cette question ? lui renvoya-t-il.

Elle fit vaguement un geste, comme si elle voulait reprendre son souffle après la frousse qu'il lui avait flanquée. Cela lui donna le temps de lui faire cette réponse :

— Je consulte un peu des anciens dossiers, dit-elle. Rien de plus.

— Vraiment ? Des dossiers d'affaires qui ne vous concernent pas ? Qui ne nous sont pas assignées ?

— J'essaie d'apprendre le boulot d'inspecteur des Homicides, Harry. Je lis des dossiers. Des fois, j'en fais des copies pour les emporter à la maison. Je sais que c'est contre le règlement, mais… Je ne pensais pas que ce soit si grave. Et comme je n'arrivais pas à dormir, je suis venue faire des photocopies.

Son histoire et la façon dont elle la lui servait étaient tellement bidon que c'en devenait gênant. Il entra dans l'alcôve et se posta devant le comptoir. Puis il parcourut rapidement les pages du dossier qu'elle avait photocopié. Il s'attarda sur la première, celle contenant le premier rapport et le résumé de l'affaire. Il la reconnut tout de suite.

— Alors comme ça, vous sortez et consultez des dossiers au hasard ?

— Oui, c'est à peu près ça.

Il jeta un coup d'œil aux dos des autres classeurs et s'aperçut vite que les quatre livres du meurtre concernaient la même affaire : celle de l'incendie du Bonnie Brae en 1993. Neuf personnes, essentiellement des enfants, avaient péri dans un appartement de Westlake. Elles s'étaient retrouvées coincées par les flammes et la fumée dans une garderie non déclarée située au sous-sol d'un immeuble à faible loyer. L'incendie avait été classé comme étant d'origine criminelle, mais il n'avait été procédé à aucune arrestation malgré tous les efforts déployés par un détachement spécial composé d'enquêteurs du LAPD et d'experts en incendies criminels des pompiers de la ville.

Bosch entassa les pages qu'elle avait copiées dans un classeur, fit une pile des quatre livres du meurtre, s'en empara, se retourna et passa devant elle.

— Prenez votre café, dit-il.

Il emporta les classeurs jusqu'à leur box et les posa sur son bureau. Puis il fit signe à Soto de gagner le sien et de s'asseoir. Elle ôta le sac de son fauteuil et s'assit.

Il resta debout et se mit à faire les cent pas dans son dos. Elle baissa la tête et les yeux tel le suspect qui sait d'avance les charges qui vont lui tomber dessus.

— Je ne vous dirai tout ceci qu'une fois, commença-t-il. Si vous me mentez et que je le découvre, notre coopération cessera immédiatement et, médaille de la Valeur ou pas, je veillerai à ce que votre carrière de flic s'arrête aussitôt.

Il marqua une pause et regarda sa nuque. Elle le sentit, il en fut certain. Elle hocha la tête.

— L'incendie du Bonnie Brae, reprit-il. Je n'ai pas enquêté dessus, mais j'étais là quand ça s'est passé et je m'en souviens. Neuf décès, jamais élucidés. À l'époque, la rumeur assurait que c'étaient les membres du gang de La Raza Pico-Union qui l'avaient déclenché parce que le gérant refusait de les laisser dealer dans l'immeuble. C'est tout ce que je sais. Comme je vous l'ai dit, on ne m'avait pas mis sur l'affaire, mais elle était importante et les rumeurs et les histoires, ça circule.

Il se tut, attrapa le dossier de son fauteuil et la tourna vers lui.

— Bon et maintenant, reprit-il, vous débarquez en héroïne pour avoir abattu deux tireurs de la 13ᵉ Rue et, tiens donc, comme ça se trouve, les gangs de la 13ᵉ Rue et ceux de Pico-Union sont des ennemis jurés depuis toujours.

Il se mit le doigt sur la tempe et ajouta :

— Et voilà que je vous trouve en train de photoco-pier des dossiers sur l'affaire et je me dis : « Mais… cette fille ne m'aurait pas dit être née à Westlake avant de déménager dans la Valley ? » Alors, forcément, je me demande : « Et pour qui donc sort-elle ces dossiers » ?

— Ça n'est pas du tout ça, Harry. Je…

— Laissez-moi finir. Vous n'avez pas besoin de par-ler pour l'instant.

Il se détourna d'elle et regarda les classeurs empilés sur son bureau. Il était à deux doigts d'exploser. Il se tourna de nouveau vers elle.

— Tout le monde ici sait que la police a baissé la garde quand il a fallu renforcer les effectifs et que nous avons été infiltrés par des individus qui sont autre chose avant d'être flics. Mais que je vous dise tout de suite : ce n'est pas comme ça que je vais m'en aller. Vous croyez donc que je ne suis qu'une espèce de vieux schnock au nez et à la barbe de qui on peut monter des coups tor-dus sans qu'il s'en aperçoive ? Dès le début, je me suis dit que vous aviez quelque chose de pas catholique. Ce n'est pas flic que vous voulez être. C'est autre chose.

— Non, vous vous trompez.

Elle essaya de se lever, mais il lui posa la main sur l'épaule et l'obligea à se rasseoir.

— Non, je ne me trompe pas, enchaîna-t-il. Et vous ne bougerez pas d'ici tant que vous ne m'aurez pas dit ce que vous fabriquez, et pour qui. Et s'il le faut, on reste ici jusqu'à ce que le soleil se lève et que nos collègues commencent à se pointer et à demander ce qui se passe.

La main droite de Soto semblant vouloir atteindre quelque chose, il se raidit, mais finalement, elle se posa sur son poignet gauche. Soto ôta son bouton de manchette, releva violemment sa manche et tourna le bras vers lui pour lui montrer le tatouage qu'elle avait au creux de l'avant-bras. On y voyait une pierre tombale avec cinq noms écrits dessus : Jose, Elsa, Marlena, Juanito et Carlos.

— J'y étais, moi, dans ce sous-sol quand l'incendie s'est déclaré, d'accord ? C'étaient mes amis. Ils sont tous morts.

Il regagna lentement son bureau et tira son fauteuil pour s'asseoir. Puis il regarda les classeurs un instant et se tourna vers elle.

— Vous essayez donc de résoudre cette affaire, dit-il. Toute seule.

Elle acquiesça d'un hochement de tête et rabattit sa manche.

Chapitre 10

Le lendemain matin, ils se retrouvèrent dans la salle des inspecteurs, pointèrent au tableau d'affichage et regagnèrent tout de suite la voiture de Bosch pour rejoindre le labo régional. Bosch avait déjà été rappelé par la spécialiste des vidéos à qui il avait laissé ses trois DVD la veille. Bailey Copeland avait commencé par lui dire qu'elle aurait besoin de deux ou trois jours pour les analyser – et que cela incluait de les faire passer sur le haut de la pile en raison de l'importance de l'affaire et de l'attention qu'elle suscitait dans les médias. Ce matin-là néanmoins, alors qu'il était encore sur la 101, elle lui avait téléphoné pour lui dire qu'elle avait découvert quelque chose qu'il ferait mieux de venir voir tout de suite.

Chemin faisant, Bosch et Soto ne parlèrent guère de ce qui s'était passé la veille au soir. Dès qu'il avait découvert son enquête secrète, Bosch avait compris ses motivations. Il avait lui-même été jadis poussé à résoudre une affaire concernant son passé. Il lui avait donc dit qu'il l'aiderait, mais qu'il fallait faire ça correctement. À moins d'une année de devoir prendre sa retraite à taux plein selon les termes de son accord, il n'était pas certain que le LAPD ne se serve pas de la moindre infraction de sa part pour le virer et ainsi éviter de lui régler ses indemnités. Il avait donc informé Soto que, s'ils trouvaient un moyen de se faire assigner officiellement l'affaire, il se joindrait à elle pour la résoudre. Mais il l'avait aussi avertie que travailler sur une affaire qui ne lui appartenait pas était plus que périlleux – aussi bien pour elle que pour lui.

L'unité d'imagerie numérique « vidéo et données » se trouvait au deuxième étage du labo régional. Copeland les y attendait dans un box équipé d'une console son et vidéo posée sur une table de labo, devant un moniteur mural multiécrans. L'espace était restreint et faiblement éclairé, et elle y avait tiré deux tabourets de plus pour Bosch et Soto.

— Merci d'être venus aussi vite, dit-elle. Je vous montre ce que j'ai et je file me coucher.

— Vous y avez passé la nuit ? lui demanda Bosch.

— Oui. C'était passionnant et je n'ai pas pu lâcher.

— Un grand merci. Montrez-nous donc ce que vous avez.

La table était haute et Copeland petite. Bien qu'elle soit restée debout tout le temps de sa démonstration, Bosch et Soto, assis derrière elle, purent quand même voir les écrans.

— Bon, on se passe tout une fois sans s'arrêter et on y revient après. Créer un logiciel de triangulation pour nos trois vidéos a été la première chose que j'ai faite. Le chrono n'apparaissant pas sur l'une d'entre elles, je me suis servie de la seule chose qu'il y avait dans les trois enregistrements pour établir la base temps.

Elle appuya sur un bouton de la console et trois écrans se matérialisèrent devant eux, chacun montrant Mariachi Plaza ou les rues alentour selon un angle différent. Puis elle appuya presque aussitôt sur un autre bouton et, les images se figeant, elle leur indiqua l'écran central, celui où l'on voyait la vidéo prise au magasin de musique.

— Là, vous voyez la Ford Taurus ? Elle est dans les trois vidéos.

Elle la leur montra sur les trois écrans. Bosch vit tout de suite que les enregistrements étaient d'une bien meilleure netteté que lorsqu'il les avait regardés la veille. Copeland les avait affinés et rendus plus précis.

— En calibrant les trois vidéos à partir du mouvement de la Taurus, reprit-elle, on peut faire rouler les trois en même temps. Regardez.

Elle appuya sur une touche et les vidéos reprirent. Les trois écrans se trouvant à côté l'un de l'autre, Bosch n'eut aucun mal à les regarder en simultané. Copeland ayant trouvé le point de triangulation, à savoir la Ford, plus d'une minute avant le coup de feu, ils attendirent le moment où enfin ils verraient Merced tomber du haut de la table et ses musiciens se mettre à fuir en courant.

— Bien, enchaîna Copeland, et maintenant, reprenons au ralenti, et dites-moi ce que vous voyez.

Elle fit repartir l'enregistrement, Bosch se concentrant surtout sur l'image centrale, celle où l'on voyait Merced assis sur la table de pique-nique. C'était la plus claire des trois vidéos, et la seule où l'on voyait la victime. La regarder en sachant ce qui allait suivre avait quelque chose d'irréel. Soto, qui, elle, découvrait les vidéos, se pencha pour mieux voir.

Bosch recula pour scruter les trois écrans et le moment où Merced était touché, mais ne remarqua rien de particulier.

Copeland arrêta la vidéo.

— Alors, dit-elle, vous avez vu ?

— Non, quoi ? demanda-t-il.

— Inversons tout ça, dit-elle en souriant.

Elle entra une commande et permuta les angles de prises de vues des trois caméras, l'enregistrement effectué dans le parking du restaurant Poquito Pedro's se retrouvant au centre.

— Bien, dit-elle, regardez encore une fois.

Elle repassa la vidéo au ralenti, Bosch gardant les yeux fixés sur l'écran central. Plus net que lorsqu'il l'avait visionné la veille sur son portable, l'enregistrement n'en donnait pas moins des images assez granuleuses de la rue et d'un bout de Mariachi Plaza, deux rues plus loin.

— Là ! s'écria Soto. Je l'ai vu !

— Quoi, qu'est-ce que vous avez vu ? demanda encore Bosch.

— Là, à la fenêtre, répondit-elle en lui en montrant une au premier étage de l'hôtel Boyle.

La pièce était plongée dans le noir.

— Bien vu, dit Copeland. On recommence.

Elle repassa la séquence et, cette fois, Bosch ne regarda que la fenêtre que Soto lui avait indiquée. Il attendit et, juste au moment du tir, il aperçut un pixel de lumière briller dans le noir. Copeland figea le plan.

— Ça ? demanda Bosch.

— Oui, ça, lui répondit Copeland. Ne pas oublier que les trois quarts des vidéos de surveillance, surtout

116

celles d'il y a dix ans, sont enregistrées en vitesse lente pour économiser de l'espace. Ici, la fréquence d'images est de dix.

— Et vous me dites donc que ce petit point lumineux serait le feu de bouche de l'arme ?

— Exactement. C'est tout ce que la caméra a pu attraper, mais c'est suffisant. Le tir est parti de cette fenêtre-là.

Bosch fixa l'image figée à l'écran. Il savait maintenant qu'il n'y avait plus besoin d'établir de trajectoire. Le coup était parti d'une chambre du premier étage de l'hôtel Mariachi.

— Voilà ce que j'ai, enchaîna Copeland en agrandissant l'image au centre.

Elle zooma sur la fenêtre et tous étudièrent le point blanc entouré de noir.

— Harry, dit Soto, il va nous falloir les registres de l'hôtel.

— C'est la chambre 211, dit-il.

— Mandat de perquisition ? Pour que tout soit fait dans les règles ?

Il fit encore une fois oui de la tête.

— Je n'ai pas fini, dit Copeland.

Elle reconfigura les écrans pour que Merced soit de nouveau au centre. Puis elle dessina un rond pour isoler un des musiciens qui se tenait debout. Le trompettiste. Et elle fit repartir la vidéo, le rond restant sur lui et le gardant bien net tandis que ce qui l'entourait devenait plus flou.

— Regardez-le, dit-elle.

Bosch lui obéit et regarda encore une fois la scène, mais en se concentrant sur la réaction du trompettiste au moment de l'impact. Très vite, celui-ci s'écartait et disparaissait de l'écran.

— Bon, dit-il en n'ayant apparemment pas vu ce que Copeland voulait lui faire découvrir. Qu'est-ce que j'aurais dû voir ?

— Deux choses, répondit-elle. D'abord, sa réaction. Et ça, ça n'a rien à voir avec l'amélioration de l'image. Je ne parle que de sa réaction. Regardez les autres.

Elle plaça le rond sur l'un des autres musiciens, l'accordéoniste assis juste à côté de Merced sur la table, et repassa la vidéo. Probablement parce qu'il croyait à une blague, l'accordéoniste se mit à sourire en voyant Merced dégringoler de la table. Puis il vit le guitariste se cacher dessous et s'y glissa du mieux qu'il pouvait à son tour.

— Et maintenant le guitariste, reprit Copeland.

Le rond se posa sur l'homme qui jouait de la guitare, debout à l'autre coin de la table. Lui aussi commençait par rester perplexe au moment du tir, puis il comprenait et se baissait pour se servir de la table et de son instrument comme couverture.

— Revoyons le trompettiste, lança Bosch.

Ils observèrent à nouveau la scène en silence.

— Encore.

Ils recommencèrent.

— Bien, dit-il. Et maintenant on revoit tout sans rien isoler.

Lorsque tout prit fin, Bosch resta là, à regarder fixement l'écran.

— Vous voyez ce que je voulais dire ? demanda Copeland. Et je ne parle pas du fait qu'il se mette à courir. Ça, c'est compréhensible.

118

— Vous croyez donc qu'il savait? demanda Soto.

— Ça non plus, je ne sais pas, répondit-elle. Ce que je dis, c'est que ça n'a pas l'air de l'étonner. Qu'il ne fait qu'obéir à l'instinct de fuite. C'est comme s'il comprenait tout de suite que Merced était touché et que les autres ne pigeaient que plus tard.

Bosch acquiesça. C'était bien observé – et cela lui avait échappé les multiples fois où il avait visionné la vidéo la veille. À se concentrer uniquement sur Merced, il n'avait pas suffisamment prêté attention aux autres musiciens.

— C'est qui, alors? demanda-t-il.

— Le trompettiste… Je crois qu'il s'appelle Ojeda, répondit Soto. Angel Ojeda. C'est celui qui dit avoir couru dans sa déposition.

— Bien, et maintenant parlons de l'endroit où il était, reprit Copeland. Grâce à la triangulation, j'ai pu monter une modélisation numérique de l'incident. C'est assez grossier parce que j'ai préféré la vitesse à la qualité.

Elle tapa sur quelques touches et ne conserva que l'écran du milieu. Puis elle lança une animation plutôt grossière du tir vu du magasin de musique. Les musiciens n'étaient guère plus que des silhouettes bâton avec des lettres pour les identifier. A pour Merced et B pour Ojeda.

— Ce logiciel permet de mesurer les déplacements et de recréer une animation multidimensionnelle avec laquelle on peut jouer.

En se servant du clavier et de la souris, elle passa à travers la fenêtre du magasin et figea la vue sur les quatre hommes assis sur la table et autour. Puis elle appuya de nouveau sur une touche et le tir reprit en vitesse lente, la trajectoire du projectile n'étant plus qu'une ligne rouge qui traversait l'écran et venait frapper la figure assise sur la table, à savoir Merced.

— Bien, on recommence, mais en partant du haut, dit Copeland.

L'image changeant, ils se retrouvèrent à regarder la table d'en haut. Vue plongeante. Copeland fit repartir l'animation et, une fois encore, la balle raya l'image sous la forme d'une ligne rouge qui venait frapper Merced. Et pile au moment de l'impact, la silhouette du trompettiste Ojeda se mettait en mouvement derrière la table. Il devint alors clair que si la balle n'avait pas frappé Merced, c'était lui qui aurait été touché.

— Waouh! s'exclama Soto.

Copeland leur fit voir deux simulations supplémentaires. La première toujours en vue plongeante, mais de bien plus haut encore et montrant toute la place, les rues environnantes et l'hôtel Boyle. À nouveau, la ligne rouge de la balle traversa l'écran du haut de l'hôtel jusqu'à la table de pique-nique, et une fois encore fit apparaître de manière convaincante que Merced arrêtait le projectile avant qu'il ne frappe Ojeda.

La dernière simulation montrait la scène en son entier, de l'hôtel jusqu'à la table, mais à hauteur d'homme. Copeland l'arrêta au moment où la balle frappait la silhouette de Merced. Elle la repassa une deuxième fois, puis une troisième avant de la laisser aller jusqu'au bout.

— Il va falloir que vous parliez aux mecs de la balistique pour obtenir la trajectoire, le point de mire et le reste, dit-elle, mais rien qu'avec ça, on voit bien que même si le tireur suivait B au télescope, la probabilité qu'il ait fait feu avant de se rendre compte qu'A se trouvait devant existe bien.

— Vision tubulaire, dit Bosch en acquiesçant d'un signe de tête. Certains appellent ça l'angle mort du tireur d'élite… On ne voit plus que la cible. (Il se leva. Il était trop excité pour rester assis.) Et donc, le trompettiste. Il faut qu'on le retrouve.

Copeland sortit une disquette d'un étui en plastique posé au bord de son plan de travail et la tendit à Soto.

— Je vous ai fait une copie de l'animation, dit-elle. J'espère que ça vous aidera. Nous sommes prêts à vous préparer une modélisation plus détaillée si jamais il y en avait besoin au tribunal.

— Parfait, dit Soto. Merci.

— Bailey, dit alors Bosch. Allez dormir. Vous l'avez bien mérité.

Chapitre 11

Bosch et Soto se dépêchèrent de regagner le PAB et se partagèrent les tâches. Il fut décidé que Bosch rédigerait la demande de saisie des registres de l'hôtel Boyle et l'apporterait au Criminal Court Building pour obtenir la signature d'un juge. En attendant, Soto, elle, chercherait à localiser les trois survivants du Los Reyes Jalisco, sa priorité étant de retrouver le trompettiste, Angel Ojeda.

Pendant qu'elle allait se prendre un café avant d'attaquer, Bosch alla frapper à la porte du bureau du capitaine. Il voulait le mettre au courant des derniers développements de l'affaire. Il n'était pas dans ses habitudes d'en informer aussi précisément son chef, mais il tenait à s'assurer que Crowder ne tombe pas sous l'influence de son lieutenant et fasse passer le dossier des Affaires non résolues aux Vols et Homicides. S'il savait que les choses avançaient, il y serait moins enclin. Après tout, si jamais Bosch et Soto résolvaient l'affaire, le superviseur qu'il était aurait droit à tous les éloges qui vont de pair avec une arrestation.

À sa grande consternation, Bosch vit Crowder décrocher son téléphone et demander à Samuels de le rejoindre dans son bureau pour entendre son rapport. Le lieutenant poussant à ce transfert, Bosch avait espéré le tenir à l'écart.

Il mit les deux hommes au courant du renseignement clé découvert par l'unité d'imagerie numérique « vidéos et données » – on savait enfin d'où le coup de feu avait été tiré et on essayait de découvrir qui avait loué la chambre de l'hôtel Mariachi ce jour-là. Il ne se donna pas la peine de leur parler de l'animation réalisée par Copeland qui indiquait que la balle qui avait frappé Merced était peut-être destinée au trompettiste, Angel Ojeda. Il voulait approfondir la question avant de les mettre au courant. Mais il dit quand même aux deux superviseurs que Soto s'était déjà lancée à la recherche des trois autres membres du groupe pour pouvoir les réinterroger.

— OK, Harry, dit Crowder. Ça avance bien. Continuez comme ça.

— Merci, cap'tain.

— On va coller Holcomb aux appels anonymes, dit Samuels. À partir d'aujourd'hui. Quarles est de tribunal.

Sarah Holcomb et Eddie Quarles faisaient partie d'une autre équipe de l'unité. Quarles était l'ancien, Holcomb faisant partie des nouveaux transferts. Ils avaient une affaire qui passait au tribunal et, en sa qualité de senior, Quarles avait la haute main sur elle et devait témoigner devant la cour. Holcomb pouvait assister aux audiences, mais n'aurait pas grand-chose à y faire. Plutôt que de l'y laisser traîner en spectatrice, Samuels l'avait rappelée pour gérer les appels générés par la promesse de récompense de l'ancien maire. En temps normal, Bosch aurait apprécié un inspecteur plus expérimenté pour les trier, mais dans le cas présent, avoir une des bleues de l'unité pour s'en occuper collait mieux avec le plan qu'il commençait à échafauder.

En arrivant à son bureau, il trouva une tasse de café achetée au distributeur du rez-de-chaussée. Le café n'y était jamais bon, mais il faisait toujours l'affaire et Bosch apprécia que Soto lui en ait pris un.

— La prochaine fois, c'est moi qui régale, dit-il à sa collègue qui était déjà revenue.

— Pas de souci, répondit-elle sans lever le nez de son écran. On s'y retrouve toujours à la fin.

Bosch ouvrit son portable et s'attaqua à la demande de saisie. Il se servit d'un modèle de base pour les premières pages et se contenta de remplir les blancs où on lui demandait ce qu'il cherchait et où il voulait effectuer sa saisie. Toute la difficulté était de préciser où se trouvaient actuellement les anciens registres de l'hôtel. La rénovation avait été confiée à une agence, les pièces qu'il recherchait ayant, elles, été passées à une autre, à savoir l'Historical Society, qui les avait archivées quelque part. Outre le lieu où elles avaient fini, c'était la raison de la demande qui avait le plus d'importance et là, il n'y avait pas de modèle à remplir. C'était à lui, et sans aide, de persuader un juge de l'autoriser à saisir les registres d'un hôtel maintenant défunt en lui montrant en quoi ces documents étaient essentiels à la résolution de l'affaire.

Il lui fallut tout ce qui restait de la matinée pour venir à bout de sa tâche. Un peu avant le déjeuner, il imprima sa requête et, façon de lui faire entrer l'esprit de coopération dans la tête et de lui apprendre les ficelles du métier, il demanda à Soto de la relire. La demande de saisie compte parmi les outils les plus utiles à tout enquêteur. Lorsqu'elle eut fini sa lecture, il lui annonça qu'il allait l'apporter à pied au tribunal pendant qu'elle continuerait d'étudier les lieux où pouvaient résider les musiciens à interroger. Elle l'informa qu'elle en avait déjà localisé deux, et qu'ils étaient tous les deux dans la région, mais qu'Angel Ojeda – avec qui ils voulaient le plus parler – s'avérait difficile à retrouver. Il s'était séparé du groupe et semblait même avoir quitté Los Angeles très peu de temps après l'incident. Rien n'apparaissait dans les bases de données des forces de l'ordre, celle des services de l'immigration montrant qu'il n'avait pas renouvelé sa carte de résident permanent trois ans plus tôt.

— Peut-être que les deux autres savent où il est, lui suggéra Bosch.

— C'est ce que je me dis. Ou alors, peut-être connaissent-ils quelqu'un qui pourra nous le dire. Vous êtes libre cet après-midi pour qu'on s'y mette ?

— Oui, gardons notre élan. On pourra déposer le mandat de saisie à l'Historical Society en passant.

— Cool.

C'était au Clara Shortridge Foltz Criminal Justice Center que Bosch se rendait, mais personne ne l'appelait comme ça. L'intitulé était trop long et trop compliqué pour s'intégrer au parler décontracté qu'affectionnent les flics. La plupart d'entre eux, ainsi que les avocats, parlaient du « CCB », qui sont les initiales du Criminal Court Building, ou du 210, le numéro de Temple Street où il est situé. Bosch avait décidé d'y aller à pied parce qu'il n'était qu'à une rue du PAB un peu plus bas et qu'il lui aurait fallu bien plus de temps pour s'y rendre en voiture et trouver une place où se garer.

Il avait de la chance. Ce jour-là, le juge qui s'occupait des questions administratives, dont les demandes de saisies et de perquisitions, n'était autre que Shirma Barthlett, qu'il connaissait depuis ses débuts en tant que procureur. Toujours professionnelles, leurs relations n'en étaient pas moins si détendues que, lorsqu'il lui fit savoir par son assistante qu'il venait la voir pour une demande de saisie, elle le reçut aussitôt en son cabinet. Le plus souvent, c'était là qu'atterrissaient les demandes, le juge prenant alors tout son temps pour les analyser pendant que les inspecteurs attendaient en battant la semelle dans un prétoire vide.

— Harry ! s'écria-t-elle dès qu'il entra. Je n'arrive pas à croire que vous êtes toujours dans la police !

Elle se leva et fit le tour de son bureau pour lui serrer très cérémonieusement la main.

— Plus pour longtemps, lui renvoya-t-il. Je n'en ai plus que pour, à peu de chose près, un peu moins d'un an encore, et je ne suis même pas certain d'arriver au bout.

— Quoi, vous ? Il y a des chances qu'ils soient obligés de vous en faire sortir de force ! Asseyez-vous donc.

Elle lui indiqua un fauteuil devant son bureau et regagna sa place derrière le sien. Elle était d'un commerce facile et agréable qui cachait bien sa férocité de juge. Procureur, elle avait eu droit au surnom de « La Comptable » non seulement parce qu'elle s'était spécialisée dans les crimes et délits financiers, mais encore parce qu'elle avait une mémoire extraordinaire de tout ce qui était d'ordre numérique, que ce soit les numéros de téléphone, d'articles du Code pénal ou des sentences déjà infligées à ses condamnés. Bosch avait travaillé deux fois avec elle dans des affaires de meurtre à mobile financier dans les années 90. Elle l'avait fait beaucoup bosser, mais comment aurait-il pu s'en plaindre ? Chaque fois ils avaient obtenu des condamnations au premier degré[1]. Il lui tendit sa demande par-dessus le bureau.

— Et qu'avons-nous donc aujourd'hui ? lança-t-elle en parcourant les pages de son résumé. Ah, une saisie de registres.

— C'est ça, dit-il. On cherche un nom dans un registre d'hôtel.

— « L'Historical Society. »

Il ne répondit pas. Elle ne faisait que lire à haute voix. Il attendit.

— L'affaire Merced, reprit-elle. Je m'en souviens. Je n'étais plus au Bureau du district attorney, mais je m'en souviens bien. Et maintenant, il est mort.

— Oui. C'était dans les journaux.

— Entre mon mari, les enfants et ce que je fais ici, je n'ai guère le temps de les lire… Je suis toujours hors du coup…

Il se contenta de hocher la tête alors même qu'elle avait encore les yeux sur le document qu'il lui apportait.

Elle s'empara d'un petit marteau sur son bureau, Bosch se rendant alors compte qu'il s'agissait d'un stylo. Elle lui signa la première page de sa requête et lui rendit le tout en souriant.

— J'espère que ça vous aidera, inspecteur, dit-elle.

---

1. Les plus lourdes parce que punissant souvent des crimes et délits commis avec préméditation.

— Oui, moi aussi. Merci, madame le juge.

Il se leva et se dirigea vers la porte.

— Quand devez-vous prendre votre retraite ? lui lança-t-elle.

Il se retourna.

— En théorie, à la fin de l'année prochaine.

— « En théorie » ?

— On ne sait jamais, dit-il en haussant les épaules.

— Vous y arriverez, Harry. Et j'espère que Jerry et moi serons invités à la fête.

Il pensa que Jerry devait être son mari et sourit.

— Vous êtes déjà sur la liste, dit-il.

*

Du tribunal, il gagna Alameda Street en traversant le Pueblo, son premier arrêt étant pour se payer un sandwich à la viande chez Philippe. On y était servi de la même façon depuis plus de cent ans. Les clients faisaient la queue devant les serveurs du delicatessen et attendaient patiemment de pouvoir commander, toute l'astuce étant de choisir la queue la plus rapide. Les serveurs qui bavardaient avec le client prenant leur temps, il jeta son dévolu sur une femme qui n'avait pas l'air de plaisanter et eut raison. Sa file avançant efficacement, il put rapidement s'asseoir à une table avec son sandwich, un peu de salade de pommes de terre et un Coca.

Ce qu'il mangea étant comme d'habitude à la hauteur de ses attentes, il fut tenté de refaire la queue pour remettre ça, mais décida de rester sur sa faim. Le sandwich à la viande était surtout un prétexte. Le restaurant se trouvant juste en face d'Union Station, son repas terminé, il sortit et traversa Alameda Street pour pénétrer dans le grand hall de la gare. Il entra dans une des cabines téléphoniques qui s'alignaient près de l'entrée et donna un coup de fil après avoir enroulé sa cravate autour du microphone pour étouffer sa voix.

Chapitre 12

Soto était prête et l'attendait déjà lorsqu'il arriva au PAB. Les deux musiciens du Los Reyes Jalisco qu'elle avait localisés habitaient à quelques rues l'un de l'autre à North Hollywood, ce qui voulait sans doute dire qu'ils étaient encore amis et membres du groupe. Il fallait absolument les interroger pour savoir s'ils avaient d'autres idées ou souvenirs sur ce qui s'était passé. Ils pouvaient aussi espérer qu'ils sachent où demeurait Angel Ojeda, dont l'adresse leur restait inconnue.

— Je croyais qu'on devait déposer le mandat de saisie à l'Historical Society avant de partir pour la Valley, dit-elle. Histoire de prendre de l'avance avant que la circulation ne devienne impossible.

— La circulation ? Elle est toujours impossible, lui renvoya-t-il.

*

Le premier musicien qu'ils interrogèrent fut le guitariste du groupe, un certain Esteban Hernández. Il habitait dans un grand complexe d'appartements de North

Lankershim Boulevard avec cour centrale et une piscine comblée autour de laquelle les locataires se réunissaient dans la journée. Lorsqu'ils prirent l'allée extérieure pour gagner l'appartement 3K, les hommes qui s'étaient regroupés sur ce qui était maintenant une dalle cimentée levèrent la tête et parlèrent fort. Bosch saisit les mots *policía, heroína* et *tiradora*, et comprit qu'ils avaient reconnu Soto.

Lorsqu'ils arrivèrent au 3K, il frappa fort à la porte et attendit.

— Les mecs là-bas en bas vous ont reconnue, dit-il à Soto. Je les ai entendus.

— À cause de la télé.

— Ça vous gêne ? Les voyous de la 13e Rue n'avaient pas mis à prix votre tête ?

— A priori, si. Mais ils ont eu le message.

— Quel message ?

Elle n'eut pas le temps de lui répondre, la porte s'ouvrant sur un gros type que Bosch reconnut de la vidéo prise au magasin de musique. Épaules larges, hanches maigrichonnes, ventre imposant et épaisse moustache balai-brosse.

— Monsieur Hernández ? dit-il. Police de Los Angeles.

Il lui montra rapidement son badge et lui présenta Soto. Celle-ci lui adressant la parole en espagnol, Hernández lui répondit dans la même langue et les invita à entrer dans un appartement certes petit, mais bien conçu. Puis il s'assit sur un lit de camp orné de plusieurs coussins collés au mur pour que ç'ait l'air d'un canapé. Bosch resta debout près de la porte et laissa Soto prendre place au milieu de la pièce – c'était elle qui allait mener l'interrogatoire. Elle aussi resta debout, juste devant Hernández.

Bosch comprit l'essentiel de ce qu'elle disait. Elle commença par expliquer que l'incident était maintenant considéré comme un homicide et que c'étaient elle et Bosch qui conduisaient l'enquête. Puis elle posa quelques questions directes pour savoir si Hernández se rappelait ou pensait autre chose sur l'affaire dix ans après les faits. Bosch eut plus de mal à le comprendre. Il avait la voix râpeuse et avait peut-être bu. Il donnait l'impression d'avaler certains mots et d'en marmonner d'autres. Mais il devint vite clair qu'il n'avait rien à ajouter à la déposition qu'il avait faite et qui avait été consignée dans le livre du meurtre.

Soto lui demanda alors s'il savait où se trouvaient les deux autres rescapés du groupe, Angel Ojeda et Alberto Cabral. Bosch apprécia qu'elle ait mentionné Cabral alors même qu'ils avaient déjà une adresse plausible. C'était exactement ce qu'aurait fait un inspecteur chevronné dans le but de vérifier la véracité de la réponse. Qu'il n'ait pas eu à lui dire de procéder ainsi lui plut.

Hernández fit non de la tête pour Ojeda, mais lui donna une adresse pour Cabral après avoir indiqué d'un geste du pouce que c'était quelque part derrière lui. Soto lui posa encore quelques questions d'ordre général, puis, l'interrogatoire semblant toucher à sa fin, elle lui demanda pourquoi, à son avis, Ojeda s'était enfui ce jour-là. Hernández fit mine de ne pas comprendre.

— ¿ Qué ? lança-t-il.

Elle lui reposa la question et l'informa qu'il y avait une vidéo du tir où l'on voyait Ojeda filer dès que

Merced était touché, comme s'il savait ce qui se passait.

Hernández lui répondit qu'il n'avait pas remarqué ce que faisait Ojeda, trop occupé qu'il était à chercher à se mettre à l'abri dès qu'il avait compris que Merced était touché. Soto sembla se contenter de sa réponse, mais passa à une autre série de questions sur Ojeda du genre : « Avait-il des ennemis ou était-il dans de sales draps à l'époque ? »

Hernández ne leur fut pas d'une grande utilité. Ou bien il ne savait pas grand-chose sur Ojeda, ou bien il faisait semblant. Il affirma néanmoins que celui-ci n'avait rejoint le groupe que neuf mois avant l'incident et l'avait laissé tomber aussitôt après. Hernández et Cabral s'étaient alors associés à deux autres musiciens et continuaient de jouer sous le nom de Los Reyes Jalisco.

Soto voulut savoir d'où sortait Ojeda avant de rejoindre le groupe, mais Hernández se contenta de hausser les épaules. Il le savait originaire de Chihuahua, mais ne se rappelait plus les circonstances exactes dans lesquelles il avait intégré le groupe. À l'entendre, Cabral aurait fait sa connaissance à Mariachi Plaza et l'aurait inclus dans le groupe parce que y ajouter un trompettiste ne pouvait que les aider à trouver des engagements plus nombreux et mieux payés. Hernández donnait l'impression de se rappeler de plus en plus de choses au fur et à mesure qu'il parlait. Il précisa ainsi qu'Ojeda était très beau et que, ça aussi, ç'avait été un élément déterminant pour lui faire intégrer Los Reyes Jalisco. Il avait un petit nombre de fans dans le circuit et l'on s'était dit que son allure pourrait aider

133

à décrocher des boulots sur une place où le moindre avantage était bon à prendre.

Soto le remercia et Bosch acquiesça. Ils remontèrent Lankershim Boulevard en voiture et, quelques rues plus loin, tombèrent sur un complexe d'appartements tout à fait semblable à celui d'Hernández. C'était là qu'habitait Cabral. Mais il n'était ni chez lui ni dans la cour, où un autre groupe d'hommes s'était assis autour d'un gril et préparait un repas. Lorsque Soto leur demanda où pouvait se trouver Cabral, tous hochèrent la tête sans leur être d'aucune utilité.

Bosch et Soto étaient si loin au nord du centre-ville et du PAB qu'ils décidèrent de rester un moment dans la voiture et d'attendre qu'il se pointe. Bosch se gara en stationnement interdit tout près de l'entrée du complexe de façon à être sûr de le voir s'il arrivait.

— Que pensez-vous de tout ça ? lui demanda Soto dès qu'ils se mirent à observer les lieux.

— J'en pense que vous avez très bien mené cet interrogatoire, dit-il.

— Merci.

— Et je pense toujours la même chose : c'est Ojeda qu'il faut débusquer. J'espère seulement qu'il n'est pas retourné à Chihuahua parce que là, ça reviendra à chercher une aiguille dans une meule de foin.

— Je ne sais pas. Sa carte verte est périmée. Pour moi, ça signifie qu'il est retourné au Mexique.

— La question sera donc de savoir pourquoi.

Elle acquiesça.

— Vous croyez Hernández quand il nous dit qu'il a perdu sa trace ?

Bosch réfléchit un instant avant de répondre.

— Oui, je le crois. Les musiciens sont des itinérants. Ils vont et viennent en permanence.

Elle fit oui de la tête et ils gardèrent le silence un instant. Puis il se rappela qu'elle n'avait pas fini son histoire.

— Quand vous m'avez parlé du gang de la 13e Rue et m'avez dit qu'ils avaient mis à prix votre tête, vous n'avez pas fini votre phrase. Vous m'avez juste dit qu'ils « avaient eu le message ».

— Oui, dit-elle, des mecs de la Gang Intelligence Unit sont allés voir des Original Gangsters pour leur dire que si jamais il m'arrivait quelque chose, ça déclenche-rait une guerre totale avec le LAPD et que les types de la 13e Rue ne pourraient plus jamais faire des affaires parce qu'ils auraient tous les Bleus[1] sur le dos.

— Et alors ? Ils ont promis ?

— C'est ce qu'ils ont dit.

Il hocha la tête et continua de penser à elle et à son parcours, ses questions suivantes tournant à nouveau autour de l'affaire Bonnie Brae.

— Que vous rappelez-vous de ce jour-là ? lui demanda-t-il. De l'incendie, je veux dire. Vous aviez quoi ? Six, sept ans ?

Elle rassembla ses pensées avant de répondre.

— J'avais sept ans et ce dont je me souviens le plus, c'est de la fumée sous la porte. On a essayé de s'en-fuir, mais on a dû faire demi-tour parce qu'il y avait le feu dans la cage d'escalier et que l'autre, celle à l'autre bout du couloir, était bloquée. Alors on est revenus

---

1. Surnom donné aux policiers en raison de la couleur de leur uniforme.

dans la pièce, on a fermé la porte et… il n'y avait pas d'autre issue.

— Il y avait une instit' ?

— Oui, Mme Gonzalez… elle est morte. On était là et personne ne venait nous aider, et très vite la fumée a commencé à entrer. On avait les tabliers qu'on mettait pour peindre et Mme Gonzalez et son assistante – elle s'appelait Adele – les ont coupés avec des ciseaux pour qu'on puisse les tremper dans l'aquarium et nous les mettre tout autour de la figure et sur le nez et la bouche.

— Bien vu, ça.

— Mais la fumée continuait d'entrer et nous, on toussait et on s'étouffait. Alors, on est tous entrés dans le local aux fournitures et on a fermé la porte, sauf qu'il n'y avait pas de place pour Mme Gonzalez, ce qui fait qu'elle est restée dehors et qu'elle n'arrêtait pas de crier : « À l'aide ! À l'aide ! »

— Mais personne n'est venu.

— Non, et on a attendu longtemps. Et ensuite on ne l'a plus entendue et la fumée est entrée dans le local aux fournitures.

Il imagina la peur qu'ils avaient dû avoir. Tous ces petits avec un seul adulte.

— Et à un moment donné, la fumée a été trop forte et on s'est tous endormis. Sauf que certains d'entre nous ne se sont pas réveillés. C'est un pompier qui m'a sauvée. Il m'a fait du bouche-à-bouche et après, ils m'ont mis un masque respiratoire sur la figure. Je me rappelle l'intérieur du camion et comment ils essayaient de sauver Elsa, ma meilleure amie. Mais ils n'y sont pas arrivés. Ils m'avaient sauvée, moi, mais pas elle. Je ne comprenais pas.

136

Pas très certain de savoir quoi dire, Bosch se tut un long moment. Lorsqu'il parla enfin, ce fut pour reprendre un des points positifs de son histoire.

— Avez-vous jamais su qui était ce pompier? demanda-t-il.

— Non, jamais. Je pensais trouver son nom dans un des comptes rendus, mais jusqu'à maintenant, je n'ai rien vu.

Il acquiesça, mais son attention se portait déjà sur son rétroviseur extérieur. Une voiture remontait lentement la file de véhicules garés le long du trottoir. Une vieille chiotte avec les vitres ouvertes. On aurait dit une bagnole de gangster.

Il sortit l'arme de son étui de ceinturon et la posa sur ses genoux, canon braqué sur la portière.

— Qu'est-ce qui se passe? lui demanda-t-elle.

— Rien, j'espère.

Elle s'adossa à sa portière et, elle aussi, s'empara de son arme et la tint à deux mains dans son giron.

— Je vous demande seulement de ne pas me tirer dessus, lui dit-il en remarquant qu'il avait la gorge serrée.

L'adrénaline lui courait dans les veines. Le véhicule n'étant plus qu'à deux voitures, il y distingua au moins trois silhouettes. Deux à l'avant, et une au milieu de la banquette arrière.

La voiture leur passa lentement à côté, Bosch regardant le passager de devant, puis le type à l'arrière, droit dans les yeux. L'un comme l'autre avaient des tatouages tout autour du cou. Ils lui renvoyèrent son regard, mais Bosch ne faisant aucun geste furtif, la voiture continua de rouler. Une fois qu'elle les eut dépassés, il desserra les mains de son arme et nota l'immatriculation du véhicule.

Le micro de la radio se trouvait à l'extrémité d'un câble si ancien qu'il en avait perdu ses torsades et devait être enroulé autour du rétroviseur intérieur. Bosch s'en saisit et appela le centre des communications pour donner le numéro de la plaque et savoir qui était le propriétaire du véhicule.

— Vous les reconnaissez ? demanda-t-il à Soto en attendant la réponse du centre. C'est des types de la 13e ?

— Non. Ils ont l'air de jeunes gangsters, mais qui sait ? Pourquoi la 13e monterait-elle si haut ?

— À cause de vous. Les types dans la cour d'Hernández... ils vous ont reconnue comme étant la tireuse de Pico-Union. Si jamais l'un d'entre eux avait des liens avec la 13e et qu'il se soit dit... qu'en vous éjectant de leur territoire, il n'y aurait plus de problème...

Comme elle ne disait rien, il poursuivit.

— Et les *cholos* dans cette bagnole, c'étaient des jeunes qui en veulent. Et ils n'écoutent pas toujours les Original Gangsters qui traitent avec les flics. Ils veulent se faire un nom.

Le standardiste reprit la ligne pour leur donner ce qu'ils avaient sur la plaque. La voiture appartenait à un type de San Fernando, la toute petite ville de la vallée encerclée par l'agglomération de Los Angeles.

— C'est pas un territoire de la 13e, dit-elle en raccrochant le micro au rétroviseur.

— OK, mais ne prenons pas de risques.

La voiture avait tourné à droite au croisement suivant, ce qui voulait dire qu'ils pouvaient ressurgir par-derrière, histoire de jeter un nouveau coup d'œil – voire pire.

Bosch démarra et déboîta du trottoir. Il continua dans la rue et prit lui aussi à droite au carrefour suivant. Puis il fit le tour du bloc d'immeubles, mais ne revit pas la voiture. Il retrouva sa place et s'y gara de nouveau.

— C'était peut-être rien, dit-elle, mais d'un ton où l'espoir sonnait faux.

— Peut-être, répéta-t-il.

Ils attendirent une demi-heure de plus, mais toujours pas de Cabral. Bosch décida de lui laisser dix minutes de plus. Cinq minutes plus tard, un bus de la ville s'arrêta au coin de la rue et plusieurs personnes en descendirent, dont un type en qui il fut à peu près certain de reconnaître l'accordéoniste de la vidéo.

— C'est lui ? demanda-t-il.

Soto le fixa des yeux et finit par acquiescer.

— Je crois, dit-elle.

Ils descendirent de la voiture en même temps. Bosch, qui se trouvait sur la chaussée, regarda autour de lui – il se méfiait toujours des voyous qui les avaient regardés un peu plus tôt. Ne les voyant toujours pas revenir, il fit le tour de la voiture pour rejoindre Soto sur le trottoir.

Le type qu'ils pensaient être Alberto Cabral portait deux sacs en toile apparemment pleins de provisions, de boîtes de conserve et autres articles de base. Ils lui bloquèrent le passage, Soto lui montrant son badge et confirmant son identité avant d'attaquer en anglais.

— On a besoin de vous parler du tir qui a frappé Orlando Merced, dit-elle.

Il tenta de hausser les épaules, mais le poids du sac qu'il portait dans chaque main l'en empêcha.

— Je sais rien, dit-il avec un fort accent.

— Savez-vous que M. Merced est mort ? lui demanda-t-elle.

— Oui, j'en ai entendu parler.

— Savez-vous où habite Angel Ojeda ? reprit Bosch.

— Oui, je le connais.

— Savez-vous où il est ? On a besoin de lui parler.

Soto lui répéta la question en espagnol et il répondit en anglais.

— Oui, il est parti à Tulsa.

— Tulsa, Oklahoma ? lui demanda-t-elle.

Il fit oui de la tête et posa ses sacs sur le trottoir pour reposer ses bras. Bosch se rendit compte que ce n'était pas l'endroit idéal pour parler, surtout maintenant que l'entretien allait peut-être leur fournir des renseignements sur Ojeda. Il se pencha et s'empara du sac le plus près de lui.

— Permettez qu'on vous donne un coup de main, dit-il. On vous porte vos courses et on parle chez vous.

Cinq minutes plus tard, ils se retrouvaient dans l'appartement misérable où, comme son collègue Hernández, Cabral vivait seul et frugalement. Travail de nuit et irrégularité des engagements, tout concourait à sa solitude. Rien ne disait une femme ou des enfants. Il n'y avait ni photos encadrées, ni dessins d'écoliers sur la porte du frigo. Bosch repensa à un autocollant qu'il avait découvert un jour : « Joue de l'accordéon… et tu finiras en prison ». De bien des façons, il semblait que la vie de mariachi menée par Cabral était une forme d'incarcération.

— Comment savez-vous qu'Angel Ojeda est à Tulsa ? lui demanda Soto.

Soulagé du poids des sacs, il put enfin hausser les épaules.

— Je sais pas trop, dit-il. Quand il a lâché le groupe, il a dit qu'il allait s'occuper du bar de son oncle en Oklahoma.

— Ça remonte donc à dix ans ? Juste après l'incident ?

Il acquiesça.

— Très peu de temps après, oui.

Debout dans sa cuisine minuscule, il rangeait ses provisions tandis que Bosch et Soto se tenaient de l'autre côté du comptoir. Il ouvrit la porte du frigo pour y mettre une brique de lait. Une odeur fétide de nourriture là depuis trop longtemps se répandit dans la pièce.

— Vous avez eu des nouvelles de lui depuis ce moment-là ?

— Non.

— Mais vous êtes certain qu'il est à Tulsa ? lui demanda Bosch.

— Oui, à Tulsa, répéta-t-il. Je le sais parce que j'ai dû lui envoyer un mandat avec le montant de son dernier engagement avec nous.

Bosch entra dans l'espace cuisine et le serra de près : les questions qui allaient suivre étaient essentielles.

— Vous rappelez-vous où vous avez envoyé ce mandat ?

— Je vous l'ai dit, à Tulsa.

— Non, l'adresse. Où ça, à Tulsa ?

— Non, je me rappelle pas. C'était au bar où il travaillait.

— Vous vous rappelez le nom de ce bar ?

— Oui, parce que c'était El Chihuahua.

— C'était ça, le nom du bar à Tulsa ? El Chihuahua ?

— Oui, je m'en souviens. Parce que c'est de là qu'il était. Chihuahua. La ville, pas le chien.

Bosch hocha la tête. C'était une bonne chose d'avoir le nom du bar. Il décida de changer d'angle d'attaque.

— Pourquoi l'avez-vous fait entrer dans le groupe ? lui demanda-t-il. Il n'était pas du Jalisco[1].

— On voulait un trompettiste et il était toujours disponible à la plaza. Et il jouait bien. Alors je me suis dit : « Pourquoi pas ? »

— Il avait des ennuis ?

— Je sais pas. Il a pas dit.

— Vous a-t-il jamais parlé du coup de feu ? Enfin, je veux dire… après. Avant d'aller à Tulsa.

Au lieu de hausser les épaules, Cabral fronça les sourcils et hocha la tête.

— Pas vraiment, non. Il a juste dit qu'on avait eu de la chance et pas Orlando.

— Il n'a jamais dit savoir ce qui s'était passé ? Qui avait tiré et pourquoi ?

Surpris par la question, Cabral se tourna vivement vers Bosch. Celui-ci n'y vit qu'une réaction normale.

— Non, jamais.

Bosch le crut. Il réfléchit à ce qu'il pouvait encore lui demander et regarda autour de lui. Dans un coin de la pièce, il vit un tout petit bureau sur lequel s'entassaient des registres et un Rolodex.

— C'est donc vous qui tenez les comptes, dit-il.

— Oui.

— Et qui faites les réservations ?

---

1. État du Mexique, au bord de l'océan Pacifique.

— Oui. Quand il y en a. Il n'y a plus beaucoup de travail pour les mariachis maintenant. Les traditions n'intéressent plus grand monde.

Bosch acquiesça de nouveau. Il était bien d'accord.

L'interrogatoire était une réussite. Cabral leur avait donné une piste. Mais au lieu d'en rester là, Bosch décida de lui poser une question tordue. Parfois, ça marchait bien de déstabiliser l'interlocuteur.

— Et la drogue? lança-t-il.

— Quelle drogue? lui renvoya Cabral en clignant des yeux.

— On nous a dit qu'Ojeda consommait.

— Pas quand on était là, répondit Cabral. On avait une règle : aucune drogue.

— Bien. Donc, pas de drogue.

Ça valait le coup d'essayer.

L'interrogatoire terminé, ils regagnèrent la voiture, et Bosch remarqua, au moment où il en faisait le tour par l'arrière, que la bagnole des gangsters était garée de l'autre côté de la rue, une quarantaine de mètres plus bas. D'un coup d'œil nonchalant, il s'aperçut qu'elle était toujours occupée par les trois types.

Il déverrouilla la Ford, mais en ouvrit la portière arrière. Puis il ôta sa veste de façon à ce que son arme et son badge soient bien visibles. Il prit ensuite tout son temps pour plier sa veste et se pencha dans l'habitacle pour la poser sur la banquette arrière. Soto, elle, s'était déjà installée à la place du mort.

— Vos amis sont de retour, lui dit-il calmement.

— Quels amis?

— Ceux de San Fernando.

— Où ça?

— De l'autre côté de la rue.

Elle repéra la voiture, l'inquiétude se marquant sur son visage.

— Qu'est-ce que vous voulez faire ?

— Appelez les renforts et ne bougez pas. Je vais leur faire une petite visite.

— Harry, vous devriez attendre que les...

Il referma la portière, gagna l'arrière de la Ford, ouvrit le coffre, se pencha en avant et libéra les attaches du râtelier à fusils. Puis, en se servant de la porte du coffre comme d'un affût, il regarda dans la rue et attendit qu'il n'y ait plus de voitures. Il entendait encore Soto demander des renforts à la radio lorsque, la chaussée enfin dégagée, il s'écarta et, son Remington 870 à la main, traversa en diagonale et partit droit vers le véhicule des gangsters. Et, presque aussitôt, l'entendit démarrer.

Il arma le fusil, glissa une balle dans la chambre et se trouvait en plein milieu de la chaussée quand la voiture déboîta, fit demi-tour et fila sur les chapeaux de roue.

— Non mais hé ! cria-t-il aux gangsters, qu'est-ce que vous foutez ?

Soto arriva en courant, son arme sortie et déjà le long de sa cuisse.

— Harry, mais qu'est-ce que vous fabriquez ? lui lança-t-elle.

Il ne répondit pas tout de suite. Puis il regarda la voiture jusqu'à ce qu'elle prenne à droite au croisement suivant et disparaisse.

— Je leur envoie un petit message, dit-il enfin.

— Quel message ? On ne sait même pas si c'étaient des mecs de la 13e.

144

— Peu importe. Notre gang à nous est bien plus gros que le leur. C'est ça, le message.

Une voiture de patrouille arriva derrière eux en roue libre, tous feux allumés, mais sans la sirène. Le fusil en travers des cuisses, Bosch se pencha pour parler au chauffeur.

Chapitre 13

La seule chose qu'il regretta dans sa décision de s'em-
parer de son fusil et d'essayer d'intimider ces gangsters fut qu'elle lui coûta, à lui et à Soto, presque une
heure d'explications et d'attente tandis que, l'une après
l'autre, les voitures de patrouille inondaient les lieux
pour retrouver le véhicule des voyous. Lorsque enfin
il fut déterminé qu'il était PAA – « parti à l'arrivée »
en parler patrouille –, ils eurent le droit de reprendre la
route. La lenteur de la circulation qu'ils trouvèrent pour
rentrer en centre-ville dans l'après-midi, pas plus que la
petite diversion qu'il avait créée avec le Remington, ne
parvint à briser l'élan qu'il sentait le pousser.

L'analyse des vidéos et la piste de Tulsa qu'ils avaient
maintenant pour Ojeda – même si l'info remontait à dix
ans – donnaient une impulsion indéniable à l'affaire.
Si le trompettiste s'était effectivement rendu à Tulsa
après l'incident, Bosch était certain de pouvoir retrouver sa trace. Il suffirait de confirmer où il était et d'aller
l'interroger en personne. Qu'Ojeda ne soit pas suspect
dans l'affaire n'empêchait pas qu'il semble en savoir
plus qu'il ne l'avait jamais dit. Il avait ainsi permis que

146

la première enquête parte dans la mauvaise direction – celle d'une violence de gang aveugle –, alors que les mobiles qui avaient poussé le tireur étaient peut-être tout autres. Et si Ojeda détenait bien ce secret, traiter l'affaire exigerait bien plus qu'un simple coup de fil ou petit service de la police de l'Oklahoma. Il informa Soto qu'ils allaient avoir besoin de convaincre Crowder de les envoyer à Tulsa pour s'en occuper eux-mêmes.

— Vous y êtes déjà allé ? lui demanda-t-elle.

— Je n'ai fait qu'y passer. Il y a à peu près cinq ans de ça, j'étais sur une affaire où on avait des infos sur un type qui habitait dans une petite ville au nord de Tulsa. Une petite ville qui a été plus tard balayée par une tornade avec d'autres. C'est assez marrant. Enfin… maintenant. Parce que j'étais plutôt furibard à l'époque et ça a tout changé dans la manière de travailler avec les autres services de police.

— Qu'est-ce qui s'est passé ?

Il lui raconta. Tout avait commencé par une correspondance ADN dans une affaire de vol avec effraction, suivie de viol puis de meurtre, remontant à 1990. Ancien détenu âgé de cinquante-huit ans, l'homme s'appelait Frank Tomlinson et avait un long passé criminel qui avait commencé par des séjours répétés en prison pour jeunes délinquants. Depuis qu'il avait violé sa liberté conditionnelle en 2006, on ne savait plus où il était. Mais comme il avait encore de la famille à Los Angeles, Bosch et son coéquipier de l'époque, David Chu, avaient monté un coup. Ils avaient demandé et obtenu une injonction du tribunal leur permettant d'écouter tous les appels passés par le frère et la vieille mère du bonhomme. Suite à quoi, Bosch avait un jour frappé à leur porte et demandé des nouvelles du suspect en laissant entendre qu'il avait besoin de lui parler d'un meurtre commis dans les années 90. Chu, lui, se trouvait dans la salle d'écoute et avait attendu tous les coups de fil qui ne manqueraient pas d'être donnés de la maison juste après la visite de Bosch.

Et, il fallait s'y attendre, le frère avait appelé Tomlinson pour l'informer du passage de la police. L'appel avait été remonté jusqu'à une tour de relais située dans la minuscule ville de Beacon, Oklahoma. Bosch avait alors pris contact avec la police locale et parlé à un certain sergent Haden, qui avait regardé une photo de Tomlinson envoyée par e-mail et y avait reconnu Tom Frazier, un des chauffeurs de taxi de la ville. Bosch avait demandé à Haden s'il avait assez d'hommes pour surveiller Frazier/Tomlinson jusqu'à ce qu'il arrive le lendemain avec Chu. Ils craignaient que l'appel du frère n'ait flanqué la frousse au suspect et que celui-ci n'ait décidé de disparaître à nouveau. Haden lui avait répondu que la surveillance ne poserait aucun problème et s'était proposé d'aller de l'avant, d'arrêter lui-même Tomlinson et de le leur garder à la prison de la ville. Bosch avait refusé – Chu et lui voulaient l'interroger de manière informelle avant de le mettre en état d'arrestation et d'ainsi lui donner le droit d'exiger la présence d'un avocat.

Haden avait accepté de ne pas interpeller Tomlinson et avait demandé à Bosch de lui communiquer ses horaires de vol par e-mail. Il avait ajouté qu'il passerait les prendre à l'aéroport et les conduirait aussitôt au domicile du suspect, où celui-ci se trouverait forcément puisqu'il était de service de nuit.

Ce n'était qu'en arrivant que Bosch avait appris la nouvelle : la ville de Beacon était si petite que ses forces de police se réduisaient à quatre hommes, soit un seul de service pour tout gérer. En allant les accueillir à l'aéroport de Tulsa, Haden avait du même coup laissé Tomlinson sans surveillance. Celui-ci en avait aussitôt profité pour filer et était parti depuis longtemps lorsque Chu et Bosch étaient arrivés au ranch où il habitait – et où Haden l'avait surveillé jusqu'au moment de partir pour l'aéroport.

— Vous rigolez, lui lança Soto.

— J'aimerais bien.

— Vous avez fini par l'avoir ce… Tomlinson ?

— Pour finir, oui. Il a essayé de retenter le coup, de recommencer sa vie dans un bled perdu du Minnesota avec une police de bled perdu. Sauf que le patron du service était un ancien flic de L.A. qui vérifiait religieusement tous les avis de recherche qui atterrissaient sur son bureau. Il a reconnu Tomlinson et l'a arrêté. Ça s'est passé l'année dernière.

Eh bien ! Au moins a-t-il fini par être arrêté !

— C'est vrai. Sauf que ce petit cafouillage dans l'Oklahoma lui a donné quatre ans de liberté supplémentaires. Ce qui fait que l'histoire est assez drôle jusqu'au moment où on se rappelle ça.

Son téléphone s'étant mis à vibrer, il regarda l'écran. C'était l'Historical Society, il prit l'appel. La secrétaire du directeur l'informa que ce qui était demandé dans le mandat avait été sorti du garde-meuble et était maintenant disponible. Bosch lui répondit qu'il démarrait tout de suite.

*

La salle des inspecteurs était presque vide. Soto portait le registre qu'ils venaient de reprendre à l'Historical Society – il avait en effet été décidé dans la voiture que ce serait elle qui travaillerait sur les noms. Elle avait déjà regardé celui du client qui avait occupé la chambre 211 le jour de l'incident, un certain Rodolfo Martin. Elle n'en vérifierait pas moins dans les banques de données de diverses agences de maintien de l'ordre les casiers judiciaires, pseudos et tout ce qui pouvait attirer l'attention sur les clients mentionnés dans les registres ce jour-là.

Elle se mit tout de suite au travail tandis que Bosch essayait d'attraper le capitaine avant qu'il ne rentre chez lui. Il espérait obtenir une autorisation de voyage afin de réserver un vol pour Tulsa. Crowder était déjà debout et ajustait sa veste de costume lorsqu'il entra dans son bureau.

— Harry, lança-t-il, faites mon bonheur !

Ainsi accueillait-il les inspecteurs qui venaient le voir sans qu'il le leur ait demandé.

— On y travaille, cap'tain. Il semblerait bien qu'on ait la piste d'un témoin clé à Tulsa et…

— Quel genre de témoin ?

— C'était un des collègues de la victime. On a du nouveau et on a vraiment besoin de lui parler. En personne.

— Un coup de fil ne suffirait pas ?

— Il n'est pas coopératif. On pense qu'il sait des choses qu'il n'a jamais dites… aux premiers inspecteurs. Y a aussi qu'il a filé juste après le tir.

— Ces mariachis ne seraient pas du genre itinérant ? Ils vont là où il y a du travail, non ?

— C'est vrai, mais un mariachi ne quitte pas Los Angeles pour Tulsa. C'est ici qu'il y a du boulot.

Crowder rectifia sa veste et se rassit derrière son bureau pour poursuivre la conversation.

— Et si c'était le seul mariachi de Tulsa ?

Bosch le regarda d'un œil vide.

— Vous êtes en train de me dire qu'on ne pourra pas y aller ?

— Est-il considéré comme dangereux ?

Bosch acquiesça, non parce que Ojeda aurait été considéré comme tel, mais parce qu'il comprenait brusquement pourquoi Crowder hésitait. Il était inquiet pour son budget. Une quinzaine de jours plus tôt, il avait fait passer une circulaire disant que toutes les demandes de voyages des deux derniers mois de l'année seraient analysées et approuvées selon leur degré de priorité : le budget voyage de l'unité – et c'était déjà le plus élevé du service – avait diminué plus tôt que prévu. C'était exactement le genre de circulaires qui frustraient Bosch un maximum parce qu'elles semblaient donner une valeur fluctuante à l'arrestation des tueurs.

Crowder lui demandait donc si interroger Ojeda pouvait être dangereux parce que, en n'envoyant qu'un seul inspecteur à Tulsa, il diviserait le coût du voyage par deux.

— Ça ne marchera pas, dit Bosch.

— Qu'est-ce qui ne marchera pas ?

— N'y envoyer qu'un seul de nous deux. S'il doit n'y en avoir qu'un, ce sera Soto parce qu'on ne sait pas si ce type parle anglais. Elle est douée… ça, je peux déjà vous le dire, mais l'envoyer toute seule après à peine un mois de boulot…

— Non, vous avez raison.

— Il faut qu'elle y aille, et moi aussi. Nous pensons que ce type était peut-être la cible visée.

Crowder ne réagit pas. Comme il ne disait toujours rien, Bosch s'imagina qu'il envisageait de tout enterrer et de lui ordonner de l'interroger par téléphone.

— Vous avez bien entendu ce que je vous ai dit, n'est-ce pas ? Nous pensons que la balle était peut-être pour ce type de Tulsa, insista-t-il.

— Oui, oui, j'ai bien entendu. Vous pensez aussi qu'il est à Tulsa, et ça, vous avez oublié de le préciser. Pour ce que vous en savez, il pourrait tout aussi bien être à Tombouctou.

— Exact. Mais s'il y est, c'est à Tulsa qu'on le saura.

Énième dose de silence en retour.

— Écoutez, capitaine, reprit Bosch. Il y a sûrement des fonds discrétionnaires au dixième étage. Parce que Malins la veut à mort, cette affaire. Laissez-le donc mettre du fric derrière ce qu'il dit. Ou alors, on va voir l'ancien maire puisque c'est lui qui parle de récompense.

Crowder lui fit signe de se calmer.

— Non, l'ancien maire, personne n'a envie d'aller le voir, dit-il. Il nous a déjà causé assez de soucis comme ça.

Soudain, il prit sa décision, et ce fut le jour et la nuit.

— Bon, écoutez, vous cassez pas la tête pour l'argent. C'est mon problème. Quand voulez-vous partir ?

Bosch lui répondit dans l'instant : il espérait conclure et ressortir du bureau avant que Crowder ne change encore une fois d'idée.

— Le plus tôt sera le mieux, dit-il. On a un renseignement comme quoi Ojeda travaillerait dans un bar.

J'aimerais y être demain. S'il est de service, c'est probablement là qu'il sera… Vendredi, c'est le jour de paie et le début du week-end.

— D'accord, vous pouvez y compter. Je saurai d'où viendra l'argent demain matin.

— Merci, capitaine.

Bosch regagna son box. En arrivant, il s'aperçut qu'on avait tiré son fauteuil devant le bureau de Soto et que c'était Sarah Holcomb, l'inspectrice que Samuels avait chargée de s'occuper des appels anonymes générés par l'offre de l'ancien maire, qui l'occupait.

— Des choses intéressantes? demanda-t-il en entrant dans le petit espace.

Aussitôt, Holcomb se leva du fauteuil qu'elle avait emprunté, Bosch lui posant la main sur l'épaule.

— Vous inquiétez pas, dit-il. Tout va bien. Je vais aller me chercher un café.

— Vous êtes sûr?

— Absolument. L'une de vous deux en veut un?

Les deux femmes déclinèrent l'offre.

— Alors, reprit-il à l'adresse d'Holcomb. Vous nous avez résolu notre affaire? Vous avez des aveux?

— Pas tout à fait, mais celle-ci a l'air intéressante, dit Soto en lui tendant une fiche d'appel.

Il la lui prit et la parcourut.

« Selon correspondant incident Merced lié incendie Bonnie Brae 1993. Merced savait qui a mis le feu et constituait menace. »

Bosch retourna la fiche pour voir s'il y avait autre chose, mais non, c'était tout. Il la rendit à Soto, qui s'était retournée sur son fauteuil et le dévisageait : elle savait que le coup de fil était de lui.

— Appel anonyme, c'est ça ? demanda-t-il.

— Oui, répondit Holcomb. Ça vient d'une cabine d'Union Station. J'ai vérifié le numéro.

Il la regarda par-dessus la feuille. Il était étonné qu'elle ait pris cette initiative. Mais c'était aussi pour cette raison qu'il avait fait attention à appeler d'une cabine.

— Faudrait peut-être regarder ça de plus près, dit-il. 1993... C'est une des années de Whittaker et de Dubose, je crois. On devrait aller leur en parler, histoire de voir si ça leur dit quelque chose. Ça me paraît un peu maigre, mais on pourrait jeter un coup d'œil au dossier Bonnie Brae. On vérifie les noms par croisement de référencements.

— Vous voulez que je m'en charge ? lui demanda Holcomb tout émoustillée.

— Non, on va aller leur causer. Ne croyez pas trop à ces appels. Les gens ont souvent des mobiles cachés, vous savez ?

— Ah ça oui. Et pour certains, ça se voit même un peu trop.

— Autre chose de plausible, même à moitié ?

Il y avait une pile entière de fiches d'appel sur le bureau.

— Pas vraiment. J'étais juste en train de donner les moins spectaculaires à Lucy, dit-elle.

Elle parlait du bloc-notes sur lequel elle avait résumé les appels en une ligne.

— Voyons un peu... Correspondant dit de parler à « Sleepy ». Il est du quartier et sait tout ce qu'il faut savoir des fusillades de la White Fence.

— « Sleepy », répéta Bosch. D'accord.

— Correspondante dit que le maire sait tout sur incident, reprit-elle en passant au bas de sa liste. Je pense qu'il s'agit de l'ancien, mais je n'ai pas parlé à cette femme. Message enregistré la nuit. Et anonyme. Quelqu'un avec un fort accent espagnol.

— Super, dit Soto. On dénonce le mec qui paie la récompense.

— Faut reconnaître que le mobile est assez inventif, dit Bosch en souriant. Zeyas a fait abattre et paralyser Merced pour pouvoir le pousser en fauteuil roulant et remporter les élections.

— Plan superbe, en effet, dit Soto. Et ça a marché à merveille.

— Autre chose ? demanda Bosch.

— Eh bien, plusieurs personnes nous ont suggéré d'aller voir du côté des suprématistes blancs, répondit Holcomb. D'autres encore étaient certaines que c'était un coup des cartels de la drogue. On a aussi eu un type pour qui le tireur était un dénommé Felix qui était très en colère parce qu'il avait engagé des mariachis sur la plaza et qu'ils avaient joué comme des pieds... Ah oui, sans parler du type qui a appelé pour nous dire que c'était sûrement la mafia mexicaine, mais qu'il ne savait pas trop pourquoi.

— En gros, du super intéressant, conclut Bosch.

— Impressionnant, hein ? lui renvoya Holcomb. Et je ne vous parle même pas de tous les appels de racistes aux yeux desquels Merced n'a eu que ce qu'il méritait vu que ce n'était quand même qu'un sale Mexicain.

Comme si on pouvait s'attendre à autre chose du public quand il y avait une récompense à la clé. Tous les cinglés sortaient du bois. Rien de tout cela ne le surprit et ne valait pas la peine qu'on s'y attarde – sauf pour l'appel en relation avec l'incendie du Bonnie Brae. Il remercia Holcomb pour sa persévérance et partit se chercher un café à un distributeur du rez-de-chaussée.

Lorsqu'il revint, Holcomb avait disparu. Il se concerta avec Soto et lui recommanda d'apporter une valise au travail le lendemain, tout semblant indiquer qu'ils allaient filer à Tulsa pour poser quelques questions à Ojeda.

— Il pourrait y avoir un problème, l'avertit-elle.

— Dites-moi.

— J'étais à l'ordi et j'ai bien trouvé un bar appelé El Chihuahua, mais quand j'ai appelé et demandé…

— Vous avez appelé ?

— Oui. Vous m'aviez dit qu'il fallait confirmer qu'il était bien là.

— Absolument, mais pas en l'appelant directement ! Ça pourrait lui foutre la trouille !

— C'est-à-dire qu'en fait, je ne lui ai pas parlé directement, ni même indirectement d'ailleurs. J'ai appelé et quand j'ai demandé s'il était là, le type qui m'a répondu m'a dit qu'il n'y avait personne de ce nom qui travaillait au bar.

— Il se peut qu'il soit parti depuis. Le tuyau remonte quand même à dix ans.

— Alors j'ai demandé, enfin… s'il avait jamais travaillé au bar et le type m'a dit que non et qu'il n'avait même jamais entendu parler de lui. Il a aussi précisé que ça faisait dix ans que lui, il était là.

Bosch réfléchit longuement en mettant tout cela en parallèle avec les renseignements de Cabral. Cabral qui lui avait paru honnête et sûr de ce qu'il leur disait.

— On y va quand même, dit enfin Bosch. Demain. J'espère que vous n'aviez rien de prévu.

Elle fit non de la tête. Il savait déjà qu'elle n'avait pas de petit copain et qu'elle passait probablement l'essentiel de son temps libre à travailler sur l'affaire Bonnie Brae.

— Vous voulez que j'appelle les flics de Tulsa pour voir s'ils connaissent Ojeda ?

— Non, il ne faut jamais faire un truc pareil. Vous vous rappelez ce que je vous ai dit des flics de Beacon ? On n'avertit jamais les locaux sauf s'il le faut vraiment.

Proprement remise à sa place, Soto changea de sujet.

— Comment on gère Whittaker et Dubose ? demanda-t-elle.

— Je vous laisse gérer... Si c'est moi, ils vont probablement se dire qu'il y a quelque chose de louche. Laissez-les dans le noir. Dites-leur seulement qu'on a eu un tuyau et demandez à voir les dossiers.

— Et s'ils voient mon nom dans les rapports ? Dans la liste des témoins ? C'est qu'on m'a interrogée, à l'époque.

Il hocha la tête.

— Ce n'est pas comme ça qu'ils travaillent. Ces rapports, ils ne les ont pas lus. Ils ne s'y sont intéressés que pour avoir des éléments de preuve scientifiques. Sans ça, ils ne se bougent même pas le cul.

Elle acquiesça d'un hochement de tête, mais continua d'avoir l'air inquiète.

— Quoi ? dit-il.

— Vous êtes bien sûr qu'il n'y avait pas de caméras à côté de la cabine d'où vous avez appelé ? demanda-t-elle.

157

Il en resta pétrifié un instant. Il avait fait attention, mais pas à ce point.

— Je n'ai même pas regardé, finit-il par reconnaître. Mais comme cet appel ne va rien donner, personne n'aura la moindre raison de vérifier s'il y en avait.

— Peut-être, mais on ne s'attendait pas non plus à ce qu'Holcomb aille vérifier les numéros de téléphone, lui fit-elle remarquer. Mais c'est ce qu'elle a fait et je ne voudrais pas que ça vous cause des ennuis.

— Ne vous inquiétez pas, ça ne se produira pas.

— C'est juste qu'il y a des rumeurs comme quoi l'administration est tellement pénible avec les contrats DROP qu'elle cherche tous les moyens de flanquer les gens dehors avant la fin de leur service pour économiser du fric.

— Mais dites-moi, comment savez-vous tout ça ? Vous en avez encore au moins pour vingt ans avant de songer à la retraite.

— Par le *Blue Line*. Dans le dernier numéro, il y avait des lettres d'officiers envoyées au journal. C'est ce qu'ils disaient.

Il hocha la tête : ces lettres, lui aussi les avait lues. Le DROP, ou Deferred Retirement Option Plan[1], avait été conçu dans les meilleures intentions du monde. Il encourageait les officiers et inspecteurs chevronnés à continuer de travailler plutôt que de mettre leur talent au service d'autres employeurs dès que leur pension arriverait au maximum. Dans les faits, il leur permettait de l'investir et de recommencer avec un salaire complet, leur deuxième pension dégageant de

---

1. Le plan de retraite différée.

gros intérêts. Mais la politique et la bureaucratie s'en mêlant, cette possibilité avait dû être offerte à tout officier ayant vingt-cinq ans de service derrière lui, et ce quels que soient son travail et ses qualifications. Du coup, il y avait maintenant trop de gens qui en profitaient, et les intérêts à verser menaçaient de tout mettre en péril. L'administration cherchait donc tous les moyens de stopper l'hémorragie, y compris en forçant les gens à partir avant la fin de leur contrat de cinq ans.

— Ce n'est pas ça qui m'inquiète, reprit-il. La seule chose qui compte pour l'instant, c'est vous, et que vous soyez prête à reprendre le flambeau quand je ne serai plus là.

— Je le serai, dit-elle en le regardant et en tentant de masquer son sourire.

— Parfait, lui renvoya-t-il.

*

Fait exceptionnel, la fille de Bosch avait une soirée de libre à passer chez elle. Entre les réunions et les activités du groupe Explorer, plus les repas qu'elle s'était proposé de livrer aux personnes qui ne pouvaient pas sortir de chez elles, elle donnait l'impression de ne rentrer à la maison que pour y dormir. Cela le chagrinait parce qu'il n'avait que peu de temps à lui consacrer, mais il savait aussi qu'elle faisait des choses qui lui plaisaient. Et son école lui comptait toutes ces activités comme services rendus à la communauté, ce qui améliorerait ses chances d'intégrer telle ou telle autre université. Elle songeait à Cal State, campus de Los

Angeles, qui offrait ce qu'il y avait de mieux en matière de justice pénale et de médecine légale. Il appréciait ce choix parce qu'elle ne serait pas obligée de quitter la ville. Sans même parler du fait que les locaux se trouvaient au même endroit que le laboratoire, ce qui lui permettrait de la voir de temps en temps les derniers mois de sa carrière.

Ils passèrent la soirée à se préparer un repas espadon en parlant de la tâche que le groupe Explorer leur avait assignée pour le mardi suivant. Maddie et les autres du groupe allaient prendre part à une opération clandestine au cours de laquelle, dûment munis de micros, tous seraient envoyés dans des supérettes d'Hollywood pour voir si on leur vendrait de l'alcool. Maddie était tout excitée et, dans le genre mission d'infiltration, c'était relativement sans danger. Cela étant, Bosch tenait à lui faire bien comprendre que, dans toute opération, il est toujours possible que quelque chose tourne mal. Et qu'elle ne pouvait donc pas compter sur l'officier en plongée qui la précéderait dans le magasin ou sur les unités en patrouille alentour. Elle devrait garder l'œil ouvert à tout instant.

— Je le ferai, papa, je le ferai, dit-elle.

Ces derniers mois l'avaient vue perfectionner le ton dédaigneux du genre « comme si je ne le savais pas déjà » qu'elle lui servait au moindre sujet abordé.

— Ça ne fait quand même pas de mal de le répéter, lui renvoya-t-il. Tu veux que je sois là ?

— Non ! Ça serait très gênant ! s'écria-t-elle, comme s'il lui proposait de l'escorter au bal de la promo.

— D'accord, d'accord, je voulais juste savoir.

Ils étaient passés sur la terrasse, où il faisait cuire le poisson sur un petit gril au gaz. Il retourna les tranches d'espadon et changea de sujet.

— J'espère être de retour dimanche après-midi, dit-il. On pourrait peut-être dîner à nouveau ensemble ce soir-là.

Il lui avait déjà parlé du voyage à Tulsa. Elle s'était habituée à ses déplacements fréquents et n'avait aucun mal à rester seule.

— Samedi, je suis de LRPA, dit-elle. Désolée.

Livraison de repas aux personnes âgées. Le travail de volontaire qu'elle effectuait pour cet organisme réduisait beaucoup les moments qu'il aimait le plus passer avec elle – ceux où ils mangeaient ensemble en bavardant.

— Je ferais peut-être bien de m'y inscrire moi aussi, dit-il. Ce serait peut-être le meilleur moyen de te voir le soir.

— Papa, tu sais bien que j'ai besoin de le faire. Je veux entrer à Cal State et décrocher une bourse. Ça ne peut que m'aider.

— Je sais, ma fille, je sais. Et dire que c'est moi qui me plains alors que je m'en vais à Tulsa.

Il prit une fourchette et poussa les tranches d'espadon sur une assiette. Le dîner était prêt.

— Faut que tu y ailles, dit-elle. Tu n'as plus beaucoup d'affaires à résoudre.

Il acquiesça : elle avait raison.

Elle revenait vers la table à l'intérieur lorsqu'elle lui annonça qu'elle songeait à se faire mettre un anneau de nez pendant le week-end pour être vraiment dans son rôle pour l'opération d'infiltration.

Il réussit à ne pas laisser tomber l'assiette.

— Quoi? Tu vas te faire un trou dans le nez là où il n'est pas censé y en avoir un?

— Oui, et ça sera super cool. Et j'aurai pas besoin de le garder. C'est moins permanent qu'un tatouage.

Le poisson sentait bon, mais il ne fut plus très certain d'avoir faim.

Chapitre 14

Bosch et Soto prirent l'avion de 11 heures pour Tulsa avec escale à Dallas. Ils eurent la chance d'avoir un siège vide entre eux lors du premier vol qu'ils firent en classe économique et purent y poser les dossiers des affaires Merced et Bonnie Brae. Bosch était bien décidé à mettre à profit tout son temps libre pendant ce voyage pour étudier l'incendie du Bonnie Brae pour Soto et continuer à lire et relire les rapports de la première enquête sur l'affaire Merced. Il était persuadé, et l'expérience le lui avait confirmé à maintes reprises, que c'était dans les détails que se trouvent les réponses. Et des détails, il y en avait des tonnes dans leurs deux affaires.

Il prit donc la décision de consacrer la première partie du voyage aux dossiers de l'incendie. Après Dallas, il reviendrait à Merced.

Au contraire des classeurs Merced, les livres du meurtre de l'affaire Bonnie Brae ne suivaient pas l'ordre chronologique, alors que c'était encore le cas dans les enquêtes exigeant la composition de plusieurs classeurs parce que longues et balayant large.

Les inspecteurs remplissaient un classeur après l'autre au fur et à mesure qu'ils avançaient, ce qui permettait d'avoir une vision linéaire de l'affaire. L'enquête sur l'incendie du Bonnie Brae avait à l'origine été menée par la Criminal Conspiracy Section qui s'occupait des affaires d'incendies volontaires et travaillait en liaison avec des enquêteurs des services de pompiers. Avec ses neuf victimes, l'affaire avait dès le début été divisée en plusieurs champs d'enquête spécifiques. Le premier livre du meurtre rassemblait les éléments de chronologie et divers rapports établis au cours de l'enquête. Le deuxième était uniquement consacré à l'identification et aux biographies des victimes et le troisième, dédié à l'enquête menée sur les activités du gang de La Raza Pico-Union. Le quatrième regorgeait de rapports d'analyse sur l'origine de l'incendie et la façon dont il s'était propagé dans tout le Bonnie Brae Arms Building. On y trouvait aussi tous les rapports accumulés dans les médias. L'affaire ayant eu lieu avant l'apparition d'Internet, c'étaient les journaux de la ville qui avaient fourni l'essentiel des informations à la communauté. La pléthore de coupures de journaux entassées dans de grosses enveloppes faisait que ce dernier classeur était le plus gros de tous.

Pas tout à fait linéaire dans sa présentation des faits, le premier classeur n'en restait pas moins celui qui ressemblait le plus à un livre du meurtre standard, et ce fut par celui-là que Bosch commença. Alors qu'il avançait dans sa lecture, Soto, elle, avait ouvert son portable et rédigeait son premier rapport sur ce qui les avait conduits à partir pour Tulsa. Les inspecteurs avaient l'obligation de décrire tous leurs déplacements en détail afin de justifier le trou dans le budget voyage de l'unité qui en résultait. Le capitaine Crowder ayant financé celui-là grâce à un fonds discrétionnaire rattaché au budget du Bureau du shérif de Los Angeles, rédiger ce rapport était impératif.

Les trois quarts de ceux inclus dans le livre qu'étudiait Bosch avaient été rédigés par Jack Harris, un inspecteur de classe 3. Ce grade correspondait à celui de sergent et c'était à lui qu'on avait confié la direction du détachement spécial de cinq inspecteurs mis sur pied pour résoudre l'affaire. Bosch n'en connaissait aucun, mais avait entendu parler d'Harris. Il le croyait à la retraite, mais dans les années 80 et 90, ce sergent semblait avoir dirigé un certain nombre d'enquêtes de la Criminal Conspiracy Section ayant attiré l'attention des médias ou étant restées célèbres dans le service. Bosch n'avait donc aucune raison de ne pas le trouver compétent et cela pesa lourd dans son évaluation d'une affaire restée vingt et un ans sans solution. Il savait que les chances qu'ils avaient de changer ça étaient maigres. En leur passant les dossiers, Whittaker et Dubose leur avaient déjà dit avoir repris toute l'affaire à fond l'année précédente dans l'espoir d'y trouver un élément scientifique auquel se raccrocher, mais s'être retrouvés le bec dans l'eau. L'unité des Affaires non résolues avait pour mandat de reprendre de vieux dossiers et d'y chercher de nouveaux angles d'attaque possibles – l'essentiel d'entre eux dans des domaines comme l'ADN et les empreintes digitales, où les nouvelles technologies de la médecine légale pouvaient s'appliquer. Et dans le dossier Bonnie Brae, rien n'indiquait qu'il y en eût.

Bosch n'avait pas fait part de son pessimisme à Soto à cause des liens émotionnels qu'elle avait avec l'affaire. Il lui avait promis d'en revoir entièrement tous les rapports et de le faire sans sacrifier le moindre effort nécessaire à la résolution du cas Merced. Ce voyage en avion lui donnait l'occasion de s'y mettre.

*

L'essentiel des dommages causés par l'incendie était dû à la fumée. L'incendie lui-même avait été en grande partie circonscrit à un seul couloir et à un cagibi en sous-sol, où de grosses poubelles étaient disposées sous les colonnes de vide-ordures des cinq étages de l'immeuble. Le feu avait tout détruit dans le cagibi avant de se répandre dans le couloir, la fumée envahissant vite tout l'immeuble en passant par les cages d'escalier, les couloirs et les colonnes de vide-ordures. L'incendie proprement dit avait, lui, interdit toute possibilité de fuite aux enfants et personnel de cette garderie improvisée et clandestine installée dans une des salles du sous-sol.

Une des raisons principales expliquant pourquoi l'affaire n'avait pas été résolue pendant si longtemps était que deux semaines capitales pour l'enquête s'étaient écoulées avant qu'il ait enfin été déterminé que l'incendie était d'origine criminelle. Ce genre de retard dans une affaire d'homicide était généralement très difficile à rattraper, les trois quarts des affaires non résolues dans les quarante-huit heures ne l'étant plus jamais. Les chances de réussir s'amenuisaient encore quand ce retard était de deux semaines.

166

Au début, les experts des pompiers avaient conclu à un incendie accidentel dû à l'embrasement d'une poubelle sous une colonne de vide-ordures. Ils pensaient que la combustion s'était déclarée lorsque des matériaux inflammables déjà présents dans la poubelle étaient entrés en contact avec un mégot de cigarette non éteint jeté dans le vide-ordures d'un des étages supérieurs. Cela s'était produit un jour avant le ramassage prévu et l'homme chargé de l'entretien avait déclaré qu'à ce moment-là toutes les poubelles du cagibi étaient pleines. L'incendie s'était vite propagé aux solives en bois du plafond, et ce dans toute la pièce, les flammes brûlant avec une telle intensité qu'il ne restait plus que des cendres dans la poubelle lorsque l'incendie avait enfin été maîtrisé.

Malgré les déclarations des experts, certains agents de la patrouille de Rampart avaient tout de suite entendu leurs indics leur souffler à l'oreille qu'en fait l'incendie était bien d'origine criminelle. Selon bon nombre d'entre eux, le gang de La Raza Union-Pico avait des problèmes avec le gérant de l'immeuble, qui refusait obstinément de les laisser vendre de la drogue dans tout le complexe. Ils racontaient que le feu y avait alors été déclenché pour avertir ledit gérant que ça ne se passerait pas comme ça s'il continuait à gêner leur trafic. Les morts qui en avaient résulté n'étaient, elles, pas intentionnelles.

Tout cela ne se réduisait qu'à des rumeurs jusqu'au jour où les résultats d'analyses de détritus calcinés récupérés dans la poubelle étaient revenus du labo incendie de Sacramento. Des tests de chromatographie en phase gazeuse avaient permis de découvrir la présence de résidus liquides inflammables dans tous les échantillons récoltés dans la poubelle. Les accélérateurs répertoriés dans le rapport étaient le pétrole et un produit de la marque Varsol. Comme il n'y avait, toujours d'après le rapport, aucune explication plausible à la présence massive de ces produits chimiques dans cette poubelle, on s'était orienté vers une enquête criminelle.

Bosch regarda Soto qui tapait quelque chose sur son clavier.

— Vous êtes sur le Net ? lui demanda-t-il.

— Oui, de quoi avez-vous besoin ?

— Vous pouvez me chercher un truc sur Google ? Je lis que du Varsol figurait dans les résidus liquides inflammables. Vous pouvez me dire ce que…

— C'est un diluant à peinture très puissant. Et cher. On s'en sert beaucoup dans les ateliers d'usinage et de mécanique automobile pour nettoyer les pièces de moteur.

Il la regarda, impressionné par ses connaissances.

— J'ai fait une recherche sur Google dès que j'ai commencé à lire les rapports, dit-elle. L'identification des accélérateurs m'a aidée à comprendre la direction prise par l'enquête. Parce que c'est un produit cher, les enquêteurs se sont dit que c'était quelque chose dont disposait déjà celui qui a mis le feu plutôt qu'un produit qu'il serait allé acheter dans un but précis. Ils en ont donc déduit que ce devait être quelqu'un qui travaillait dans un endroit où ce truc était à portée de main. Le type se serait servi du mélange de détritus qu'on obtient après avoir nettoyé des machines pleines de graisse… soit du Varsol et du cambouis. Il l'aurait alors versé dans un récipient, allumé et balancé dans la colonne du vide-ordures.

— Comme un cocktail Molotov.

— Voilà.

— Mais ça n'aurait pas déclenché une explosion ? Quelque chose… un bruit qu'on aurait entendu ?

Il se rendit compte que c'était d'elle qu'il parlait, d'elle enfant au milieu de ces gens.

— C'est une des choses sur lesquelles on m'a le plus questionnée, je m'en souviens. Sauf que le cagibi aux poubelles était au sous-sol, à l'autre bout du couloir où se trouvait la salle des enfants. Et on faisait du bruit, vous savez ? Dix mômes dans un espace aussi restreint… Je n'ai jamais rien entendu. Si seulement j'avais pu…

Il hocha la tête et se demanda si, d'une manière ou d'une autre, elle se sentait coupable de ne pas avoir entendu exploser l'engin incendiaire alors qu'elle jouait avec ses copains et n'avait que sept ans. Ce n'était pas sa faute, mais il savait qu'il ne pourrait jamais en convaincre quelqu'un qui gardait un truc pareil en lui depuis vingt ans.

Il reprit sa lecture.

— Prévenez-moi quand vous arriverez aux tampons, lui lança-t-elle.

— Quoi ? lui renvoya-t-il en pensant avoir mal entendu.

— Oui, les tampons. C'est à hurler de rire.

Il hocha la tête à nouveau et se remit à lire. Une fois la présence de résidus liquides inflammables confirmée, il avait été demandé à la Criminal Conspiracy Section du LAPD de travailler avec les pompiers, mais l'enquête s'était essoufflée dans les semaines qui avaient suivi.

Les inspecteurs s'étaient concentrés sur les infos transmises par les indics, toutes laissant entendre que l'incendie était le résultat d'une tactique d'intimidation qui, mise au point par les gangs, avait dépassé le but recherché. Témoin clé dans cette phase de l'enquête, le gérant du complexe d'appartements avait fourni des renseignements sur les menaces dont il faisait constamment l'objet de la part du gang de Pico-Union. La CCS ayant demandé et obtenu un mandat de perquisition étendu, les domiciles et lieux de travail des vingt-neuf membres du gang avaient été fouillés quatre semaines après l'incendie mortel. Avant l'aube, un détachement spécial composé d'enquêteurs de la CCS et d'officiers de la Gang Intelligence Unit les avait tous perquisitionnés en même temps, l'opération ayant pour résultat de saisir de la drogue, des armes et des éléments de preuve potentiels dans l'affaire de l'incendie, ainsi que d'arrêter vingt-deux des membres du gang visé et de les inculper pour détention d'armes et de stupéfiants.

À lire la copie du document rendu au tribunal suite à la perquisition, Bosch se rendit compte que la saisie n'avait rapporté que très peu de choses ayant un lien avec l'incendie criminel. Le seul élément plausible était un bidon de quatre litres de Varsol saisi dans un atelier de réparation de voitures où un des membres du gang, un certain Victor Chapa, travaillait en qualité d'apprenti mécanicien. Tous les autres objets portés sur la liste n'y figuraient que pour épater la galerie, à savoir de la drogue et des armes qui faisaient certes leur petit effet disposées sur une table à l'attention des médias, mais n'avaient aucune valeur comme preuves à conviction dans l'affaire Bonnie Brae.

Néanmoins, toutes ces saisies et arrestations avaient suffi à mettre la pression sur le gang de La Raza Pico-Union. La plupart de ses membres avaient un casier et finiraient en prison ou au pénitencier à la première condamnation, même pour un délit infime. Cela avait donné à Jack Harris et à son équipe le moyen de les forcer à coopérer et à s'entre-dénoncer.

Le plus vulnérable à cette pression était Victor Chapa. De tous les voyous ramenés dans les filets, il n'y avait que lui à avoir directement accès à l'accélérateur retrouvé dans les cendres. Bien que le gérant du complexe du Bonnie Brae n'ait pas reconnu en lui un des gangsters qui l'avaient menacé et que celui-ci ait fourni un alibi en béton, il était toujours considéré comme le plus à même d'avoir obtenu le carburant et très probablement confectionné l'engin incendiaire. Cette dernière supposition reposait sur le fait qu'il ne vivait pas avec une femme, mais qu'on avait quand même retrouvé une boîte de tampons dans l'armoire à pharmacie de son appartement et, d'après les experts en incendies criminels de la CCS, le tampon servait souvent de mèche aux cocktails Molotov.

Chapa avait été arrêté pour possession de cocaïne lors de la fouille de son appartement. Il en avait été retrouvé des traces dans une pipe fabriquée avec un bout d'antenne de voiture et posée dans le cendrier d'un appartement occupé par quatre hommes. L'accusation était bidon et n'aurait pas tenu la distance, mais avait suffi à le mettre en détention et à le faire passer à la moulinette pendant quarante-huit heures. Il avait été interrogé sans relâche, puis collé dans une cellule où un agent en plongée jouait les prisonniers. S'il avait expliqué tous les détails de son alibi, Chapa n'avait parlé ni à son codétenu ni à ceux qui l'interrogeaient. Il n'avait rien livré. Âgé de vingt-huit ans à l'époque, il était depuis longtemps membre du gang et avait fait de la taule pour recel de marchandise volée. Il n'avait pas lâché et avait été libéré sous caution après sa mise en accusation, lorsque son avocat avait fourni l'attestation d'une ex-petite amie déclarant sous serment que c'était elle qui avait laissé la boîte de tampons chez lui.

— Ah, la bonne vieille défense du tampon ! dit Bosch.

— Ça marche à tous les coups.

Bosch regarda l'écran de Soto et y vit une carte.

— C'est quoi, ça ? demanda-t-il.

— J'ai trouvé l'El Chihuahua. Il y a un Little Mexico à Tulsa. Ici.

— Parfait. On ira y faire un tour ce soir.

— Ça n'a pas l'air d'être le genre d'endroit pour vous, Harry.

— Ouais, bon, on verra.

Il retourna à sa lecture. D'après la chronologie, aucun des gangsters arrêtés lors du coup de filet à l'aube n'avait reconnu être au courant de quoi que ce soit pour l'incendie. Tous avaient nié, tous s'étaient dits insultés qu'on les soupçonne d'avoir le moindre rapport avec la mort de neuf personnes, la plupart des enfants et tous de La Raza, le territoire même de leur gang.

La descente s'avérant un vrai fiasco, la pression avait augmenté sur Harris et son équipe. L'incendie était l'affaire de l'année et la presse n'arrêtait pas – au point que le service médias de la police exigeait des points quotidiens sur l'enquête. Le résultat avait été de pousser

Harris à une manœuvre qui lui avait pété au nez. Il avait décidé de continuer à mettre la pression sur Chapa en ordonnant à tout son réseau d'indics de Pico-Union de faire croire à tout un chacun que la descente de police avait permis de pincer un témoin qu'on allait bientôt déférer devant un tribunal d'accusation.

L'idée était que, sous la pression, Chapa finisse par se livrer. Il n'aurait alors plus eu d'autre choix que celui d'attraper la bouée de sauvetage que lui lançaient les flics et de coopérer avec eux en reconnaissant le rôle qu'il avait joué dans la préparation de la bombe et en donnant le nom du type qui l'avait jetée dans la colonne du vide-ordures.

Chapa avait été mis sous surveillance par mesure de protection, Harris en attendant des résultats au moment où la pression serait la plus forte sur le mécanicien.

Il n'avait pas eu à attendre longtemps. Le deuxième jour de cette surveillance – et tout Pico-Union bruissait déjà de la rumeur selon laquelle il y avait un témoin qui coopérait –, Harris and C⁰ avait vu sa manœuvre tomber à l'eau avec des conséquences très vraisemblablement mortelles pour Chapa.

L'équipe de surveillance avait l'atelier de mécanique automobile de la 6ᵉ Rue où Chapa était apprenti dans sa ligne de mire. Tous les clients et toutes les voitures qui entraient ou sortaient de ce garage à trois baies étaient observés du haut d'un toit. Des équipes à pied se tenaient au coin de la rue, prêtes à suivre Chapa dès qu'il finissait sa journée de travail.

Mais Chapa n'avait jamais quitté l'atelier. Une fois les trois portes descendues et le garage fermé, il n'avait pas compté au nombre des employés qui sortaient.

Arguant d'une possible menace de mort, les flics étaient entrés dans l'atelier sans mandat et n'avaient pas vu le moindre signe de vie de Chapa. Une enquête interne avait plus tard conclu que la manœuvre et la surveillance de la CCS avaient été découvertes par Chapa et d'autres membres du gang. Volontairement ou de force, il avait alors été placé dans le coffre de la voiture qu'un client était venu reprendre après réparation, et avait ainsi été extrait de l'atelier. On ne l'avait plus jamais revu après ça, malgré un mandat d'arrêt lancé contre lui pour non-présentation à une audience du tribunal en relation avec l'accusation de trafic de drogue portée à son encontre.

Chapa disparu et Harris et son équipe sous le coup d'une enquête interne sur la manière dont ils avaient géré le suspect, l'enquête avait perdu de son élan. Le détachement spécial avait été démantelé, l'affaire passant alors d'un inspecteur de la CCS à l'autre au fil des ans. Pour finir, on avait moins agi que réagi. Chaque fois qu'un membre du gang de La Raza était arrêté pour une raison ou pour une autre, il était interrogé sur l'incendie du Bonnie Brae par l'inspecteur de la CCS du moment. Tous ces efforts s'avérant inutiles, l'affaire avait fini par s'éteindre.

À la fin du classeur qu'étudiait Bosch se trouvait un grand diagramme montrant toute la hiérarchie du gang aux environs de 1993. Le document n'ayant pas été déplié depuis neuf ans, les bords de la feuille se craquelèrent et se déchirèrent par endroits. Soto se pencha pour l'examiner avec Bosch.

— Vous y avez déjà jeté un coup d'œil ? lui demanda-t-il.

— Non, je ne m'y suis jamais attaquée.

Le diagramme comprenait les noms et les photos des donneurs d'ordres, des clichés de l'identité judiciaire pris lors d'arrestations précédentes. L'organigramme précisait aussi si tel ou tel était incarcéré en 1993 et son type d'activité, que ce soit dans la drogue – vente, transport ou production –, le trafic d'armes, la mise au pas, etc.

— On pourrait peut-être commencer par là, dit-il.

— Comment ça ?

— On passe les noms à l'ordi. Certains seront morts, mais je parie que d'autres sont en prison. On pourrait s'en servir. On va les voir et on leur offre une porte de sortie possible. Quelqu'un pourrait lâcher. Et si c'était un type du gang, il pourrait savoir des trucs. On tape sur le bon mec, il cherche à sortir, ça nous donne une chance.

— Je me demande pourquoi Whittaker et Dubose ne l'ont pas fait.

— Parce qu'ils sont flemmards. Si rien n'est possible côté progrès scientifique dans une affaire, ils passent à la suivante. Comme ça, y a pas besoin de sortir du bureau.

Il replia le diagramme sans lui infliger de dommages supplémentaires.

— Ne soyez pas comme eux, Lucia, reprit-il. Vous voulez être une bonne inspectrice, vous sortez du bureau et vous allez frapper aux portes.

— Entendu, Harry. C'est promis.

Le pilote annonçant qu'ils entamaient la descente vers Dallas, Bosch décida de ranger les dossiers et de se reposer les yeux. Il avait encore beaucoup de choses à lire, y compris toutes les coupures de journaux entassées dans les enveloppes. Tout cela devrait attendre qu'il ait à nouveau le temps de s'occuper de l'affaire.

— Et Chapa? demanda-t-il. Vous pensez qu'il est mort ou qu'il est vivant?

— Mort et archi mort, lui répondit-elle. Sinon, il aurait refait surface ici ou là. On a dû l'enterrer quelque part dans le désert.

Il se contenta de hocher la tête : elle avait probablement raison. Ce n'était pas de son propre chef que Chapa avait disparu du garage. Il n'y avait aucune loyauté dans les gangs dès que l'eau se tintait d'une promesse de sang d'indic.

L'avion virant vers Dallas, Bosch changea de sujet.

— Vous aimez les barbecues?

— Ouais, dit-elle. De temps en temps.

La réponse manquait d'enthousiasme. Il hocha la tête.

— Pourquoi? reprit-elle.

— Y a un stand au terminal qui est vraiment bien, Chez Cousin. J'ai assez envie d'y passer avant notre deuxième vol.

— Je vous retrouve à la porte d'embarquement. Ça vous va?

— Pas de problème. Avez-vous regardé la bible avant qu'on démarre? Des trucs sur Tulsa?

Il parlait du registre de l'unité où les inspecteurs donnaient des indications sur les villes qu'ils visitaient en travaillant sur une affaire – genre bonnes adresses où manger et descendre en restant dans les limites de l'allocation journalière. On y trouvait aussi des renseignements sur l'art et la manière de gérer les forces de l'ordre et la justice locales. L'unité fonctionnant depuis près de dix ans, il n'était pas un État de l'Union qui ne soit couvert. La bible regorgeait de conseils aux voyageurs et l'on envisageait même de la publier pour lever des fonds, le titre proposé étant : *Spécial Bleus : doughnuts, dîners et distractions, le guide du flic.*

— Oui, répondit-elle en ouvrant un carnet. Petit déjeuner Aux Bons Œufs de Jimmy, dîner à l'Acajou… mais pour moi, c'est un bar à strip-tease. Y a aussi un autre truc pour les gâteaux : Les brownies.

Il sourit.

— Les gâteaux ? C'est Rick Jackson qui a dû noter ça avant de prendre sa retraite. Ç'a toujours été un mec à tartes et à gâteaux.

— Vous avez raison. C'est lui.

— Des trucs sur les flics du coin ?

— Oui. Jackson en mentionne un avec qui il a travaillé à Tulsa : Ricky Childers. C'est un type du service de nuit au bureau de la division, enfin… il y a deux ans de ça. C'est un bon, d'après Jackson.

— C'est donc lui qu'on va aller voir.

Chapitre 15

Dans le protocole de voyage de l'unité des Affaires non résolues, il était recommandé aux inspecteurs d'aller voir les forces de l'ordre locales et de leur expliquer pourquoi ils étaient de passage et où ils comptaient se rendre. En général, il ne s'agissait que d'une simple marque de politesse, les inspecteurs du LAPD recevant alors la permission de poursuivre leur travail. Souvent, les locaux préféraient, voire exigeaient, qu'un des leurs se joigne à l'équipe. Parfois aussi c'étaient les visiteurs de L.A. qui avaient besoin d'eux pour trouver quelqu'un ou faciliter une arrestation. Mais comme il l'avait expliqué à Soto, Bosch savait d'expérience que signaler son arrivée à l'avance pouvait susciter des problèmes.

Il arrivait que les locaux foncent et se mettent à surveiller la cible, ce qui l'avertissait ou la faisait fuir. Il y avait aussi eu des cas où les flics du coin s'étaient tout simplement emparés du suspect avant l'arrivée de Bosch, le privant ainsi de la possibilité de l'interroger sans la présence d'un avocat avant sa mise en accusation formelle. Il arrivait aussi, quoique rarement, que la cible visée par ce déplacement ait un lien avec l'officier qui recevait le coup de fil. C'est ainsi qu'il avait un jour appelé un inspecteur de Saint Louis avant de préparer le voyage qu'il allait effectuer pour arrêter un meurtrier. Il ne se doutait guère que c'était à un type de la belle-famille de l'assassin qu'il parlait. Bosch n'avait découvert ce lien qu'une fois sur place et constaté que le suspect avait filé la veille au soir.

— Et donc, plus jamais maintenant, insista-t-il. Maintenant, je débarque toujours sans avertir.

Ils arrivèrent au QG de la police de Tulsa un peu avant 20 heures. Ils avaient d'abord réservé dans un hôtel à proximité parce qu'ils ne savaient pas trop ce que la soirée pouvait donner et n'avaient pas envie de se retrouver à la rue s'ils rentraient après minuit.

Le flic de service à l'accueil n'eut pas l'air impressionné par leurs badges du LAPD, mais consentit à appeler le Bureau des inspecteurs à l'étage pour voir si Childers était disponible.

Ils avaient de la chance. Il était là et demanda au planton de les faire monter.

Ils prirent l'ascenseur et tombèrent sur une deuxième réception à l'entrée du Bureau. Personne ne se tenant derrière le comptoir, ils durent attendre une minute avant qu'un officier ne se pointe à la porte.

— Comment va Rick Jackson ? demanda-t-il.

— Il vient de prendre sa retraite, répondit Bosch. Je ne sais pas où il est, mais il est sûrement en train de jouer au golf.

— J'espère bien, dit l'inspecteur en lui tendant la main par-dessus le comptoir. Ricky Childers. C'est moi qui dirige cette boîte le soir.

Tous les trois se serrèrent la main, Bosch lui tendant son badge plutôt que de le lui montrer en vitesse comme il l'avait fait au rez-de-chaussée. Question de respect.

— Vous avez appelé avant ? leur demanda Childers. Le capitaine ne m'en a rien dit.

— Non, on vient juste d'arriver, répondit Bosch. Ce matin, on a eu un tuyau sur un type à qui on a besoin de parler et on a sauté dans le premier avion. On n'a même pas eu le temps d'appeler à l'avance.

Childers acquiesça d'un signe de tête, mais Bosch n'eut pas vraiment l'impression d'être cru. Childers avait l'air compétent et plein d'expérience. Dans les quarante-cinq ans et en bonne forme physique, il parlait lentement et avait une longue moustache qui lui retombait des deux côtés de la bouche. Tout cela lui donnait l'allure d'un porte-flingue du Far West, ce dont Bosch pensa qu'il était bien conscient. Peut-être même travaillait-il cette image : il n'avait pas de veste et portait son arme dans un étui d'épaule.

— De qui parle-t-on ? reprit Childers.

— D'un témoin dans une affaire à laquelle on travaille. Une affaire de meurtre. On a besoin de lui parler parce qu'on pense qu'il ne nous a pas tout dit.

— On garde des trucs pour soi, c'est ça ? C'est pas bon, ça. Et il a un nom, ce type ?

— Angel Ojeda, répondit Soto. Il a trente-neuf ans et on pense qu'il est dans les parages depuis neuf ou dix ans.

Elle lui tendit une photocopie de son dernier permis de conduire californien[1].

---

1. En Californie, le permis de conduire est à renouveler tous les cinq ans.

— Neuf ou dix ans ? répéta Childers. Vous travaillez donc sur un *cold case*.

— Quelque chose comme ça, oui, répondit Bosch. D'après notre tuyau, ce type serait venu ici pour travailler dans un bar appelé El Chihuahua. Vous avez entendu parler de ce truc ?

— Ça, pour en avoir entendu parler ! C'est à East Tulsa, dans Garnet Street. Quartier de Little Mexico.

— C'est quel genre d'endroit ?

— Un vrai bouge avec un billard. On y va plusieurs fois par semaine pour arrêter des bagarres. Et vous dites que c'est là que travaille votre artiste ?

— L'info remonte à dix ans. C'est donc juste un point de départ.

— Si vous voulez, je vous y emmène. Mais allons d'abord faire un tour à la salle des inspecteurs, histoire de voir si on n'aurait pas quelque chose sur cet Ojeda... C'est comme ça qu'il faut dire, inspecteur Soto ? C'est le « j » de la « jota » ?

— Absolument, dit-elle.

Childers leur montra une demi-porte au bout du comptoir et leur fit signe de faire le tour. Travailler sur des *cold cases* avait amené Bosch à visiter des tas de salles des inspecteurs dans tout le pays. Elles avaient toutes quelque chose de semblable. Celle de Tulsa aurait pu se trouver à Seattle, Baltimore ou Tampa. Bureaux encombrés, pans entiers de meubles classeurs et avis de recherches sur tous les murs et toutes les portes. Vu l'heure, la salle était assez largement déserte. Bosch repéra un flic en tenue à un bureau et un inspecteur à un autre. Childers les conduisit à son box.

— Prenez-vous un fauteuil, leur dit-il.

Bosch et Soto en attrapèrent chacun un dans des box vides et les tirèrent à eux en les faisant rouler. Tous s'assirent, Childers éteignant un réveil-radio posé sur son bureau – programme de musique country. Du Hank Williams Junior, du moins, ça y ressemblait.

— Voyons voir ce qu'on a sur cet individu, dit-il.

Il regarda la photocopie du permis de conduire et entra l'info dans son ordinateur. Bosch songea qu'il devait consulter une base de données interne qui leur dirait si Ojeda avait croisé un jour le chemin de la police locale. Soto avait déjà vérifié dans les bases nationales avant leur départ et n'y avait rien trouvé.

Childers appuya sur la touche « entrée » et leva les mains en l'air comme s'il venait d'accomplir un tour de magie. Au bout de quelques secondes, deux mots s'inscrivirent sur son écran : *Aucune correspondance*.

— Ah ben merde ! s'écria-t-il. S'il a travaillé au Chihuahua, on l'aurait déjà signalé comme témoin, victime, indic ou autre. Vous êtes sûr de votre info ?

— Elle était bonne… il y a environ dix ans. Il a peut-être changé de nom. Qu'est-ce qu'on aurait si on entrait simplement « El Chihuahua » ?

— Vous avez toute la nuit ?

Il entra le nom du bar et cette fois l'ordinateur indiqua qu'il y avait 972 correspondances.

— Et ce truc ne remonte que sept ans en arrière, reprit-il. Avant, c'était sur papier. Vous voulez rester ici et regarder tout ça ? Vous pouvez y aller si vous voulez.

Bosch réfléchit un instant à la meilleure façon d'utiliser leur temps et de réduire le champ de la recherche. Soto le coiffa au poteau.

— Et si on se contentait d'aller y faire un tour, dit-elle. Histoire de voir s'il est là. C'est pour ça qu'on est venus, non ?

— L'idée me paraît bonne, dit Childers.

Bosch acquiesça.

*

Childers prit le volant. Little Mexico se trouvait à vingt minutes à l'est du centre-ville. Il faisait nuit, mais tout était bien éclairé et Bosch ne voyait rien de ce à quoi il s'attendait. Les rues étaient larges, avec des bandes médianes fleuries. Maisons, églises et magasins, tout était très spacieux. Il y avait aussi des magasins fermés. Il vit une voiture de patrouille garée devant une station-service en faillite. Il dut beaucoup regarder, et longuement, avant de tomber sur des graffitis.

— Et donc, dit-il, c'est ça, votre barrio.

— Voilà, lui répondit Childers.

Bosch avait laissé Soto monter à l'avant et s'était assis à l'arrière pour pouvoir être à côté d'Ojeda s'ils le trouvaient et le ramenaient au commissariat pour l'interroger.

Childers commença par passer lentement devant le bar. Bosch eut l'impression que ç'avait dû être un Pizza Hut avant. Le bâtiment en avait encore le toit rouge, mais les fenêtres avaient été peintes et toute une série de panneaux en contreplaqué peints à la main et fixés à la façade indiquaient qu'on y servait des *cervezas* et des *chicharones* et qu'on pouvait y regarder le sport. Une enseigne lumineuse en haut d'un poteau proclamait *Chihuahua*, le chien qui porte le nom de cet État mexicain y étant représenté dans le style cartoon – prêt à en découdre, l'animal montrait les dents, les pattes avant dans des gants de boxe.

Il n'était pas loin de 22 heures et le parking était plein. Cigarette au bec et bouteille à la main, plusieurs individus traînaient devant les portes des deux côtés du bâtiment.

— Y a déjà matière à contravention, dit Childers. Loi sur les bouteilles ouvertes… Ils n'ont pas le droit de boire dehors.

— Parfait, dit Bosch. Ça peut servir.

Une fois le bar dépassé, Childers se gara le long de la route. Puis il jeta un coup d'œil à Bosch dans le rétroviseur : il savait que c'était lui qui commandait l'équipe.

— C'est quoi le plan ? demanda-t-il.

Bosch réfléchit un moment.

— Y avait un Shamu là-bas, à l'ancienne station-service. On pourrait le faire participer ?

— Un « Shamu » ? répéta Childers.

— Oui, la voiture pie. On aurait dit qu'il écrivait des PV.

— Shamu, shamu… Ah oui, comme le nom de l'orque de SeaWorld ! Ça me plaît bien ! Oui, si on peut le faire venir.

— Bien, on le prend avec nous, on entre dans le bar et on regarde partout. Et si on voit notre client, on demande au flic en tenue de le faire sortir parce que ces types qui boivent en public, ça pose problème. Si ça marche, on l'embarque dans la voiture et après, Lucy et moi, on s'en occupe. On ne parle pas de L.A. et on se sert de vos badges.

— Ça me paraît judicieux, dit Childers en hochant la tête.

184

Il attrapa la radio entre les sièges et passa par le dispatcheur pour demander à la voiture pie de les rejoindre. Puis il raccrocha et reposa le micro.

— Ça s'annonce rude ? demanda Bosch.

— Ça devrait aller. Mais il ne va pas y avoir foule côté femmes. L'inspectrice Soto pourrait leur donner… des idées, si vous voyez ce que je veux dire.

— Je peux gérer, dit-elle d'un ton qui n'invitait pas à la discussion. Je ne suis pas venue ici pour attendre dans la voiture.

— Pas de problème pour moi, dit Childers.

Ils attendirent dix minutes que la voiture de patrouille se pointe. Childers donna un coup de phares en la voyant approcher dans Garnet Street, le véhicule traversant alors à contresens de la circulation pour s'arrêter fenêtre avant contre fenêtre avant. Patrouille à un seul homme, caractéristique des municipalités à court d'argent. Childers connaissait l'officier, mais ne se donna pas la peine de le présenter à Bosch et à Soto, la seule indication qu'il lui fournit étant qu'ils venaient de Los Angeles. Puis il lui dévoila le plan de Bosch, l'officier se disant aussitôt partant.

Childers fit demi-tour et suivit la voiture de patrouille jusqu'au bar. Comme il n'y avait toujours pas de place dans le parking, ils en longèrent un côté, passèrent par-derrière, remontèrent de l'autre côté et s'arrêtèrent près de la porte où un groupe de types fumaient et buvaient. Il y avait des chances que la plupart d'entre eux se soient déjà fait remonter les bretelles pour consommation d'alcool en public. Dès qu'ils aperçurent la voiture, ils se bousculèrent pour rentrer.

Tout le monde descendit de voiture et se dirigea vers la porte, Bosch entendant les pulsations de la musique qui montait du bar. Il se positionna à gauche de Soto. C'était leur façon habituelle de procéder lorsqu'ils approchaient d'une porte derrière laquelle ils ne savaient pas ce qui pouvait se trouver. Bosch était gaucher et Soto droitière. C'était la tactique la plus sûre.

Le policier était bâti en armoire à glace et faisait au moins un mètre quatre-vingt-dix, le gilet pare-balles qu'il portait sous sa veste accentuant encore son tour de taille. Ce fut lui qui entra le premier et ouvrit aussitôt un passage dans la foule. Comme il fallait s'y attendre, Soto attira les regards, ce qui fut tout à l'avantage de Bosch. Il passa d'un visage à l'autre en espérant en trouver un qui ressemble plus ou moins à la photo de permis de conduire d'Ojeda déjà vieille de dix ans.

Il eut de la chance. Presque aussitôt, derrière le bar à droite de la salle, il repéra quelqu'un qui ressemblait à Ojeda. Il semblait faire partie de l'équipe des trois barmans, mais ne prenait pas les commandes et ne décapsulait pas les canettes de bière non plus. Adossé à un comptoir du fond près de la caisse, il observait la salle noire de monde et son regard s'arrêta sur Bosch, un des seuls visages blancs dans cet océan de basanés. Bosch sentit immédiatement qu'il l'avait sans doute identifié comme flic. Mais comme flic de Los Angeles, c'était peu probable, et il fallait encore que ce soit bien Ojeda.

À ce moment-là, Bosch et Soto n'étaient plus côte à côte. Ils ne pouvaient plus avancer dans la foule qu'en file indienne. Bien plus petite que Bosch, Soto avait du mal à voir par-dessus les têtes. De la musique électronique aux rythmes latins beuglait dans les haut-parleurs.

186

Des télés à écran plat accrochées en hauteur sur les murs et au-dessus du comptoir diffusaient des combats de boxe et des matchs de foot. Reconnaissable entre toutes, une puanteur de marijuana flottait dans toute la salle.

Bosch se pencha vers Soto et lui parla fort à l'oreille :

— Il est là. Derrière le comptoir. Dites-le à Childers.

Le message remontant la file indienne, lorsque la petite troupe arriva à côté du comptoir, le flic en tenue avait déjà reçu ses instructions. Il fit signe au type à côté de la caisse de venir le voir et l'informa qu'il avait besoin de lui parler dehors. Le type hésita et montra la foule à grands gestes comme pour dire qu'il ne pouvait pas le suivre vu qu'il avait des clients à servir. Le grand flic se pencha un peu plus au-dessus du bar et lui dit quelque chose de convaincant. Le type ouvrit la porte du bar et sortit de derrière le comptoir en adressant une espèce de signe de la main à l'un des barmans avant de se diriger vers la porte la plus proche. Le policier le remit dans la direction de celle par où il était entré avec Bosch et les autres, et tous retraversèrent la salle en sens inverse.

Dès qu'il fut dehors, le type qu'avait repéré Bosch passa à l'offensive en protestant contre le flic en tenue alors qu'il aurait dû savoir que ce sont toujours les messieurs en costard qui commandent.

— Pourquoi tu me harcèles, mec ? lança-t-il. J'ai un commerce à tenir, moi.

— Calmez-vous, monsieur, lui renvoya le flic. On a un problème qu'il vaudrait…

— Quel problème ? Il n'y a absolument aucun problème.

Bosch fut alors certain que c'était Ojeda et ravi de constater qu'il parlait anglais.

— Kevin, laisse-moi causer à ce monsieur, dit Childers.

Le policier recula et laissa passer Childers qui se colla sous le nez même du barman.

— Comment vous appelez-vous, monsieur ? demanda-t-il.

— Pourquoi cette question ? Pourquoi je devrais vous donner mon nom ?

— Parce qu'on a un gros problème, monsieur, et que si vous ne coopérez pas tout de suite, il va devenir encore plus gros, ce problème. Et donc, comment vous appelez-vous ?

— Francisco Bernal. D'accord ?

— Vous avez une pièce d'identité, monsieur Francisco Bernal ? Un permis de conduire ?

— Je ne conduis pas. Je vis derrière mon comptoir.

— Alors là, bravo. Une carte verte alors ? Un passeport ?

Le type regarda Soto l'air dégoûté de la voir prendre part à une pareille interpellation. Il sortit son portefeuille et y prit une feuille de papier pliée. Puis il la tendit à Childers, qui la déplia, la parcourut rapidement des yeux avant de la passer à Bosch et de s'écarter pour laisser ce dernier prendre le commandement des opérations.

Bosch examina le document, le flic de la patrouille l'y aidant en braquant sa lampe torche dessus. C'était la photographie d'une carte de résident permanent identifiant son porteur comme étant Francisco Bernal. Légalement parlant, tout détenteur d'une carte verte doit l'avoir sur lui. Mais la réalité étant que ce document est très précieux et difficile à remplacer lorsqu'il est volé ou perdu, la plupart de ceux qui en sont détenteurs le

188

rangent en lieu sûr et se promènent avec des photo-copies. Celles-ci sont généralement acceptées lors de simples contrôles de police, mais Bosch n'oubliait pas qu'il est plus facile de falsifier une photocopie que la pièce officielle.

Il l'examinait encore lorsque plusieurs clients sor-tirent du bar pour voir ce qui se passait. Childers marcha sur eux d'un air agressif et leur ordonna de rebrousser chemin en leur montrant la porte. Ils ne se le firent pas dire deux fois.

Bosch leva enfin le nez de la photocopie et regarda l'individu en qui il pensait toujours voir Angel Ojeda.

— Vous savez que c'est un délit de ne pas avoir sa vraie carte verte sur soi, n'est-ce pas ?

Le type hocha violemment la tête de frustration.

— Des conneries, oui ! s'écria-t-il.

Bosch s'approcha tout près de lui et lui montra une feuille de papier plié qu'il avait sur lui.

— Et ça, dit-il, c'est aussi des conneries ?

Le type lui prit la feuille des mains et la déplia. C'était la photocopie de son ancien permis de conduire avec sa photo dessus et Bosch vit un bref instant dans ses yeux qu'il la reconnaissait. C'était donc bien Ojeda.

— Vous venez de mentir à un officier de police, reprit Bosch. Et identité et document d'immigration, vous détenez ce qui m'a tout l'air d'être de faux papiers. Savez-vous dans quel genre d'ennuis vous venez de vous fourrer ? Allez, Kevin, dit-il en reculant, menottez-moi cet individu.

Le flic éteignit sa lampe et se mit au travail.

Chapitre 16

S'il ne voyait pas de différences entre les salles des inspecteurs, il n'en voyait pas davantage entre les salles d'interrogatoires. Elles se réduisaient toujours à des cubes violemment éclairés pour susciter l'impuissance chez ceux qui attendent d'y être questionnés. De l'impuissance naît le désir de passer des compromis et de coopérer. Ils avaient laissé Ojeda cuire dans son jus pas loin d'une heure lorsque Bosch entra dans la pièce, l'idée étant de lui permettre d'ouvrir les hostilités et, si cela ne marchait pas, de lâcher Soto pour le travailler autrement. Elle devait commencer par observer Bosch sur un écran vidéo placé dans une autre pièce.

Ojeda était assis à une petite table. À le regarder dans la lumière crue de la pièce, Bosch vit qu'il était bel homme, avec une épaisse chevelure d'un noir de jais, une peau bien lisse et la taille fine. Il y avait de la lassitude, ou de la tristesse, dans ses yeux noirs. Bosch tira une chaise en face de lui et lui jeta la prétendue photocopie de sa carte verte sur la table.

— Comment dois-je vous appeler ? Angel ou Francisco ? lui demanda-t-il.

— Appelez-moi plutôt un avocat, lui renvoya Ojeda. Je connais mes droits dans ce pays.

— Vous avez effectivement le droit d'avoir un avocat, dit Bosch en hochant la tête. Mais vous savez ce qui se passe dès que vous en amenez un ? Vous allez droit en cellule, on vous met en détention et là, y a plus de libération conditionnelle.

La douleur se lut de nouveau sur le visage d'Ojeda.

— Eh oui, reprit Bosch. On a vérifié auprès des services de l'immigration et on sait que cette photocopie est absolument bidon. Vous pouvez vous torcher le cul avec parce que c'est à peu près tout ce qu'elle vaut.

Tout cela, ou presque, n'étant que du bluff. Les chances d'obtenir une telle confirmation des services de l'immigration à presque minuit un vendredi soir à Tulsa étaient quasiment nulles. Mais Bosch était à peu près certain qu'Ojeda n'avait pas de carte verte valable au nom de Francisco Bernal. En demander une aurait entraîné une vérification d'empreintes digitales, qui aurait immédiatement révélé sa véritable identité.

— Ce qui se passe ensuite, c'est qu'après avoir séjourné environ un mois en prison, vous obtenez enfin une audience devant un juge. Sauf qu'il n'y a pas grand-chose à faire pour vous aider avec des faux papiers. Y a pas de défense possible dans ce cas-là, l'ami. Résultat, on vous renvoie à Chihuahua.

Il laissa Ojeda méditer l'info un instant avant de reprendre.

— Bref, permettez que je vous le demande : c'est vraiment comme ça que vous voulez jouer le coup ? Parce que si c'est le cas, vous hochez juste un peu la tête et je vous reconduis tout de suite en cellule. Tenez, je vous file même vingt-cinq *cents* pour que vous puissiez appeler un avocat qui ne pourra absolument rien pour vous.

Ojeda croisa les bras. On lui avait ôté ses menottes avant de l'installer dans la pièce. Manière subtile de lui faire comprendre qu'on attendait quelque chose de lui. Qu'il y avait peut-être matière à négociation. Mais la manœuvre était manifestement trop subtile, car il avait demandé à voir un avocat d'entrée de jeu.

— Il n'y a que moi qui peux vous aider, reprit Bosch.

Ojeda commença à comprendre ce qui se jouait.

— Qu'est-ce que vous voulez ? demanda-t-il.

Bosch baissa la main, décrocha son badge de son ceinturon et le posa sur la table de façon à ce qu'Ojeda puisse lire ce qu'il y avait dessus. Les bras toujours croisés, Ojeda se pencha dessus.

— L.A. ? dit-il. Pourquoi êtes-vous ici ?

— Vous le savez parfaitement, Angel.

— Non. Je ne suis pas allé à L.A. depuis…

— Orlando Merced est mort.

Ojeda le regarda. Il ne le savait pas.

— Il est mort il y a trois jours à cause de la balle qu'il avait dans la colonne vertébrale. La balle qui vous était destinée.

Ojeda se redressa vivement et fixa Bosch du regard.

— Il y a dix ans, vous nous avez menti, Angel, enchaîna Bosch. Vous nous avez menti par omission. Vous savez ce que c'est ? C'est quand on ne dit pas toute la vérité, quand on ne nous dit pas tout ce qu'on sait.

— Je ne savais rien.

— Bien sûr que si. Vous saviez tout. Vous ne nous l'avez pas dit et…

— Non !

— … et ça s'appelle faire entrave à la justice. Mais bon, ça, c'était avant. Maintenant, il s'agit de meurtre, et si vous ne nous aidez pas, c'est l'assassin que vous aidez et ça, c'est tout à fait différent. C'est ce qu'on appelle être complice après les faits. En d'autres termes, complice d'assassinat. Et là, pas question de vous renvoyer à Chihuahua après votre séjour dans une prison californienne.

— Non, non, c'est complètement fou !

— Qui vous a tiré dessus, Angel ? Qui vous a forcé à filer en Oklahoma et à changer de nom ?

Ojeda hocha la tête comme s'il ne voulait pas que les paroles de Bosch lui entrent dans les oreilles.

— Personne ne m'a obligé à faire quoi que ce soit, dit-il. Vous vous trompez. J'ai changé de nom parce que c'était mon oncle le propriétaire du bar et il voulait que je vienne et me conduise comme si j'étais son fils. Alors j'ai pris son nom, c'est tout.

Bosch tendit la main en travers de la table, reprit son badge et le raccrocha à son ceinturon. Le temps de réfléchir à la façon de poursuivre. Il songea au nom trouvé dans le registre de l'hôtel Mariachi et sut que ça lui donnerait encore un peu de temps.

— Qui est Rodolfo Martin ? demanda-t-il.

Ojeda hocha de nouveau la tête, l'air perdu.

— Je ne sais pas. Je n'ai jamais entendu ce nom.

— Il était descendu à l'hôtel en face de la plaza. C'est lui qui a tiré et vous l'avez vu. On a tout ça sur vidéo, Angel. C'est pour ça que vous avez couru. Vous avez vu le type avec son flingue et vous avez vu que c'était vous qu'il visait. Mais c'est Merced qui a pris la balle à votre place !

— Non. Je n'ai vu personne. Je…

— Qui est Ro-dol-fo-Mar-tin !

— Je-ne-sais-pas.

Bosch se calma et reprit d'un ton égal :

— Il va falloir que vous commenciez à me raconter toute l'histoire, Angel, sinon je ne vais pas pouvoir vous aider. Dites-moi ce qui s'est passé.

Pour la première fois, Ojeda se contenta de hocher la tête au lieu de la secouer violemment. Bosch sut alors que ça allait marcher. Il allait l'ouvrir. Il attendit et Ojeda finit par parler, les yeux baissés sur la table.

— Quand j'étais musicien, j'avais plein de femmes. Et top, avec ça. Des femmes, maintenant, j'en trouve au bar, mais elles ne sont pas du même genre.

Ce n'était pas ce à quoi il s'attendait, mais Bosch acquiesça. Il n'avait pas de mal à comprendre. Ojeda était un mec étonnamment beau et musicien… à l'époque, au moins. D'après une enquête en aveugle postée sur le Net et dont lui avait parlé sa fille, Bosch savait que les femmes sont plus susceptibles de donner leur numéro de téléphone à un type avec un instrument de musique qu'à un autre avec mallette.

— OK, dit-il.

— Alors, je me suis embarqué avec celle qu'il fallait pas et c'est là que tout a commencé.

Bosch s'attendait à une histoire de drogue. Pas à une histoire de femme.

— Bon, d'accord, dit-il. Parlez-moi de cette femme. Qui c'était ? Où l'aviez-vous rencontrée ?

Ojeda se gratta la nuque.

— On avait décroché un engagement. Dans une grande maison. Comme un château en haut d'une colline, où on donnait un grand repas pour quelqu'un de spécial, et il y avait beaucoup de monde. C'est là que j'ai fait sa connaissance. À la fin de la soirée, quand on a commencé à remballer nos instruments, je suis sorti fumer une clope. Et elle, elle était là et on a fumé ensemble. Et elle m'a donné un numéro de téléphone en me disant que ça serait bien que je l'appelle.

— Et vous l'avez appelée.

— Elle était belle. Oui, je l'ai appelée.

— Mariée.

Il acquiesça.

— Elle était mariée avec le propriétaire de la maison. Très puissant. Très riche. Les gens disaient que c'était le roi du béton. C'était leur maison.

— Et donc, elle est mariée avec ce roi qui a un château, mais elle veut que vous l'appeliez, dit Bosch, non pas sur le ton de la question, mais plutôt comme s'il résumait succinctement l'histoire que lui racontait Ojeda en en soulignant le caractère apparemment absurde.

— Elle m'a dit… bien plus tard… elle m'a dit qu'elle se sentait seule, mais qu'elle ne pouvait pas partir parce qu'il était dangereux. Très puissant, et c'était lui qui avait tout l'argent. Il lui avait fait signer un papier.

— Un contrat de mariage. Quand a eu lieu cet engagement qui vous l'a fait rencontrer ?

— Je ne sais pas. Je ne me rappelle plus.

— Combien de temps avant le coup de feu ?

— J'en suis pas sûr. Mais avant, oui. Évidemment.

— Vous étiez avec le nouveau groupe ? Los Reyes Jalisco ?

— Oui, avec eux.

— Bien, donc six mois avant le coup de feu ? Un mois ?

— Disons trois. Quelque chose comme ça.

— Et vous dites vous être lancé dans une aventure avec cette femme ?

Il acquiesça d'un hochement de tête.

— Combien de temps a-t-elle duré ?

— Euh, pas mal de semaines.

— Et le mari l'a découvert ?

Deuxième hochement de tête.

— Il est venu me voir chez moi et m'a menacé. Il m'a dit qu'il me tuerait si j'arrêtais pas. Si j'arrêtais pas avec sa femme.

— Et vous avez arrêté ?

Ojeda détourna le regard et fit non de la tête.

— Non. Je l'aimais beaucoup.

Cette dernière réponse sonnait faux, comme si elle faisait partie d'un système d'excuses qu'il s'était construit et entretenait depuis dix ans. C'était d'amour qu'il s'agissait, se disait-il, pas de désir charnel, pas du désir que tout homme éprouve de se payer ce qu'il y a de mieux dans les rayons. Et ce désir ayant fini par détruire la vie d'un homme, il devait y avoir une bonne raison à cela.

— Et elle ? reprit Bosch. Lui a-t-il dit d'arrêter ?

— Oui, mais on n'a pas arrêté, répondit-il en baissant la tête comme s'il reconnaissait que sa décision avait eu des conséquences fatales.

— Combien de temps s'est-il passé entre le moment où il vous a averti et celui où Merced a été touché sur la plaza ?

— Pas longtemps. Un mois ?

— Vous ne me le demandez pas. Vous me le dites. Combien de temps ?

— Un mois.

Bosch regarda Ojeda en essayant d'évaluer la véracité de tout ce qu'il lui racontait.

— Comment s'appelait-elle ?

— Maria.

— Non, son nom en entier.

— Maria Broussard. Mais elle était mexicaine. Elle s'appelait Fuentes avant de se marier.

— Et son mari ?

— Bruce.

— Bruce Broussard ? Vous êtes sûr ?

— C'est comme ça qu'elle l'appelait.

— D'accord. Et où était cette grande maison où s'est tenue la fête ? Le château…

— Dans la colline. Ça en occupait tout le côté.

— Et l'adresse ?

— Ça, je sais pas. J'y suis allé qu'une fois. Et j'étais au fond du van quand on y est montés.

— Les autres fois… quand vous vous voyiez… vous étiez ailleurs ?

— Elle trouvait des hôtels, la plupart du temps. Une fois, elle est venue chez moi.

— Quels hôtels ?

— Beaucoup d'hôtels, un peu partout. Une fois, on s'est retrouvés à l'Universal. Et à l'hôtel en ville avec les ascenseurs en verre à l'extérieur du bâtiment.

— Vous avez tout de suite su qui elle était ? Enfin, je veux dire… qu'elle était mariée et que c'était sa maison ?

Il hésita.

— Ne mentez pas, lui enjoignit Bosch. Vous me mentez une seule fois et on aura un gros problème.

— Oui, je savais.

— Et les autres musiciens du groupe, ils savaient pour vous deux ?

— Non, c'était secret. Juste elle et moi.

— Et son mari, comment l'a-t-il su ?

— Je ne sais pas.

— Elle le lui a dit ?

— Non. Je crois qu'il l'a suivie. Ou qu'il l'a fait suivre par quelqu'un.

— Qui est Rodolfo Martin ?

— Je vous ai dit la vérité. Je ne sais pas.

Bosch savait que ce nom était probablement bidon. On ne donne pas son vrai nom quand on demande une chambre d'hôtel d'où on va tirer à la carabine. Il passa à autre chose.

— Quand avez-vous parlé à Maria Broussard pour la dernière fois ?

— Il y a dix ans. Le lendemain du jour où Merced a été touché, je l'ai appelée et je lui ai dit que je savais ce qui s'était passé. Après ça, je l'ai plus jamais revue.

— Vous lui avez dit que vous saviez que la balle qui a touché Merced était pour vous ?

— Oui.

— Et qu'est-ce qu'elle a dit ?

— Elle a dit qu'elle ne me croyait pas. Elle a dit que j'étais un menteur. Alors, ç'a été fini.

Bosch n'avait pas pris de notes. Il savait que Soto les observait et en prenait, et que Childers avait enclenché une caméra.

Pour l'instant, Bosch n'avait plus qu'une question :

— Vous avez dit que la fête où vous l'avez rencontrée était donnée en l'honneur de quelqu'un de très spécial. Qui était-ce ?

— Je me rappelle pas son nom. Il se présentait au poste de maire, et au dîner, ils faisaient payer les gens pour obtenir des fonds.

Bosch resta immobile et le regarda. Il comprenait mieux les raisons qui avaient poussé Ojeda à disparaître et à changer de nom. Qu'il ait obéi à l'amour ou à un bas instinct, les choix qu'il avait faits l'avaient jeté dans les eaux troubles où la politique et le meurtre font bon ménage.

— Était-ce Armando Zeyas ? C'était lui l'invité spécial ?

— Non, répondit Ojeda en hochant la tête. Pas lui.

— Vous êtes sûr ? Vous n'avez pas oublié ce que je vous ai dit si vous mentez ?

— Oui, j'en suis sûr. Ce n'était pas lui. Je sais qui c'était. On a joué à son mariage. C'était quelqu'un d'autre qui voulait être maire. C'était un Blanc.

Un des adversaires de Zeyas. Le lien n'était pas aussi direct, mais Bosch sentit que quelque chose de trouble refaisait surface.

*

Bosch retrouva Soto à la salle de vidéo où elle avait observé l'interrogatoire. Elle était seule. Elle avait ouvert un paquet de chips acheté à un distributeur automatique. Cela lui rappela qu'il n'avait rien avalé depuis le sandwich à la poitrine de bœuf à Dallas.

— Où est Ricky ? demanda-t-il.

— Il est parti à peu près à la moitié de l'interrogatoire. Il a dit qu'il avait des trucs à faire, mais qu'il serait là si on avait besoin de lui. Joli travail !

Bosch s'empara du paquet et y plongea la main pour prendre une chips. Elle ne protesta pas.

— Merci, dit-il.

— Ricky est resté jusqu'au moment où vous avez forcé Ojeda à lâcher. Il a dit que vous étiez un « vrai *gator* » et que vous n'aviez pas besoin de lui. Qu'est-ce que ça veut dire ?

— Je ne sais pas, dit-il en haussant les épaules. Il m'a l'air un peu trop jeune pour être allé au Vietnam.

— Qu'est-ce que ça voulait dire, *gator*, au Vietnam ? Mon grand-père y est allé.

— Votre grand-père ? Très flatteur pour moi.

Elle lui arracha le paquet en faisant mine d'être agacée qu'il ne le lui ait pas rendu.

— Achetez-vous le vôtre… il y a des distributeurs dans le couloir. Mon grand-père était bien plus vieux que vous et, vous me croyez si vous voulez, c'était un marine de carrière. Alors, qu'est-ce que ça voulait dire ?

— Il y avait des types de la CIA qu'on appelait les *gators*… *interrogators* en abrégé. Mais ils avaient recours à ce qu'ils appelaient des méthodes « poussées » et divers « outils d'interrogatoire ».

— Vous voulez dire… comme des hélicoptères ? Oui, mon grand-père m'a raconté quelques histoires là-dessus.

Les souvenirs de Soto risquaient d'enclencher les siens et il n'avait pas besoin de ça à ce moment-là. Il remit la discussion sur ses rails.

— Combien de notes avez-vous prises dans la dernière partie de l'interrogatoire ?

— Aucune pour l'instant.

— Parfait, on garde ça *off the record*.

— Pourquoi ?

— Parce que c'est assez chaud et qu'il va falloir faire attention. Ne jamais ouvrir une porte quand ça brûle derrière. On s'en approche prudemment et…

Il s'arrêta net en se rendant compte de ce qu'il disait.

— Je m'excuse. Ce n'est pas la meilleure façon…

— Non, pas de problème, dit-elle. Je comprends. On n'en parle pas dans le rapport, mais… et la vidéo ? Vous ne voulez quand même pas l'effacer, si ?

— Non, on la prend, mais le capitaine n'ira pas la voir. Il se contentera de lire notre rapport, et je n'ai pas envie que la dernière partie de ce truc soit portée à sa connaissance pour le moment.

— Pigé.

— Parfait. Et ce nom, hein ? Ce Bruce Broussard. Vous avez déjà entendu parler de lui ?

Elle hocha la tête.

— Ça me dit vaguement quelque chose, mais je ne sais pas d'où. Et vous ?

— Non, rien.

— Ça m'a l'air d'un gros bonnet, ce… ce « roi du béton ». Vous croyez ce que raconte Ojeda ? Sur lui et cette femme qui tombe amoureuse de lui alors qu'elle a un mari riche…

Il réfléchit un instant et finit par acquiescer.

— Pour l'instant oui. De sa part, ç'aurait très bien pu être de l'amour. La femme ? Là, je ne sais pas encore. Mais on n'en parle à personne. On n'en dit rien dans le rapport, vous n'en parlez pas à vos amis, même à vos amis badgés. Il faut commencer par en savoir plus sur cette Maria Broussard.

— Eh bien, mais… qu'est-ce que vous allez raconter au capitaine ? Il va vouloir savoir ce que lui a rapporté son investissement parce que… nous envoyer ici…

— Je me charge des résumés et je ne dis rien de ces Broussard pour l'instant. Je saurai très bien faire en sorte qu'il ait l'impression d'en avoir eu pour son argent. Il faut qu'on essaie d'attraper le premier avion demain matin.

— Je vois ça sur le Net. Et Ojeda ?

Il dut réfléchir à la question un instant. Le laisser filer pouvait le pousser à s'enfuir à nouveau. C'était un risque qu'ils allaient devoir courir. Le maintenir en détention pour ses faux papiers d'identité et sa carte verte aurait été la meilleure façon de le retourner contre l'accusation. Il lui montra l'équipement le long du mur.

— On a la vidéo de l'interrogatoire, dit-il. On la prend et on rédige un rapport. Un rapport où il y aura toute l'histoire. On l'amène à signer le document et on le lâche dans la nature. Et on ne parle de rien de tout ça dans le livre du meurtre. Juste au cas où.

— Au cas où quoi ?

— Au cas où… On ne sait jamais.

Chapitre 17

Ce samedi matin-là, ils prirent le premier avion pour Dallas, où la compagnie aérienne les avait mis en stand-by pour les trois vols suivants à destination de Los Angeles. Ils n'avaient guère passé plus de douze heures à Tulsa et avaient dépensé en tout et pour tout moins de mille dollars d'argent municipal. Vu ce qu'ils avaient appris de la bouche d'Ojeda, Bosch pensa qu'ils avaient fait une bonne affaire.

Ils eurent de la chance à Dallas et purent prendre le premier vol pour L.A. Ils eurent encore plus de chance lorsque, informé comme le veut la routine qu'il allait y avoir deux membres des forces de l'ordre armés à son bord, le capitaine les fit passer tout en haut de la liste des voyageurs à faire monter en première classe. Ils y trouvèrent chacun un siège – malheureusement dans des rangées différentes. Bosch se sentit un rien gêné d'avoir son sac à emporter de Chez Cousin avec lui lorsqu'il se retrouva au milieu de tout ce luxe et apprit par le chef de cabine qu'un déjeuner allait leur être servi, aux frais de la compagnie. Puis il vit un soldat en tenue de camouflage qui descendait le couloir pour rejoindre l'arrière de l'avion et lui tendit son sac en lui disant que c'était le meilleur sandwich à la poitrine de bœuf qu'il avait jamais mangé. Le soldat le lui prit.

— Nous verrons ça, dit-il. C'est que je suis de Memphis, moi.

Bosch hocha la tête. Une fois, il y avait passé une semaine entière pour une affaire, et un inspecteur du lieu l'avait emmené tous les soirs dans un restau barbecue différent.

— Avec herbes et épices à sec ou en sauce ? demanda-t-il au soldat.

— À sec, monsieur.

— Le Rendez-Vous ?

— Exactement, monsieur.

Bosch acquiesça et le soldat continua son chemin. La femme derrière Bosch demanda s'il avait autre chose à donner, Bosch piquant aussitôt un fard.

Il se trouvait dans la troisième rangée de la cabine, et Soto dans la première. Le pilote s'était assuré qu'ils aient des sièges couloir de façon à pouvoir agir et se déplacer rapidement au moindre problème. Ce n'était pas la première fois que Bosch était traité ainsi. La plupart des équipages auxquels il avait eu affaire étaient toujours ravis d'avoir un policier armé près du cockpit.

Bosch profita de ce léger retard avant le décollage pour se glisser ses écouteurs-boutons dans les oreilles et écouter la musique d'un documentaire sur Frank Morgan qu'il avait téléchargée. On y trouvait un concert donné en hommage à ce saxophoniste, à la prison même de San Quentin où il avait été incarcéré pendant des années avant de faire son come-back dans le monde du jazz. L'orchestre était composé de musiciens qui le révéraient

204

ou avaient joué avec lui, la passion qu'ils lui vouaient transfigurant leur interprétation. Il se passa deux fois de suite *The Champ*, le standard de Dizzy Gillespie, son moment préféré étant celui où Delfeayo Marsalis et Mark Gross, dit « le Prêcheur », s'échangeaient quatre mesures au trombone et au saxophone.

L'avion ayant enfin décollé, il arrêta la musique et se mit au travail. Soto et lui s'étaient partagé les livres du meurtre et il avait toujours les dossiers d'enquête sur l'incendie du Bonnie Brae. Assis à côté d'une femme qui avait tout l'air d'être un jeune cadre d'Hollywood, il n'avait pas très envie d'ouvrir des classeurs contenant des photos de victimes sur les lieux du crime ou après l'autopsie. Il choisit donc de sortir la plus grosse enveloppe médias de l'un d'entre eux et se mit à lire ce que la presse avait dit de cet incendie fatal.

L'enveloppe était pleine de coupures de presse pliées et jaunies, tout aussi fragiles que l'organigramme du gang qu'il avait ouvert la veille. Les plis se déchirèrent dès qu'il les ouvrit, même très lentement et avec le plus grand soin. Cela se produisait souvent lorsqu'il reprenait de vieilles affaires, son habitude étant alors de coller les morceaux séparés sur du papier brun – il y en avait un rouleau dans la salle des inspecteurs – de façon à enrayer les effets de cette désintégration et pouvoir replier les articles.

Comme il fallait s'y attendre, l'incendie avait été plus qu'amplement couvert dans le *Los Angeles Times*. Le contenu des articles se divisait assez largement en deux parties, la première consacrée à l'incendie et à ses conséquences immédiates, la deuxième à l'enquête judiciaire, les sujets publiés sur cette dernière ne l'étant qu'à intervalles semi-réguliers, soit six mois, un an, cinq ans et dix ans plus tard. Il semblait bien que les rédacteurs en chef du journal aient loupé l'occasion d'en faire écrire un vingt ans après les faits ou qu'ils n'en aient pas vu l'intérêt. Le dernier à figurer dans l'enveloppe remontait à dix ans.

Après avoir compris ce à quoi il avait affaire, Bosch commença par le commencement. Le numéro du premier jour était presque entièrement consacré à l'incendie. Bosch en déplia une première page contenant pas moins de trois photos et l'amorce de trois articles. Dans l'encadré photos, on trouvait deux clichés plus petits montrant des habitants en train de fuir à toute allure le bâtiment envahi par la fumée et deux femmes qui, l'air complètement angoissé, s'enlaçaient dans la rue, le visage couvert de suie et de larmes. À droite de ces clichés, une photo plus importante représentait un pompier sortant de l'immeuble avec dans les bras une fillette aux membres apparemment inertes. Le pompier n'avait pas attendu d'être dehors pour entamer la réanimation cardiorespiratoire. Il lui soufflait de l'air dans la bouche alors même qu'il sortait de la bâtisse. Bosch lut la légende sous l'encadré, mais elle ne donnait ni l'identité du pompier ni celle de la fillette et ne précisait pas l'endroit où celle-ci habitait. Il examina de nouveau la photo avec attention, puis il porta son regard deux rangées plus haut dans la cabine, à l'endroit où il distinguait à peine le haut du crâne de Soto au-dessus du dossier de son siège, et se demanda si ce n'était pas elle enfant.

Il avait remarqué que depuis le jour où il avait commencé à travailler avec elle, la chance était de son côté. Rien que depuis ces dernières vingt-quatre heures consacrées à cette affaire, il avait eu plusieurs fois de la chance : en ayant droit au juge pro-flics Shirma Barthlett pour lui signer sa demande de perquisition, en tombant sur Ricky Childers lorsqu'ils étaient passés au commissariat de Tulsa et en se faisant surclasser en première sur le vol de retour. De bien des façons, il se sentait sur une belle lancée, tout à l'encontre de l'adage qui veut qu'on ne gagne pas à tous les coups. Il réfléchit au concept de chance et se demanda s'il s'agissait toujours de hasard ou au contraire de quelque chose qui s'attache à certains d'un bout à l'autre de leur existence, jusqu'à être l'individu qui réchappe à un incendie mortel et à un échange de coups de feu tout aussi mortel devant un magasin de spiritueux. « Lucky Lucy » était peut-être plus qu'un surnom. Et sa chance contagieuse.

— Ça alors ! Voilà ce qu'on appelle de vieilles nouvelles !

Il se retourna. La femme assise à côté de lui regardait la une de journal toute jaunie et craquelée qu'il avait dans les mains. Il sourit et hocha gauchement la tête.

— Faut croire, en effet, dit-il.

— Qu'est-ce que vous faites ? (Il la regarda.) Je vous demande pardon. Je suis trop curieuse. C'est juste que ça a l'air intéressant.

— Je vérifie seulement quelque chose qui s'est passé il y a longtemps.

— Cet incendie-là, dit-elle en lui montrant les photos.

— C'est ça. Mais je ne peux pas vraiment en parler. C'est personnel.

— Et ça, vous pouvez me le dire ? La fillette s'en est sortie ?

Il regarda la photo un instant avant de répondre.

— Oui, dit-il enfin. Elle a eu de la chance.

— Et comment !

Il opina du chef et, la femme se remettant à lire un scénario, il se concentra sur les articles de la première page. En haut à droite se trouvait celui rapportant l'essentiel de ce qui s'était passé, enfin… de ce qu'on en savait le jour de l'incendie. En dessous, un encadré d'une seule colonne avait pour titre : *Les garderies sauvages se multiplient.*

Bosch se dit que le but de l'article était de montrer une relation de cause à effet entre le sinistre et la mort des enfants dans la garderie installée dans les sous-sols du bâtiment. Un établissement homologué ayant sans doute été équipé de nombreuses issues de secours en cas d'incendie, les enfants auraient pu s'échapper, mais le ton de l'article semblait laisser entendre que c'étaient les enfants qui avaient eux-mêmes causé leur mort en se trouvant dans une garderie de jour illégale.

Le troisième article faisait état d'un rapport de l'inspection sanitaire et sécurité incendie où l'on trouvait d'innombrables violations des normes à respecter pendant la décennie écoulée. L'auteur s'intéressait aussi au fait que le complexe était la propriété d'une société immobilière qui en possédait plusieurs autres dans la région, tous se caractérisant par de faibles loyers et de très nombreux cas de violations des normes en matière de santé et de sécurité. Écrit avant qu'on ne découvre qu'il s'agissait d'un incendie volontaire, l'article semblait préparer le lecteur à accepter une conclusion selon laquelle l'embrasement n'aurait pas pu se déclarer s'il n'y avait pas eu violation ou ignorance volontaire de ces codes.

À l'intérieur du journal, on trouvait d'autres encadrés et deux pages de photos prises sur les lieux. Un de ces encadrés donnait la liste de tous les journalistes qui avaient couvert l'incendie. Bosch en compta vingt-deux et regretta la grande époque du journal. En 1993, le *Los Angeles Times* était important et influent, ses numéros regorgeant de pubs et d'articles écrits par certains des meilleurs journalistes dans leur spécialité. Amaigri, affaibli et sachant que l'inévitable ne pourrait être repoussé éternellement, le journal avait maintenant tout du malade après une chimio.

Bosch mit presque une heure à lire et à étudier les photos du seul cahier A. Rien de ce qu'il découvrit ne lui donna envie de changer sa méthode de travail. Un seul article s'approchait de ce qui devait finir par faire l'objet de la première enquête, celui où le rédacteur décrivait le profil du quartier et mentionnait que le gang prédominant y était celui de La Raza Pico-Union. Il reprenait une source policière anonyme selon laquelle le Bonnie Brae Building était un véritable drive-in de la drogue où, caillou et « black tar », l'héroïne en provenance du Mexique coulait à flots.

Bosch remarqua alors que Soto se levait de son siège en tenant son ordinateur ouvert. Il replia vite le journal et le glissa sous un tas d'autres coupures de presse au cas où elle n'aurait pas voulu voir ces photos.

Elle le rejoignit et découvrit les articles.

— Vous lisez tout ça ? lui demanda-t-elle.

— Oui. On ne sait jamais. Parfois, ça donne des idées. Il suffit d'une opinion, par exemple. J'ai noté les noms de gens qui y étaient ce jour-là... des reporters et des habitants. Ça vaudrait peut-être la peine de leur passer un coup de fil, histoire de voir ce dont ils se souviennent.

— D'accord.

Il lui montra son ordinateur d'un hochement de tête.

— Du nouveau ?

Elle le posa sur les articles pour qu'il puisse voir l'écran.

— Je me sers du Wi-Fi et je pense avoir retrouvé Broussard.

Bosch se tourna sur son siège afin d'empêcher tout petit coup d'œil de sa voisine, regarda l'écran et se rendit compte qu'il avait un numéro du *Los Angeles Times* en version numérique sous les yeux. L'article remontait à neuf ans et traitait de la nomination de Charles « Brouss » Broussard à la commission des Parcs et Terrains de sport par le maire nouvellement élu, Armando Zeyas. L'article était court, la commission qui supervisait les parcs de la ville ne générant que peu de nouvelles. Broussard y était présenté sous les traits d'un homme d'affaires du cru qui levait, et depuis des années, des fonds importants pour les politiciens locaux. La photo en regard du papier avait été prise le soir de l'élection et montrait Zeyas un bras autour des épaules de Broussard. Non loin de là se trouvait une femme identifiée comme étant Maria Broussard – et cette femme était nettement plus jeune que son mari.

— Joli boulot, dit Bosch sans regarder Soto.

Il inclina l'écran légèrement en arrière de façon à mieux voir la photo et étudia Broussard de près. L'homme était corpulent et portait un costume de prix. Dans les quarante ans, au moment où le cliché avait été pris. Barbe imposante et grise par endroits, comme si quelque chose avait coulé de la commissure de ses lèvres et laissé une traînée plus claire jusqu'à sa mâchoire.

Soto se pencha vers Bosch pour ne pas avoir à lui parler fort.

— Sauf que d'après Ojeda, ce n'est pas à la levée de fonds pour Zeyas qu'il a rencontré Maria.

Bosch acquiesça : il y avait quelque chose de contradictoire dans cette histoire.

— Ou bien c'est Ojeda qui ment, ou bien c'est Broussard qui a changé de camp, dit-il. C'est ça qu'il va falloir élucider.

Chapitre 18

La veille, ils avaient chacun pris leur voiture pour gagner LAX parce qu'ils ne savaient pas quand ils reviendraient et que Soto résidait au sud de l'aéroport, à Redondo Beach, alors que Bosch habitait tout à l'opposé, dans les collines au-dessus du col de Cahuenga.

Ils atterrirent à 9 h 30, se dirigèrent vers les sorties du terminal 4 en discutant de leur emploi du temps et tombèrent d'accord pour se retrouver au bureau le lendemain matin à 8 heures et y travailler jusqu'à midi. Le dimanche étant le jour sacré où sa fille rattrapait son retard de sommeil, Bosch en fut ravi. Si personne ne la dérangeait, elle dormirait jusqu'à midi avant de prendre son petit déjeuner. Il pourrait, lui, travailler quatre bonnes heures sur leurs affaires avant de la retrouver.

Ils traversèrent les voies réservées aux taxis, navettes et voitures privées, entrèrent dans le parking et se séparèrent. Bosch était tout excité. Ce petit voyage s'était révélé extrêmement profitable en termes de renseignements récoltés et d'élan pris par l'affaire. Jusqu'au vol de retour qui avait été productif : Soto avait identifié la prochaine cible de l'enquête, Charles Broussard.

Bosch descendait Century Boulevard après être sorti de l'aéroport lorsqu'il songea à quelque chose qui ne pouvait pas attendre – même jusqu'au lendemain matin. Il prit son téléphone et appela sa fille sur le fixe. Elle décrocha aussitôt.

— Qu'est-ce que tu fais ? lui demanda-t-il.

— Je viens juste de me lever.

— Des plans pour la journée ?

— Les devoirs pour l'école.

— Il fait beau aujourd'hui. Tu devrais sortir.

— Mais… tu es déjà de retour ?

— Je viens d'atterrir. Mais il faudra peut-être que je passe au bureau. Je serai à la maison avant le dîner.

— Mais papa… t'avais dit que tu rentrais dimanche !

— Non, j'ai dit peut-être. Parce que… ça ne serait pas bien de rentrer un jour plus tôt ?

— J'ai prévu de sortir avec quelqu'un ce soir parce que je croyais que tu ne serais pas là.

— Et tu l'as invité à la maison ? demanda-t-il sans pouvoir masquer son inquiétude.

— Non, lui renvoya-t-elle aussitôt. Ce que je veux dire, c'est que j'ai dit oui à ce gars parce que je ne pensais pas que tu serais là. Je l'appelle et je lui dis que j'ai changé d'avis.

— Non, écoute, ne fais pas ça. Sors ce soir. Amuse-toi bien. Qui c'est, ce type ? Comment s'appelle-t-il ?

— Tu ne le connais pas. Il s'appelle Jonathan Pace et c'est un gars des Explorers.

— C'est pas le sergent qui dirige tout ça, dis ?

Il y avait eu un scandale et il l'avait mise en garde.

— Mais non, papa, t'es dégueu ! Jonathan a dix-sept ans, exactement comme moi.

— Et il sait que ton père est flic ?

Ce n'était pas la première fois qu'elle passait sa soirée avec un garçon, mais elle ne le faisait pas souvent. Bosch avait exigé d'elle qu'elle informe tous ses prétendants qu'elle avait un père inspecteur de police et qu'il était armé. Le message était chaque fois on ne peut plus clair.

— Oui, il sait parfaitement qui tu es et ce que tu fais. Et d'ailleurs, lui aussi veut devenir inspecteur de police.

— Vraiment ? On dirait qu'il va falloir le garder, celui-là. À quelle heure pars-tu ?

— On se retrouve au Grove à 19 heures pour voir un film.

— Tout seuls tous les deux ?

— Non, il y aura d'autres Explorers.

— Des garçons et des filles ?

— Oui.

— OK, je serai rentré avant que tu partes, et tu sais quoi ?

— Non, quoi ?

— Là-bas, il y a une librairie, juste à côté des cinémas. Et si vous alliez y faire un tour aussi ?

— Papa !

Ils en étaient arrivés à un point où elle pouvait se contenter de dire « Papa ! » pour qu'il comprenne « Arrête ! ».

— Désolé, je pensais que les livres, c'était chouette.

— On est samedi soir, papa. On ne va pas aller s'asseoir dans une librairie pour lire. On veut s'amuser. Des livres, on en lit toute la semaine. Même que là, tout de suite, il faut que je lise quelque chose pour mes devoirs.

— Bon d'accord. Et ce Jonathan Pace fait partie de l'opération de mardi ?

— Oui, on y va tous.

— Parfait. Peut-être que je le verrai à ce moment-là.

— Papa ! Tu m'as promis de ne pas venir ! Ça serait vraiment gênant que mon père nous surveille comme si on était des gamins.

— D'accord, d'accord ! Message bien reçu. Je n'y serai pas si tu ne veux pas que j'y sois. Fais juste attention ce soir et mardi. Je te retrouve tout à l'heure.

Dès qu'il eut raccroché, il appela la standardiste pour avoir le numéro de la salle de rédaction du *Times*. Elle lui passa l'appel et il prit la rocade pour gagner la 405 nord en attendant que la connexion s'établisse. Selon ce que donnerait le coup de fil, ou bien il prendrait l'autoroute jusqu'au col de Sepulveda pour rejoindre Mulholland, ou bien il filerait vers le centre-ville et le PAB par la 10.

Quelqu'un décrocha, mais se contenta de lancer « Salle de rédaction » sans dire son nom.

— OK, dit Bosch. Je cherche à joindre Virginia Skinner.

— Elle n'est pas là aujourd'hui. Je peux prendre un message ?

— Vous pouvez lui en faire parvenir un ? Je n'ai pas son numéro sur moi. Il faut absolument que je lui parle aujourd'hui, et elle aussi, elle voudra me parler.

— Je peux essayer, mais je ne vous promets rien, répondit l'inconnu après un bref silence. Quel est le message ?

Bosch lui donna son nom et son numéro de téléphone, le message étant que Skinner devait le rappeler le jour même, sinon, elle raterait le sujet.

— C'est tout ?

— Oui, c'est tout, répondit Bosch, et il raccrocha.

Virginia Skinner était une des rares journalistes que le *Times* avait laissées à la salle de rédaction de l'ancien bâtiment du centre-ville. Bosch la connaissait parce que, quelque vingt ans plus tôt, alors qu'elle approchait de la trentaine, elle avait décroché un boulot au *Times* après avoir donné pratiquement dix ans de sa vie à des petits journaux locaux, et avait tout de suite été affectée aux affaires criminelles. Elle n'avait aucune envie de couvrir des histoires de crimes et de flics, mais c'était par là qu'on commençait et elle avait vite compris que meilleur on y était, plus vite on pouvait être promu au poste suivant.

Elle avait raison, et comme elle ne manquait pas de talent, deux ans plus tard, elle était détachée aux affaires de la mairie. Couvrir la politique municipale et celle de l'État de Californie était ce dont elle rêvait depuis toujours et elle y travaillait encore. Spécialiste du profilage politique, elle avait pour habitude de ramener les candidats à leur plus simple expression, quand elle ne leur ôtait pas toute chance d'être élus.

Cela étant, durant ces deux premières années, Bosch l'avait appréciée tant elle savait être juste et précise. Leurs chemins se croisant plusieurs fois pour certains articles, il lui avait parlé de temps en temps et pas une fois elle ne l'avait trahi. Ils n'avaient eu que peu de contacts les années suivantes, mais il y a toujours des moments où les histoires de police et la politique locale se rencontrent. Alors, elle l'appelait et il lui donnait ce qu'il savait – et pouvait dire. S'il n'aimait guère être la source d'une journaliste, au moins n'avait-il jamais eu la moindre raison de se méfier d'elle. Il avait certes son numéro de téléphone, mais bien caché dans un tiroir de son bureau. Il n'était pas assez fou pour l'avoir dans le répertoire de son téléphone. Si jamais celui-ci tombait entre de mauvaises mains, on saurait qu'il avait un accès direct à Virginia Skinner et cela risquerait de menacer sa carrière. La hiérarchie voyait d'un très mauvais œil les flics qui sympathisaient avec les médias – surtout si ces médias s'appelaient *Los Angeles Times*.

Tout en roulant, il essaya de se rappeler la dernière fois qu'il avait parlé à Virginia Skinner et à quel sujet. Pas moyen de s'en souvenir. Cela devait remonter à deux ou trois ans.

Elle ne l'avait toujours pas rappelé lorsqu'il lui fallut décider de quel côté filer. Il savait que sa fille était de sortie toute la soirée et qu'il pourrait changer de programme et rentrer passer un moment avec elle avant de retourner travailler au PAB. Il en débattait encore en approchant de l'entrée des voies est lorsqu'il fut sauvé par la sonnerie du téléphone. Un appel marqué « numéro privé » lui arrivait. Il décrocha et mit sur haut-parleur.

— Harry, c'est Ginny Skinner. Qu'est-ce qu'il peut y avoir de si important un samedi ?

— Merci de m'avoir rappelé. Commençons par préciser que tout cela est entre nous. Tu ne peux rien écrire là-dessus.

— Étant donné que je ne sais pas de quoi il s'agit, ça me pose un problème.

C'était le catch 22 classique avec les journalistes. Ils refusaient toujours de garder des trucs par-devers eux avant de savoir de quoi il retournait. L'ennui, c'était que dès qu'ils le savaient, ils pouvaient toujours s'écrier que garder ça pour eux était impossible. Bosch allait devoir bien peser ses mots.

— Tu sais que je me suis spécialisé dans les homicides non résolus, non ?

— Oui, et en plus il m'arrive de lire mon propre journal. Je sais que tu bosses sur l'affaire des mariachis.

Il fronça les sourcils. Il aurait préféré qu'elle ignore sur quoi il travaillait.

— J'ai toujours des tas d'affaires en route, Ginny, lui renvoya-t-il. Tu le sais bien.

— OK, parlons peu, parlons bien, Harry. Aujourd'hui, c'est samedi et il fait un temps superbe. Je vais avoir cinquante ans demain et j'ai très envie de me taper une margarita avant que ça se produise. Qu'est-ce que tu veux ?

— Non, vraiment ? Cinquante ans ? Toi ?

— Oui, vraiment, et c'est tout ce que je veux en dire. Je n'aurais même pas dû mettre ça sur le tapis. T'as besoin de quoi, Harry ?

— Eh bien, vous écrivez bien des trucs sur le financement des campagnes électorales, non ? Est-ce que vous gardez tout ce que vous avez sur les élections passées ?

— Ça dépend et de la campagne et de jusqu'où tu veux remonter en arrière. De quoi est-ce qu'on parle ?

— Ce que j'aimerais voir, c'est les listes des dons effectués pour les trois dernières élections au poste de maire.

Il se disait qu'en élargissant au maximum le filet qu'il lançait, il lui rendrait plus difficile de deviner quelle était sa véritable cible.

218

— Houlà! s'écria-t-elle. Ça fait beaucoup. On a tout
ça en numérique, mais c'est pas seulement chercher l'aiguille dans la meule de foin que tu veux, c'est toute la
meule! Il faut que tu me dises ce que tu cherches vraiment, Harry. Précisément.

Il envisagea de mettre fin à l'appel et d'attendre le
lundi suivant pour obtenir le renseignement par les voies
réglementaires. Mais le besoin urgent qu'il avait de faire
avancer les choses l'emportant, il essaya encore une
fois de faire affaire.

— Je ne peux pas être plus précis si tu n'es pas d'accord pour garder le secret. Pour l'instant. Tu seras évidemment la première avertie si ça menait à quelque chose.

— Et c'est politique? Moi, c'est les affaires politiques que je couvre, pas les crimes.

Il se retrouva pris dans un ralentissement sur les huit
voies de l'autoroute juste avant la bifurcation est-ouest
de la 110. Il se demanda s'il y avait un événement au
Convention Center : il était trop tôt pour un match ou
un concert au Staples Center.

— C'est les deux, dit-il.

— Un crime avec de la politique? Ça donne toujours de bons sujets. Bon, d'accord, j'abandonne. Ça
reste entre nous, promis. Je ne fais rien avant d'avoir
ton feu vert.

Il en fut presque satisfait.

— Tu n'en parles même pas à ton rédac chef,
précisa-t-il. Tu n'en parles à personne.

— Mon rédac chef, je ne lui fais pas confiance. Il
en parlerait à tout le monde à la réunion éditoriale et
ferait comme si le sujet était à lui. Je n'en parle à personne, c'est d'accord.

219

Il marqua une pause. Il était arrivé au point de non-retour. Il pensait pouvoir faire confiance à Skinner, mais les couloirs du PAB étaient jonchés de carcasses de flics qui avaient cru pouvoir faire confiance à tel ou tel autre journaliste.

Il entra lentement dans la 110. Sa sortie se trouvait à moins d'un kilomètre et demi, mais dans cet embouteillage complet, il pourrait très bien n'y arriver qu'un quart d'heure plus tard.

— Harry ? Toujours là ?

— Oui, oui. Bon alors, voilà ce que je veux. Connais-tu un certain Broussard ?

— Bien sûr que oui. On l'appelle souvent « Brouss », comme le prénom Bruce. C'est un financier. Il a une société qui pose des barrières en béton sur les autoroutes quand il y a des travaux, et des travaux, il y en a tout le temps. Pourquoi t'intéresse-t-il ?

— Le connais-tu personnellement ?

— Non, mais il n'est pas impossible que je lui aie parlé une ou deux fois pour avoir son opinion sur ceci ou cela. Il était comme cul et chemise avec Zeyas pendant son mandat. À mon avis, maintenant il est grillé à la mairie parce qu'il a parié sur le mauvais cheval à la dernière élection. Ah, ça y est… enfin je comprends. Broussard était proche de Zeyas et Zeyas proche du mariachi qui s'est fait tirer dessus. J'ai écrit des trucs sur lui pendant la première campagne. On m'avait mise sur Zeyas, tu te rappelles ?

— Écoute… N'en tire pas de conclusions trop hâtives. On pourrait se voir tout de suite ? J'aimerais savoir à qui Broussard a donné de l'argent pendant quelques-unes des dernières campagnes. Et je veux en savoir plus sur lui. Tout ce que tu pourrais avoir sur le bonhomme.

— Tout de suite ? On ne pourrait pas faire ça lundi ?

— Si j'attends jusque-là, je n'aurai plus besoin de toi, Ginny. Tous ces trucs, je pourrai les trouver tout seul.

Ce fut à son tour de marquer une pause.

— Allez, quoi ! la pressa-t-il. Tu me fais ça et je te paie une margarita pour fêter le dernier jour de tes quarante-neuf ans. Il doit bien y avoir un endroit où ils en font de bonnes dans le Pueblo.

— C'est tentant, finit-elle par concéder. Bon, d'accord. Je te retrouve à l'entrée de Spring Street à 13 heures.

Il consulta sa montre. C'était dans moins de deux heures.

— J'y serai, dit-il.

Chapitre 19

L'immeuble du *Times* se trouvait en face du PAB, juste de l'autre côté de Spring Street. Les deux bâtiments étaient si proches qu'il avait un jour eu un superviseur qui tirait les jalousies de son bureau, certain que des journalistes le surveillaient depuis la salle de rédaction. Il se gara au sous-sol, mais ne monta pas à son bureau, préférant se faire un peu d'exercice en descendant la 1re Rue à pied jusqu'à Mariachi Plaza. Il n'avait aucune intention d'y chercher quoi que ce soit, mais il avait toujours plaisir à retourner sur la scène de crime lorsqu'il menait une enquête. Il y avait souvent des nuances et des petits détails qu'on pouvait découvrir, même bien des années après les faits. Sans parler des fantômes qu'on devinait, comme la présence de ceux et celles qui avaient été assassinés. Que d'autres la ressentent ou pas, lui en était toujours conscient.

Comparé à ce qu'il avait éprouvé en sortant du terminal proche de la côte un peu fraîche du Pacifique, le temps était d'une douceur idéale en centre-ville. Descendre la 1re Rue et traverser Little Tokyo fut des plus agréables tandis que le soleil lui réchauffait les épaules. Il traversait le pont lorsqu'il remarqua une gerbe de fleurs attachée à l'un des lampadaires au milieu du tablier, un cœur en carton y étant barré de l'inscription *RIP Vanessa*. Sans savoir pourquoi, il sortit son portable et prit une photo de ce triste petit hommage à la mémoire d'une femme, ou plus vraisemblablement d'une jeune fille qui avait sauté pour mourir. Il était évident que les caméras montées en hauteur sur le pont n'empêchaient personne de le faire.

Il gagna la rambarde, se pencha par-dessus pour regarder en bas et se demanda si Vanessa avait regretté sa décision pendant les dernières secondes de sa chute.

Il consulta sa montre, se remit en route et arriva à Mariachi Plaza quelques rues plus loin. Samedi : la petite place triangulaire était pleine de musiciens, d'habitants du coin et de gens qui vendaient des fleurs et de quoi manger. Soudain, il se rendit compte que l'endroit devait être tout aussi animé le jour où Orlando Merced avait été touché. Et que le tireur avait dû le prévoir. Il y avait plus de chances de passer inaperçu un samedi, plus de chances que la panique soit forte et que tout le monde se sauve dans tous les sens. Le tueur avait-il intégré tout cela dans son plan ?

Il traversa la 1re Rue et avança dans la foule. Deux des groupes, au moins, s'étaient mis à jouer, mais cela n'avait pas l'air d'un duel. On aurait plutôt dit qu'ils s'échauffaient pour les engagements qu'ils espéraient décrocher dans l'après-midi et la soirée.

Il vit que la porte de la librairie était ouverte et qu'il y avait foule dans le magasin. Il lut la banderole près de la porte :

Los Angeles est comme votre cerveau :
On ne s'en sert qu'à vingt pour cent.
Imaginez un peu si on s'en servait à fond !

Il se dirigea vers l'entrée du métro. Sa petite promenade avait pris plus longtemps que prévu et il ne voulait pas être en retard pour son rendez-vous avec Skinner. Il avait décidé d'emprunter la Gold Line pour retraverser le pont. Il descendrait à la station Little Tokyo et ferait le reste à pied. Ça lui économiserait un quart d'heure.

Mais alors qu'il approchait de l'escalier mécanique, quelqu'un l'appela dans son dos. Il se retourna, c'était Lucy.

— Qu'est-ce que vous faites ici ? lui demanda-t-il.

— J'allais vous poser la même question.

Il haussa les épaules et inventa un mensonge. Il ne voulait pas lui dire qu'il allait parler de Broussard avec une journaliste. Pas tout de suite.

— J'avais envie de voir la scène un samedi, dit-elle. Vous savez bien… le même jour que l'incident. Je voulais m'en imprégner. Écouter.

— Comme moi.

Il acquiesça d'un signe de tête : il venait de comprendre qu'elle ferait une bonne inspectrice.

— Vous alliez au métro ? reprit-elle.

— Oui. Je me suis garé au PAB et suis venu à pied. Le métro me mènera à la moitié du trajet, à peu près.

— Ne me dites pas qu'Harry Bosch a un Transit Access Pass[1] sur lui !

—————
1. Carte de voyage rechargeable.

Le ton était sarcastique. Elle lui faisait sentir à quel point il était vieux jeu et têtu dans ses façons de faire. Le métro était assez récent dans l'évolution de la ville et les vieux conducteurs de Los Angeles avaient du mal à y recourir.

— En fait, si, dit-il. On ne sait jamais quand ça peut servir.

— Et si je vous emmenais en voiture, tout bêtement ? Je suis garée là-bas, dit-elle en lui montrant la file de vans des musiciens.

Tous avaient le nom et le numéro de téléphone du groupe peints sur les portières. Au bout de la file, il découvrit un cabriolet décapotable rouge.

— Ce n'est pas une mauvaise idée, je crois, dit-il.

La voiture était petite et basse. Il dut se tourner et se baisser lentement pour y entrer.

— J'ai l'impression d'être assis dans une espèce de kayak, dit-il.

— Oh, allez ! C'est génial. Je vous parie que votre fille adorerait en avoir une.

— Il n'en est pas question. Il faut un arceau de sécurité pour ces machins-là.

— Ne bougez plus et nous y serons en cinq minutes.

— Comme si on pouvait bouger dans ce truc !

Elle l'expédia au fond de son siège avec la tête collée à l'appuie-tête en déboîtant du trottoir. Elle attrapa le feu vert au croisement de Boyle Avenue et s'envola par-dessus la montée du pont. Bosch était à deux doigts de sourire, mais parvint à se contenir.

— En fait, vous ne m'avez jamais vraiment dit quoi que ce soit sur l'incendie du Bonnie Brae ! lui cria-t-elle.

Il se tourna vers elle. Elle avait les yeux cachés par des lunettes de soleil avec coupe-vent sur les côtés.

— C'est parce que je n'ai pas fini de lire le dossier! lui cria-t-il en retour. J'ai commencé par les coupures de presse dans l'avion, mais il m'en reste encore des tas à lire.

— Très bien, dit-elle. Dès que vous serez prêt...

Ils eurent droit au feu rouge d'Alameda Street, Bosch n'ayant alors plus à crier dès que la voiture s'arrêta.

— Rien ne garantit qu'il y aura de quoi faire là-dedans, enchaîna-t-il. J'ai parlé d'aller rendre visite à quelques-uns de ces gars en prison pour voir si la taule les avait radoucis, mais c'est loin d'être gagné. Ils savent bien que s'il y a même seulement vent d'un soupçon de coopération avec les flics, ils pourraient finir morts dans la cour. Ça ne va pas être facile de trouver quelqu'un qui soit prêt à prendre ce risque.

— Je sais, dit-elle, un rien de défaite dans la voix.

— On verra.

Ils firent le reste du trajet en silence et, deux minutes plus tard, ils prenaient à gauche dans Spring Street et se garaient le long du trottoir, à côté du PAB. Elle ne savait pas qu'elle le déposait bien plus près de sa destination, à savoir le *Times*, qu'elle ne le pensait. Il sortit précautionneusement du véhicule.

— Merci de m'avoir ramené, dit-il. Vous rentrez chez vous?

— Oui, je rentre chez moi, répondit-elle avec un petit sourire.

— Alors, à demain.

— C'est ça. À demain.

226

Et elle démarra. Il la regarda jusqu'à ce qu'elle tourne quelques rues plus loin, et traversa Spring Street pour gagner le trottoir qui longeait le bâtiment du *Times*.

Il y avait une entrée au croisement de Spring Street et de la 2e Rue. Il la prit et découvrit une antichambre où Virginia Skinner se tenait debout en tapant un message dans son portable. Elle avait changé depuis la dernière fois qu'il l'avait vue au moins deux ans plus tôt. C'étaient ses cheveux et ses lunettes. Les deux étaient différents, mais lui allaient mieux.

— Ginny, lança-t-il.

— Harry, dit-elle en levant la tête et en lui souriant.

— Désolé de t'avoir fait attendre.

— Pas du tout. Tu es pile à l'heure. Ton coup de fil m'intrigue tellement que je suis venue tôt pour sortir des dossiers et être ici dès que possible. Tu veux monter ?

— Bien sûr.

Cela dit, il était un peu nerveux. Qu'il ait passé des années à traiter avec des journalistes du *Times* n'empêchait pas qu'il ne soit jamais monté à la salle de rédaction. Un accord permettait aux employés du PAB d'entrer dans le bâtiment pour aller à la cafétéria du premier étage – il suffisait qu'ils montrent une pièce d'identité. Bosch en profitait souvent, le PAB ne disposant que de distributeurs de sandwiches, mais la salle de rédaction, c'était du nouveau, et menaçant. Il fut heureux que ce soit samedi et qu'aussi bien le PAB que le journal soient en manque de personnel. Moins il y aurait de gens pour le voir franchir la ligne jaune, mieux ça vaudrait.

Sise au deuxième étage, la salle de rédaction était presque aussi vaste que la salle des inspecteurs. Et tout aussi vide. Skinner le conduisit jusqu'à son box, qui ressemblait beaucoup au sien. Il jeta un coup d'œil autour de lui et vit que les bureaux s'ornaient du même genre de décorations, que les noms des gens qui les occupaient étaient écrits au dos des sièges et qu'on y découvrait les mêmes piles de dossiers et de paperasse.

— Quoi? lui lança-t-elle.

— Rien. C'est juste que je ne suis jamais monté ici.

— Ça n'est quand même qu'une salle de rédaction. Et en gros, une ville fantôme. Tire le fauteuil du bureau là-bas. Personne n'y travaille plus.

C'était à l'état général de la presse qu'elle faisait allusion, et plus particulièrement à celui du *Times*. Il avait entendu dire que la moitié de la salle de rédaction, ou pas loin, était maintenant vide alors que le journal faisait tout ce qu'il pouvait pour s'adapter à une diffusion en chute libre et au fait que les lecteurs émigraient vers le Net.

Il tira le fauteuil à lui et s'assit à côté de Skinner qui alignait déjà des chiffres sur l'écran de son ordinateur.

— Tu m'as dit être intéressé par les trois dernières campagnes électorales. Où veux-tu commencer?

— Partons de la première.

— C'est bien ce que je me disais, et c'est ce que je viens de te sortir. Tu t'intéresses plus précisément à Charles Broussard et l'on voit bien ici que côté dons personnels, dons aux sociétés et dons en nature, il étalait ses risques.

Il se pencha vers l'écran de l'ordinateur, mais ce qu'il y découvrit n'avait pas vraiment grand sens à ses yeux.

— Comment ça? demanda-t-il.

228

— Il a mis le maximum autorisé sur deux candidats. Zeyas, qui a fini par gagner, et Roger Inglin, qui a été éliminé avant le deuxième tour.

Roger Inglin. Le nom lui disait quelque chose. Ancien conseiller municipal, il faisait campagne pour tous les postes locaux. Originaire de Woodland Hills, il avait eu l'énorme soutien de la Valley lorsqu'il s'était lancé.

— De quel genre de « dons en nature » parlons-nous ? demanda-t-il.

— Pour ça, il faudra sortir les archives lundi. Mais en général, cela signifie que le donateur a sponsorisé un événement qui a permis de lever des fonds pour le candidat.

— Comme un dîner.

— Exactement. Broussard fournit le lieu, le personnel et la nourriture, et tout cela est comptabilisé comme un don. On arrive à le voir dans les chiffres. Tiens, ici… Broussard a fait un don en nature à Inglin le 12 janvier 2004. Il n'y a qu'à regarder les autres donateurs et le même jour on voit des myriades de dons de deux cent cinquante dollars par personne. C'est donc manifestement un dîner pour Inglin qui a coûté deux cent cinquante dollars à chacun des participants.

Bosch sortit son carnet et y inscrivit la date. Il pensait que c'était celle à laquelle les Los Reyes Jalisco avaient joué pour lever des fonds chez les Broussard, celle aussi où Angel Ojeda avait fait la connaissance de Maria Broussard. Que cela lui soit confirmé et l'authenticité des propos d'Ojeda en serait grandement renforcée. Ce qui serait important si jamais Soto et Bosch devaient aller voir le district attorney pour lui demander d'inculper quelqu'un.

— Parfait, dit-il. Bon alors, quand Broussard a-t-il donné de l'argent à Zeyas ?

Skinner fit défiler l'écran.

— Après. Sa première donation remonte à mai, juste avant le premier scrutin, dit-elle en faisant courir son doigt en travers de l'écran.

Il se pencha de nouveau pour voir et porta les date et montant dans son carnet.

— Maximum autorisé ? demanda-t-il.

— Jusqu'à ce moment-là, oui. Il ne pouvait pas faire plus.

Bosch se redressa et regarda ses notes. C'était le 10 avril, à savoir entre le moment où Broussard avait tout misé sur Inglin en janvier et celui où il avait fait de même pour Zeyas en mai, qu'Orlando Merced s'était fait tirer dessus. Broussard étalait-il vraiment ses risques en soutenant également deux candidats ou avait-il changé de cheval en passant d'Inglin à Zeyas ? Et si oui, pourquoi ?

— Autre chose, Harry ? demanda-t-elle.

— Que s'est-il passé à l'élection suivante ?

Skinner se remit au travail et lui sortit les chiffres de la campagne 2008. Elle entra une recherche sur les dons de Broussard, puis étudia les résultats un instant avant de reprendre la parole.

— Il était encore avec Zeyas, dit-elle. Et il a mis encore une fois le maximum autorisé.

— A-t-il étalé ses risques ?

— Tu veux dire : « A-t-il donné de l'argent à d'autres candidats ? »

Il acquiesça. Elle examina soigneusement les graphiques avant d'en tirer sa conclusion.

— Il a donné de l'argent dans des tas d'autres campagnes. Parfois à deux concurrents. Mais pour Zeyas, il n'a jamais joué sur deux types à la fois après cette première campagne pour le poste de maire. Il n'a misé que sur lui.

— Bien. Mais aujourd'hui, c'est le poste de gouverneur qu'il vise. A-t-il commencé à accepter des dons ? Y a-t-il moyen de savoir si Broussard le soutient toujours ?

— Tout ça se passant au niveau de l'État, ça va prendre un peu plus de…

Elle fit monter un nouveau tableau de chiffres à l'écran et les étudia.

— Oui, dit-elle enfin. C'est toujours un de ses grands donateurs… il a effectivement contribué à sa campagne exploratoire…

Bosch acquiesça et prit encore quelques notes.

— Autre chose ? lui demanda Skinner.

— Non, je crois que ça ira. Un grand merci à toi.

— Tu me dois une margarita. Mais tu me dis de quoi il retourne et je suis prête à échanger.

Il resta un instant sans rien dire et réfléchit à la manière de lui répondre. Il devait absolument lui donner quelque chose parce que, s'il ne le faisait pas, elle risquait fort de se mettre à chercher de son côté, le désastre étant que Charles Broussard s'en aperçoive.

— Écoute-moi, dit-il enfin. Donne-moi une journée pour étudier ce que tu viens de me donner et je reviens vers toi. Je n'ai aucune envie que tu t'en ailles faire des trucs de ton côté. Ça pourrait être dangereux.

Elle se retint de sourire.

— Alors là, tu m'intéresses, et sérieusement, Harry. Il faut que tu me donnes quelque chose. S'il te plaît, s'il te plaît !

— Écoute, je ne peux vraiment pas. Tu m'as beaucoup aidé et je te suis redevable, mais il faut que je vérifie deux ou trois trucs d'abord. Qu'est-ce que tu fais demain ? Je pourrais… oh, laisse tomber. C'est ton anniversaire, j'avais oublié.

— Demain, je ne fais absolument rien. Tu crois donc que j'ai envie qu'on sache que j'ai cinquante ans ? Dans ce métier, c'est inviter les gens à me licencier. Je n'aurais même pas dû te le dire.

Ce fut à son tour de retenir un sourire. Il venait de s'apercevoir qu'elle l'attirait. Elle était toute boulot boulot et cela lui plaisait.

— Bon, que je te dise, reprit-il. Demain soir on dîne ensemble et je ne dirai même pas que c'est ton anniversaire. À ce moment-là, je pense pouvoir continuer cette petite conversation… à condition que tu gardes toujours ça pour toi.

Elle le regarda d'un air soupçonneux.

— Le dîner, l'anniversaire, et je garde tout ça pour moi ?

— Tout, exactement. Mais il faut faire ça tôt. J'ai une fille et elle travaille jusque vers 20 h 30. On dit vers 18 h 30, 19 heures ? Marché conclu ?

Elle n'hésita pas :

— Marché conclu.

Chapitre 20

Ce samedi soir-là, Bosch emporta tous les dossiers de l'affaire Bonnie Brae chez lui. Il avait décidé que les progrès déjà effectués dans le dossier Merced exigeaient qu'il lui porte toute son attention. Il n'était plus question de sauter d'une enquête à une autre. Il allait terminer tous les classeurs consacrés à l'incendie volontaire et, le lendemain matin, il dirait ce qu'il en pensait à Soto avant de passer à Merced et de se concentrer sur Charles Broussard. La direction générale étant maintenant claire, c'était l'affaire Merced qui l'exigeait.

Avant de se mettre au travail, il dit au revoir à sa fille qui partait à son rendez-vous et lui fit savoir qu'il aurait préféré faire la connaissance du jeune homme qu'elle allait retrouver au centre commercial de Grove. Elle lui renvoya que c'était comme ça que ça se passait maintenant et lui rappela qu'elle ne serait pas seule avec lui, mais avec plusieurs Explorers de la division d'Hollywood qui devaient dîner ensemble avant d'aller au cinéma. Cela l'apaisa un peu, mais il ne la laissa pas franchir la porte sans la serrer dans ses bras et lui faire promettre un flux constant de textos pour savoir où elle en était… sauf pendant le film, un truc de science-fiction avec Matthew McConaughey dans le rôle principal.

Dès qu'elle fut partie, il attaqua. Il se fit un sandwich beurre de cacahuète-gelée, empila les dossiers de l'affaire Bonnie Brae sur la table de la salle de séjour et mit un disque de Ron Carter qu'il n'avait pas écouté depuis un moment. Comme il s'intitulait *Dear Miles*, il se dit que cet enregistrement de Carter de 2007 devait lui avoir été inspiré par le temps qu'il avait passé dans le groupe de Miles Davis dans les années 60. Mais il ne le choisit ni pour ce qui était à son origine ni pour les standards de Miles qu'il contenait. Ce qu'il cherchait, c'était un rythme, et la ligne de contrebasse plus que vigoureuse d'un Ron Carter entraînant tout son quartet lui en impulserait sûrement un. Il fallait qu'il termine tout ce qu'il y avait sur l'affaire Bonnie Brae dans la nuit pour pouvoir repartir sur le dossier Merced avec un élan indéniable. Et Ron Carter l'y aiderait.

Il reprit tout à l'endroit où il en était resté. Il ressortit la pile de coupures de journaux, mais cette fois, sans être coincé par l'étroitesse d'un siège d'avion, il les étala en travers de la grande table en espérant que toutes ces photos et manchettes déclenchent quelque chose dans sa tête. Que cela lui donne une idée, ou qu'il repère un détail qu'il aurait raté dans une photo, ou un mot dans le titre d'un article qui soudain lui fasse découvrir un lien jamais remarqué.

Il en était toujours aux articles du premier jour, ceux de la section A du *Times*. La piste *Seven Steps to Heaven* l'aidant à trouver son rythme, la moitié de son sandwich disparut sans tarder et il se retrouva vite à lire les articles, toujours du premier jour, mais dans la section B. Ils traitaient de l'élément humain de la tragé-die. Assez courts, ils décrivaient les petites victimes de l'incendie, un autre nettement plus important faisant le portrait d'Esther « Esi » Gonzalez, l'assistante mater-nelle de la garderie qui avait trouvé la mort en essayant de protéger les enfants de la fumée et des flammes. Une photo prise un an avant le sinistre la montrait en train de serrer un gamin du centre dans ses bras. L'article qui l'accompagnait semblait aller à l'encontre de celui de la première page qui condamnait la prolifération des gar-deries sauvages dans toute la ville : Esther Gonzalez y était décrite comme une femme en qui l'on pouvait avoir confiance et qui s'était sacrifiée en essayant de sauver les enfants dont elle avait la charge. Bosch se dit que les auteurs de ces deux articles n'avaient pas dû com-parer leurs notes. L'un s'étendait sur une faille tragique du système alors que l'autre décrivait une héroïne qui avait émergé de ce même système. Il se demanda si ce n'était pas la façon dont le journal avait tenté de cou-vrir l'affaire d'une manière équilibrée.

L'article se poursuivait sur la page suivante, mais il fut incapable de le trouver dans ce qu'il restait des coupures en voie de désintégration. Puis il tourna la première page de la section B et tomba dessus. Il s'ins-crivait exactement dans la coupure.

Il termina sa lecture et en fut plus que jamais décidé à résoudre l'affaire. La mort de tous ces enfants était certes une terrible tragédie, mais c'est le portrait com-plet d'Esi Gonzalez qui lui en avait fait sentir toute l'horreur.

Il retourna encore une fois la coupure de presse pour étudier sa photo et relire l'article. C'est alors un autre article qui attira son attention. Il n'avait rien à voir avec l'affaire et se résumait à une série de brèves sur des faits divers. Le premier disait ceci :

DES BANDITS ARMÉS ATTAQUENT UNE SOCIÉTÉ
D'ENCAISSEMENT DE CHÈQUES DU CENTRE-VILLE

D'après la police de Los Angeles, deux hommes masqués et lourdement armés ont fait irruption ce vendredi dans les locaux d'une société d'encaissement de chèques de Wilshire Boulevard et en ont brutalisé les employés avant de s'enfuir avec les réserves d'argent liquide de l'établissement.

Ce braquage particulièrement audacieux s'est déroulé à l'EZBank sise au croisement très animé des boulevards Wilshire et Burlington. L'inspecteur Augustus Braley nous a déclaré que les voleurs sont arrivés à 10 h 30 dans une commerciale foncée. Les deux individus en ont laissé les portières ouvertes avant de pénétrer dans les locaux de la société.

Toujours d'après l'inspecteur Braley de la Major Crimes Unit, ils portaient des masques de ski et ont tiré sur les caméras de surveillance afin de les mettre hors service. Les témoins affirment qu'ils étaient équipés de fusils d'assaut AR-15 et ont agi si rapidement qu'ils ont surpris un garde posté dans l'entrée de l'établissement. L'un deux l'a frappé plusieurs fois à coups de crosse jusqu'à ce qu'il s'écroule sur le sol. L'autre a alors pointé une arme sur sa tête et menacé de le tuer si les autres employés n'ouvraient pas une porte blindée en acier donnant accès au comptoir en verre à l'épreuve des balles. Une fois

derrière ce comptoir, les bandits ont obligé deux
employés à leur ouvrir un coffre et trois tiroirs rem-
plis de liquide pour un montant inconnu à ce jour.
    L'inspecteur Braley déclare encore que les
employés ont activé une alarme silencieuse au
moment où les bandits entraient dans l'établisse-
ment, mais que le hold-up a été si rapide que les
suspects avaient déjà disparu lorsque la police est
arrivée sur les lieux.
    Les enquêteurs cherchent des liens possibles avec
d'autres vols commis à Los Angeles ces derniers
mois. Deux hommes brandissant des armes simi-
laires et eux aussi porteurs de masques de ski ont en
effet attaqué un autre établissement d'encaissement
de chèques de la Paramount il y a six semaines. Mais
l'inspecteur Braley se refuse à dire que ce braquage
aurait un lien avec celui de vendredi.
    Le garde, dont l'identité n'a pas été révélée par
la police, a été soigné sur place par des infirmiers.

                        Joel Bremmer, Los Angeles Times

Bosch relut l'article et se rendit compte que l'appel
aux pompiers et le hold-up avaient eu lieu à quinze
minutes d'intervalle ce même vendredi 1er octobre 1993.
    — La fête des mères, dit-il à haute voix.
Il se leva et gagna un véritable mur d'étagères dans
la salle de séjour. C'était là qu'il conservait l'essentiel
de ses disques et CD et quelques-uns des DVD que sa
fille avait acquis au fil des ans. Mais il s'y trouvait aussi
un antique guide Thomas Brothers de Los Angeles qui
avait dû faire dans les trois cent mille kilomètres à bord

de toutes ses voitures. Il en avait maintenant une version récemment mise à jour dans la sienne, mais il se fiait aussi à ses collègues pour qu'ils lui donnent des itinéraires GPS quand il en avait besoin.

Il apporta le guide à la table et en feuilleta les pages jusqu'à ce qu'il trouve la carte du quartier de Pico-Union avec le début de Wilshire Corridor qui conduit droit au Pacifique. À l'aide d'un crayon, il cocha l'endroit où avait eu lieu l'incendie, à savoir entre les 7e et 8e Rues, et celui du hold-up de l'EZBank, au croisement des boulevards Wilshire et Burlington. Comme il le suspectait, ces lieux étaient proches. Le braquage s'était déroulé deux rues au nord et une à l'ouest du Bonnie Brae Arms. Il n'aurait même pas fallu deux minutes de voiture pour passer de l'un à l'autre.

Il se renversa en arrière et étudia la carte en réfléchissant à diverses possibilités. L'expression « fête des mères » était un terme d'argot désignant le jour où les chèques de l'aide sociale atterrissaient dans les boîtes aux lettres, en général le premier du mois. Cette appellation venait du fait que les petits voyous des rues venaient souvent voir leurs mamans le jour où elles les recevaient.

Argot des rues mis à part, Bosch savait que les établissements du genre de l'EZBank remplissaient leurs coffres forts et leurs tiroirs-caisses de liquide pour pouvoir gérer le surcroît d'encaissement de chèques aux alentours de cette date. L'article du *Times* ne donnait pas le montant des sommes dérobées lors de l'attaque, mais il savait que si c'était bien la Major Crimes Unit qui avait pris l'affaire en main, elles se chiffraient en millions de dollars.

238

Il avait entendu parler de Gus Braley à l'époque, mais n'avait jamais travaillé avec lui. L'unité n'existait même plus et il était à peu près sûr que Braley avait pris sa retraite avant le début du siècle.

Il baissa la musique, sortit son téléphone et fit défiler ses contacts. Il ne connaissait qu'un Rick Jackson – maintenant à la retraite – à avoir travaillé aux Major Crimes de l'époque. Il avait encore son numéro et espéra qu'il n'en avait pas changé. Il savait que beaucoup de flics le faisaient quand ils rendaient leur tablier. Il appela, et Jackson décrocha à la deuxième sonnerie :

— Rick à l'appareil.

— Harry Bosch. Vous vous souvenez de moi ?

Jackson se mit à rire.

— Quoi de neuf, frangin ? lui demanda-t-il.

Ce fut au tour de Bosch de rire.

— Quand as-tu pris ta retraite ? Dans les années 90 ? Si je lâchais un truc pareil devant ma coéquipière, elle croirait que je sors d'une machine à remonter le temps.

— Géniales qu'elles étaient, les années 90, Harry. Qu'est-ce que tu fabriques ?

— Qu'est-ce que je fabrique ? Je travaille un samedi soir, et je me demandais si tu connaissais Gus Braley ?

— Bien sûr. Gus… un vrai fils de pute. Un dur à cuire.

— Toujours vivant ?

— Oh que oui ! Je fais partie d'un club d'inspecteurs à la retraite et on déjeune tous ensemble une fois par mois. Je n'y vais pas tout le temps, mais je l'y ai vu. Je crois qu'il habite à Palm Springs. Qu'est-ce que tu lui veux ?

— J'épluche un de ses anciens dossiers et j'aimerais lui poser quelques questions. T'as un numéro qui marcherait encore?

— Oui, attends un peu. Il faut que je cherche dans mes contacts. Je te le lis à haute voix et on reprend la conversation. Ça te va?

— Ça me va. Elle est où, l'époque du Rolodex?

— M'en parle pas!

Bosch attendit que Jackson cherche dans ses contacts et lui lise le numéro. Il le nota dans une marge de la page Pico-Union.

— C'est fait? demanda Jackson en rapprochant le portable de sa bouche.

— Je l'ai noté, oui. Merci. Et alors, ces balles, comment tu les frappes?

Bosch n'y connaissait pas grand-chose en matière de golf, mais cette question-là, il savait qu'on la posait souvent.

— Pas mal. Je joue beaucoup et pratiquer permet d'atteindre la perfection, enfin… presque. Je n'ai plus qu'un handicap à un chiffre.

Bosch n'avait aucune idée de ce que ça pouvait bien vouloir dire et ne sut quoi lui répondre.

— Et nous? On te manque? demanda-t-il en changeant complètement de sujet. Le boulot?

— Pas encore. Et je ne pense pas que ça m'arrive. Combien de temps il te reste à tirer, Harry?

— Je ne sais pas. Un peu moins d'un an, je crois. J'essaie de ne pas y penser.

— Tu devrais te mettre au golf, mec. Je t'y emmènerai un jour.

— Le golf… c'est ça. Je te dirai.

Il ne s'y voyait pas, surtout avec le short que portaient les golfeurs. Des shorts, il n'en avait même pas.

— Tu sais qu'on a pris contact avec ton pote, Ricky Childers, à Tulsa, dit-il en changeant à nouveau complètement de sujet. Un bon mec, ce type, il t'envoie ses amitiés.

— Le guide du flic ! s'écria Jackson. Il sert à quelque chose ! Vous vous êtes payé une part de tarte quand vous y étiez ?

— Non, pas eu le temps.

— Bon d'accord, mais que je te dise : ce bouquin, ils devraient le vendre à un éditeur. Mais surtout ne m'oublie pas pour les royalties !

— T'inquiète pas. T'auras ta part du gâteau !

Ils rirent tous les deux. Puis Bosch le remercia et promit de rester en contact. Il raccrocha et composa aussitôt le numéro que Jackson venait de lui donner.

Braley ne répondit pas et l'appel fila sur la messagerie. Bosch laissa son nom et son numéro et dit qu'il avait besoin de lui parler d'une affaire dont il s'était occupé en 1993. Puis il lui redonna son numéro et raccrocha.

Il reprit son crayon et s'en servit pour tambouriner sur la table. Rien ne marchait comme il le pensait. Il tenait quelque chose. L'affaire n'était pas nette et il ne pouvait pas laisser tomber. Il espéra que Braley le rappellerait vite.

Il remonta le son juste à temps pour entendre *Stella by Starlight*, revint à ce qu'il avait devant lui et en termina rapidement avec les articles. Après les dix premiers jours où il y en avait eu beaucoup dans chaque numéro, la couverture avait commencé à faiblir et fini par se réduire à des mises à jour de pure forme sur une enquête qui n'allait nulle part. Il passa aux autres livres du meurtre et réexamina brièvement les résultats des autopsies et les photos des enfants et des deux adultes qui avaient péri dans l'incendie. Les clichés étaient aussi hideux que répétitifs, mais il savait qu'il n'avait pas le droit de s'en détourner. Il pensa aux prénoms tatoués sur le bras de Lucy et les donna aux enfants sur les photos. Il n'aurait pas besoin d'un tatouage pour s'en souvenir.

Au bout d'une heure de travail, il essaya de rappeler Braley en sachant parfaitement qu'il lui avait laissé un message et que l'inspecteur à la retraite l'appellerait dès qu'il l'aurait. Il fut tout surpris lorsque celui-ci décrocha.

— Oui ?

Il baissa encore une fois la musique avec la télécommande.

— Gus ? Gus Braley ?

— Oui. Qui est à l'appareil ?

— Harry Bosch. Aux Vols et Homicides. Je vous ai laissé un message un peu plus tôt.

— Je l'ai eu, oui.

Bosch marqua une pause.

— Et... vous alliez me rappeler ?

— Bien sûr que j'allais vous rappeler. C'est juste que je repensais à l'année 93 et que je me demandais pour quelle affaire vous me téléphoniez. L'année a été plutôt animée.

— Le braquage de l'EZBank de Wilshire Boulevard. Vous vous en souvenez ?

— L'EZBank... oui, je m'en souviens. La fête des mères. Deux types armés d'AR-15.

242

— Voilà, c'est ça. Je travaille chez moi, ce soir. Je n'ai pas accès à l'ordinateur et j'essaie de rattraper le temps perdu. Avez-vous jamais serré quelqu'un pour ce truc?

Il y eut encore une pause.

— Bosch... Je me souviens de vous. Vous vous occupez des meurtres, non? Comment se fait-il que vous vous intéressiez à un vol de caisse il y a vingt et un ans de ça?

— Vous avez raison : c'est bien des meurtres que je m'occupe. Je travaille aux Affaires non résolues maintenant et je suis sur un truc que vos gars ont peut-être résolu. Bref, avez-vous arrêté quelqu'un, Gus? Avez-vous eu des suspects?

Quelques secondes de silence s'écoulèrent tandis que Braley réfléchissait à la question.

— Comment avez-vous eu ce numéro, vu que vous travaillez chez vous un samedi soir?

— Par Rick Jackson. Vous pouvez l'appeler si vous voulez. Il vous dira que c'est bon.

— Je sais pas moi. Un samedi soir... faut reconnaître que c'est un peu zarbi. Bosser sur un *cold case* un samedi soir?

Braley parlait encore comme un flic des années 90.

— Zarbi ou pas, Rick pourra se porter garant pour moi. Est-ce que vous pouvez m'aider?

Il attendit. Il savait que les chances de retrouver un dossier numérique ou papier de hold-up vieux de vingt et un ans n'étaient pas fameuses. Le délai de prescription pour un vol serait depuis longtemps dépassé et il était peu probable que le service en ait conservé une trace physique. Seules les affaires susceptibles d'aller

243

au procès avaient été scannées et enregistrées lorsque le service s'était engagé dans un énorme processus de tri lors du passage au numérique. Il avait vraiment besoin que Braley lui donne un coup de main.

— Celle-là, on ne l'a jamais résolue, répondit enfin celui-ci.

— Ça vous rappelle quelque chose ?

— Je parie que vous aussi, vous vous rappelez celles que nous n'avez jamais résolues, pas vrai ? Ouais, ben, moi aussi. Bordel de merde, qu'est-ce que je m'en souviens ! Je bossais aux hold-up et vous, c'est les meurtres, mais les dossiers qu'on boucle pas, ça vous lâche pas.

— Ça, c'est sûr. Ils ont piqué combien ?

— Je m'en souviens au centime près : deux cent soixante-six mille trois cents dollars.

Bosch y alla d'un petit sifflement.

— Vous plaisantez. Dans ce quartier-là ?

— Le jour de la fête des mères, c'est du trois ou quatre cents chèques à encaisser qu'on parle. Ça finit par compter.

— Et ces mecs avec des AR-15 le savaient.

— Il n'y avait pas besoin d'être un génie pour le comprendre, mais on s'est quand même dit qu'ils s'étaient fait aider par quelqu'un à l'intérieur. C'est juste qu'on n'a jamais pu le confirmer. Celui qu'on voyait bien dans le rôle a pris un avocat avant même qu'on puisse dire : « Vous avez le droit de garder le silence et… »

— Le garde ?

— Comment avez-vous deviné ?

— Je ne sais pas. Quelque chose dans la façon dont c'était raconté dans le journal.

— Je croyais que vous n'aviez pas le dossier.

— Je ne l'ai pas. C'est une longue histoire, Gus, mais ce que j'ai se résumant à un article du premier jour, je me suis dit que si je devais penser à une complicité en interne, ce serait au garde que je m'intéresserais. Vous vous rappelez son nom ?

— Non. Rodney quelque chose… c'est tout ce dont je me souviens. Américain, blanc. Les deux types étaient blancs et celui qui parlait n'avait pas d'accent. Il y avait aussi que ce Rodney se tapait la fille derrière la cage de la caisse sur le côté, on l'a découvert plus tard. Et c'est elle qui leur avait ouvert.

— Vous pensez qu'elle aussi était dans le coup ?

— Non, parce que c'est elle qui a activé l'alarme silencieuse avant qu'ils l'obligent à ouvrir. Dès qu'elle les a vus descendre de la voiture devant la banque avec leurs masques de ski, elle l'a enclenchée. Et pour nous, ça la disculpait. Ça ne nous a pas empêchés de la questionner sérieusement, mais non, on a conclu qu'elle ne faisait pas partie de la bande. Elle leur a juste ouvert parce qu'ils avaient collé un flingue sur la tête de son petit copain. Alors, c'est sur lui qu'on s'est concentrés en se disant qu'il l'avait peut-être entubée. Il savait qu'elle ouvrirait la porte dès qu'elle le verrait tout en sang avec une arme pointée sur le crâne. Mais ça n'a rien donné. Rodney avait peut-être préparé le terrain, mais il se peut aussi qu'il n'ait rien préparé du tout.

— Et aucun autre suspect n'est sorti du lot ?

— Pas tout de suite. Mais quand on a vu la fusillade de North Hollywood à la télé quelques années plus tard, on a bien regardé les deux tireurs. Ils étaient blancs, ils portaient des masques de ski et étaient armés d'AR-15.

C'était la célèbre fusillade de 1997 devant la succursale de la Bank of America de North Hollywood qu'il évoquait. Deux hommes lourdement armés et porteurs de gilets pare-balles s'en étaient pris à la police pendant près d'une heure dans ce qui était devenu l'échange de tirs le plus violent avec des membres des forces de l'ordre jamais vu sur tout le territoire américain. Et l'affaire avait été retransmise dans le monde entier à la télévision. Trois mille coups de fusil avaient été tirés lorsque l'engagement avait pris fin, laissant dix-huit flics touchés et blessés et les deux tireurs abattus. L'après-midi sanglant avait alors été analysé dans le détail par toutes les promotions de nouvelles recrues arrivant à la Police Academy. Il avait aussi eu pour résultat de remettre les pendules à l'heure côté puissance de feu et types d'armes que les officiers du LAPD avaient le droit d'avoir sur eux et dans leurs véhicules. Ce jour-là en effet, c'était toute la police qui donnait l'impression d'avoir été sous-armée face aux deux pilleurs de banques.

Et Bosch y était. La fusillade interminable avait fait venir des centaines d'inspecteurs et de policiers de toute la ville. Bosch et son coéquipier de l'époque, Jerry Edgar, avaient répondu à l'appel de code 3 au commissariat d'Hollywood et s'étaient présentés au barrage de Laurel Canyon Boulevard au moment où les derniers coups de feu étaient tirés et que l'alerte avait été levée. Ils avaient alors été chargés de sécuriser la scène de crime et de participer à l'énorme enquête post-fusillade.

— Et qu'en est-il sorti? demanda Bosch.

— On n'a jamais pu établir le lien. Et ce n'est pas faute d'avoir essayé. Que je vous raconte un truc sur ces deux-là. En octobre 93... quelques semaines à peine après le coup de l'EZBank... ils se sont fait arrêter à Glendale. Simple interpellation pour comportement suspect aux abords d'une banque, le flic découvrant quand même des flingues dissimulés sous une couverture sur la banquette arrière. C'était un putain d'arsenal qu'ils avaient dans leur bagnole ! Y compris deux AR-15. Et ils s'apprêtaient effectivement à braquer la banque. Ils ont été accusés de tentative de vol et ont écopé de plusieurs années de prison.

Bosch eut comme l'impression de savoir où tout cela conduisait.

— Et vous n'avez jamais entendu parler de rien à l'époque, dit-il.

— Rien de rien, lui confirma Braley. Les flics de Glendale ont gardé ça pour eux et on n'a jamais entendu parler de rien avant 97, quand ça a pété un max à la Bank of America. Alors on a repris l'affaire de Glendale et c'est là qu'on a vu qu'ils se servaient encore d'AR-15 moins d'un mois après notre vol de caisse, et on s'est dit « Ben merde alors ! », on tient enfin quelque chose. Sauf que vous savez quoi ?

— Plus d'AR-15.

— Exactement. En 96, la police de Glendale avait fait fondre toutes les armes confisquées et nos AR-15 avaient atterri dans la fournaise. On n'a jamais pu voir s'ils correspondaient aux flingues de notre affaire.

Il y avait de l'amertume dans sa voix et cela se comprenait. Bosch savait que ce n'était ni la première fois ni en aucun cas la dernière que, à cause d'un défaut de communication entre diverses agences du maintien de l'ordre, une affaire passait entre les mailles du filet.

C'est à peine s'il y avait un suivi numérique des armes et des dossiers en 1993. La révolution de l'ordinateur qui devait engendrer des connexions bien meilleures et plus rapides entre les services commençait à peine.

— Bref, reprit Braley, on n'a jamais clos le dossier. Et après, mon coéquipier Jimmy Corbin a pris sa retraite et, six mois plus tard, c'est moi qui ai rendu mon tablier. Et personne n'a repris le flambeau parce que la Major Crimes Unit a changé et que tout le monde a cessé de s'intéresser à ce truc. Vous savez bien comment ça se passe.

— Oh, oui.

Équipe d'élite de la division des Vols, la Major Crimes avait été dissoute, son intitulé étant plus tard attribué à l'unité chargée de toutes les enquêtes ayant trait au terrorisme et à la collecte du renseignement. Tout ce rappel historique mis à part, que les pilleurs de banque de North Hollywood aient ainsi été ramenés sur le tapis le tracassait. Il y avait là quelque chose qu'il n'arrivait pas à situer ou se rappeler.

Il laissa filer.

— Je peux vous poser encore deux ou trois questions ? demanda-t-il.

— Pas de problème. Vous feriez aussi bien. Ça me plaît assez, Bosch. Enfin, je veux dire… repenser à des affaires. Ça ne m'a pas manqué au début de ma retraite, mais après. Maintenant, je passe tout mon temps dehors à me faire cuire au soleil du matin au soir, bordel !

Bosch nota la plainte pour ne pas l'oublier le moment venu et poursuivit sur sa lancée.

— Vous rappelez-vous le nom de la fille qui leur a ouvert ? Ceux d'autres personnes ?

— Non, désolé. Je ne me souviens que de ce Rodney. La fille était mexicaine, et du quartier. Ils avaient besoin d'elle pour traduire. L'autre type était ukrainien. Comment s'appelait-il déjà ? Ça commençait par un B… Boiko, voilà. Max Boiko.

— On avait donc le garde, la fille et l'Ukrainien. C'est tout ?

— Oui. C'était le matin et, dans ce coin-là, ça ne commençait jamais à s'activer avant l'arrivée du courrier, soit vers midi. Il était prévu qu'ils aient de l'aide dans l'après-midi.

— Bon d'accord, et l'Ukrainien… Vous l'avez bien regardé ?

— On les a tous regardés de près, Bosch. On a fait le boulot à fond. Mais l'Ukrainien était copropriétaire du groupe auquel appartenaient deux ou trois de ces établissements dans la ville. Il n'y avait donc pas moyen que ça colle. Pourquoi se serait-il volé son propre argent ? Il était bien au-delà du plafond d'assurance à cause de la fête des mères. Il a beaucoup perdu, et pour nous, ça n'aurait eu aucun sens.

— Je vois.

— Cela dit, ne pas oublier qu'il couchait aussi avec la fille.

— La traductrice, voulez-vous dire.

— Oui, la Mexicaine. Elle se les faisait tous les deux. Je me rappelle que l'Ukrainien était marié et que ça l'inquiétait nettement plus que l'argent qui avait disparu. Il m'a dit qu'il perdrait beaucoup plus dans le divorce si ça se savait.

Bosch enregistra l'info et se demanda si l'une ou l'autre de ces raisons avait motivé le braquage. Il n'était pas facile de bien saisir les subtilités de l'affaire vingt et un ans après les faits et sans avoir le dossier sous les yeux.

— OK, dit-il. Revenons-en au vol à main armée… d'après le journal, ils se sont arrêtés juste devant la porte dans la voiture avec laquelle ils devaient s'enfuir.

— Oui. Pour pouvoir en bondir et entrer tout de suite.

— Je sais qu'ils ont flingué les caméras de surveillance, mais il doit bien rester une vidéo d'avant l'incident, non ?

— Oui, on en a eu une d'environ cinq à dix secondes. Ça nous a permis d'identifier le véhicule, mais c'est à peu près tout. De toute façon, c'était sans doute une voiture volée.

— D'accord, mais vous rappelez-vous d'où ils venaient ? L'établissement se trouvait au croisement des boulevards Burlington et Wilshire, coin nord-ouest. C'est de Wilshire ou de Burlington qu'ils venaient ?

Braley ne répondit pas tout de suite. Il devait vérifier sérieusement ses banques de souvenirs.

— Bon, dit-il, je ne vous garantis rien, mais je crois me rappeler qu'ils ont longé Burlington Boulevard et se sont arrêtés juste devant la porte. Ce qui a mis leur portière avant gauche à un mètre vingt de la caisse. Un des mecs est sorti côté passager, est entré et a flingué les caméras. Le chauffeur a sauté de la voiture et le suivait déjà lorsque tout est devenu noir.

— Ils venaient donc de la 6e Rue par Burlington Boulevard.

— C'est ça.

Bosch analysa l'hypothèse. Pour venir du Bonnie Brae Arms à l'EZBank on pouvait très bien arriver de

250

la 6ᵉ Rue pour passer dans Burlington Boulevard, trottoir sud.

— Parfait, dit-il, question suivante. Vous rappelez-vous combien de temps a pris l'opération ? Ils commencent par dégommer les caméras, que ça soit vrai ou totalement bidon, ils doivent se battre avec le garde et après, le journal déclare qu'ils ont obligé les employés à leur ouvrir le coffre et trois tiroirs pleins de liquide. Combien de temps tout cela a-t-il pris ?

— Le plus long, ç'a été pour le coffre. Ils ont été obligés de malmener le gérant parce qu'il était le seul à avoir la combinaison. Ils ont fait la même chose, mais cette fois, c'est sur la tête de la fille qu'ils ont braqué leur arme en disant au type que s'il ne l'ouvrait pas, il y aurait le sang de la fille partout sur les murs. Il l'a donc ouvert, mais ça lui a pris plusieurs minutes parce qu'il avait si peur qu'il a merdé avec les chiffres.

— Et après, il y a eu les tiroirs remplis de liquide. En gros, ça fait quoi, tout ça ?

Nouveau silence tandis que Bralcy consultait ses souvenirs.

— Je dirais pas plus de dix minutes… ce qui, en fait, est assez long dans ce genre de trucs.

— Exact. Et vous dites que la fille a activé l'alarme silencieuse tout de suite.

— Oui, elle a été super. Dès qu'elle les a vus avec leurs masques de ski dans la bagnole, elle l'a enclenchée. Ç'a été vérifié sur la vidéo avant qu'on l'ôte de la caméra. Elle a tout de suite compris la situation et activé l'alarme. Aucune hésitation, aucun retard. C'est même pour ça qu'on était assez sûrs qu'elle n'était pas dans le coup.

251

Bosch hocha la tête. Il voyait bien le raisonnement de Braley et la conclusion à laquelle il était arrivé.

— Combien de temps les policiers ont-ils mis pour être sur les lieux ?

— Ç'a été long. Dans le genre huit à neuf minutes. Tout le monde était pris par un grand incendie à Pico-Union. Vous vous rappelez le Bonnie... attendez une minute, mais c'est ça, non ? C'est le dossier dont vous vous occupez !

— L'avez-vous jamais consulté, Gus ?

— Quoi ? Comme si l'incendie n'avait été qu'une diversion pour le braquage ? Oui, Jimmy et moi y avons pensé. Mais ça ne collait pas. Même quand ils ont dit que l'incendie était d'origine criminelle, on l'a relu, et rien à faire, c'était un truc de gang du coin. Des histoires de drogue. On cherchait deux Blancs et ça ne collait pas.

— Des types de la Criminal Conspiracy Section sont-ils venus un jour vous voir pour étudier votre affaire ?

— Pas que je m'en souvienne, non.

Ce fut au tour de Bosch de garder le silence. Il réfléchit aux deux affaires. L'incendie criminel et le vol à main armée qui se déroulent presque au même instant et à trois rues l'un de l'autre. L'avantage de ne pas travailler à chaud lui permettait parfois de voir les choses plus clairement. Rien dans l'affaire du Bonnie Brae ne prouvait directement que le mobile de l'incendie criminel aurait eu à voir avec la drogue et des histoires de gang. Ce n'étaient là que rumeurs devenues paroles d'évangile sous la pression des médias et des membres de la communauté locale. Cela dit, ce qui semblait pouvoir être facilement écarté vingt et un ans plus tôt ne pouvait plus l'être maintenant.

— Je viens juste de me rappeler un truc sur le type qu'on voyait bien en complice à l'intérieur, reprit Braley.

— Oui, quoi?

— Comme la plupart de ces flics qui louent leurs services, il voulait être policier, mais n'était pas assez bon. Il avait fait sa demande au shérif et après, à nous. Il avait été accepté à l'Academy, mais il s'en était fait virer.

— Avez-vous découvert pourquoi?

— Oui. Je me souviens que ça nous avait paru bizarre parce que la fille du comptoir qu'il tringlait était aussi brune que du sucre de mélasse. Elle était mexicaine et lui s'était fait virer suite à une bagarre raciale avec un autre mec de sa promo. Un Mexicain.

— Combien de temps avant le braquage?

— Mais merde quoi! Vous voulez que je fasse tout le boulot à votre place? Je ne m'en souviens pas. Deux ou trois ans après, au minimum.

Bosch réfléchit à ce dernier renseignement et se demanda s'il n'y avait pas quelque chose à l'Academy ou au bureau des ressources humaines de la mairie sur le dénommé Rodney. Il lui faudrait avoir le nom complet avant de pouvoir chercher. La contradiction apparente entre le fait que Rodney ait eu un problème racial à l'Academy et que plus tard il se soit mis avec une Latina donnait lui aussi à réfléchir.

— Merci beaucoup, Gus, dit-il enfin. Vous m'avez vraiment beaucoup aidé.

— Hé! Appelez-moi si jamais vous arrivez à recoller les morceaux, d'accord? J'aimerais bien savoir.

— Entendu.

Chapitre 21

Ce dimanche matin-là, Bosch arriva à la salle des inspecteurs à 8 heures et y trouva Soto déjà au travail dans leur box. Avant même qu'il puisse lui faire part de la théorie qui lui était venue à l'esprit la veille au soir sur l'affaire du Bonnie Brae, elle pivota sur son fauteuil et, tout excitée, se mit à lui parler de ce qu'elle venait de découvrir côté Merced.

— Hier, dit-elle, après être passée à Mariachi Plaza, je suis allée voir Alberto Cabral dans la Valley. Il m'a laissée voir le calendrier des engagements du groupe en 2004 et j'ai retrouvé celui qu'ils ont eu chez les Broussard. Il s'agissait de lever des fonds pour...

— ... pour Roger Inglin.

— Vous le savez ? s'écria-t-elle, stupéfaite.

— Oui, je le sais.

Il ne savait trop s'il devait lui reprocher de s'être entretenue avec un témoin potentiel sans qu'il soit là ou l'admirer pour la passion et l'énergie qu'elle mettait à résoudre l'affaire... jusqu'à y consacrer autant de temps.

— Il aurait fallu me le dire, Lucy. Parler avec un témoin comme ça... des tas de trucs pourraient mal tourner. Il arrive que des témoins s'avèrent être des suspects, ou qu'amis avec des suspects, ils fassent volte-face et lui racontent tout ce qui s'est dit. Il faut faire très attention et vous auriez au moins dû me dire où vous alliez de façon à ce que je puisse décider si oui ou non, je devais vous accompagner.

— Il valait mieux que ce soit moi toute seule, lui renvoya-t-elle. Sans vous, il s'est ouvert. Et je parle espagnol.

— Ce n'est pas de ça que je vous parle. Ce que je vous dis, c'est que j'aurais dû savoir ce que vous faisiez et où vous vous trouviez. La prochaine fois, envoyez-moi un texto, c'est tout.

Elle acquiesça d'un signe de tête, les yeux baissés.

— Bien reçu, dit-elle.

Puis, après une pause, elle ajouta :

— Mais comment avez-vous fait pour être au courant pour Inglin ?

Il posa sa pile de classeurs sur son bureau, tira un fauteuil, le tourna pour lui faire face et s'assit.

— Eh bien, je n'en ai pas parlé avec un témoin potentiel, moi. J'ai trouvé ça dans les archives des finances de campagnes.

— Samedi ?

— J'ai un ami qui a accès à des tas de choses.

Elle le regarda d'un air soupçonneux, puis se radoucit.

— Avez-vous trouvé autre chose ?

— Oui. La même année de campagne électorale, Broussard est passé de tout pour Inglin en janvier à tout pour Zeyas en mai. Et il est resté avec Zeyas lors de l'élection suivante et compte parmi ses grands soutiens dans ce que Zeyas appelle sa « campagne exploratoire pour le poste de gouverneur ».

— Qu'est-ce qui l'a fait basculer ? C'est juste entre ces deux moments que Merced s'est fait tirer dessus.

— Ça, c'est la question à un million de dollars, répondit-il en la montrant du doigt.

Elle se redressa d'un coup.

— Ah mon Dieu ! s'écria-t-elle. Je viens juste de penser à quelque chose ! Un des appels que Sarah a reçus sur la ligne des tuyaux anonymes…

Elle pivota de nouveau sur son siège pour retrouver son bureau, s'empara de la pile de fiches qu'Holcomb avait apportées et les feuilleta jusqu'à ce qu'elle trouve ce qu'elle cherchait.

— Ah, voilà, dit-elle. Appel arrivé vendredi à 12 h 09. « Correspondante affirme que maire sait qui a tiré sur Orlando Merced. » C'est tout. Appel anonyme, mais le numéro a été enregistré. Vous voulez qu'on l'appelle, histoire de voir qui décroche ?

— Vous croyez vraiment que Zeyas a ordonné ce contrat sur un mariachi ?

La question la fit réfléchir. Que Bosch l'ait posée tout haut rendait l'idée complètement folle.

— J'allais juste appeler pour voir ce qu'elle avait à dire.

— Allez-y. Mais ce sera votre cinglée à vous. Ne me la refilez pas.

— OK, d'accord.

Elle sortit son portable.

— Votre numéro est bien masqué, hein ? se dépêcha de lui demander Bosch.

— Oui.

Elle composa celui indiqué sur la feuille des tuyaux anonymes et passa l'appel.

— Pas de réponse. Je vais laisser un message.

— Servez-vous de la ligne des appels anonymes. Ne lui donnez pas votre numéro.

Elle acquiesça.

— Bonjour. Inspectrice Soto, LAPD. Ce message est pour la femme qui a appelé au sujet d'Orlando Merced. Pouvez-vous nous rappeler ? Nous aimerions donner suite à votre appel.

Elle donna le numéro de la ligne des tuyaux, remercia sa correspondante anonyme et raccrocha.

— Ne comptez pas trop qu'on vous rappelle, lui dit Bosch. Les affaires se résolvent avec beaucoup de patience et d'innombrables petits pas, Lucy. Pas à grands coups d'éclairs !

— Je sais.

— Changeons un peu de sujet. J'ai quelque chose que j'aimerais vous montrer.

Il se pencha en arrière vers son bureau, sortit une coupure de journal du classeur du haut de la pile Bonnie Brae et la lui tendit.

— Voilà le profil de Mme Gonzalez tel que l'a établi le *Times*. Vous vous souvenez d'elle, non ?

— Oui, bien sûr.

— Passez à la suite.

Elle le regarda, l'air perdu.

— À la page d'après. Tournez la feuille.

Elle s'exécuta, il s'approcha d'elle dans son fauteuil et lui indiqua la brève sur le braquage de l'EZBank du bout du doigt.

— Lisez ça.

Il lui en laissa le temps, et quand elle leva de nouveau les yeux sur lui, il attaqua.

— J'ai parlé à Gus Braley hier soir, et j'ai eu tout ce dont il se rappelait de l'affaire. Il…

— On peut sortir le dossier. Mais qu'est-ce qu'on va chercher ?

— Il n'y aura pas de dossier. Il a sûrement été passé à la déchiqueteuse lors de la grande purge suite à la conversion au numérique. Délai de prescription. Ils n'ont jamais réussi à inculper qui que ce soit. Mais les anciens rapports de braquages de la Major Crimes sont dans le bureau du capitaine à la Robbery Special. C'est là qu'on va aller le voir. En général, on a les noms des victimes dans les entrées. C'est par là qu'il va falloir commencer.

— Commencer quoi ?

— Braley dit qu'à l'époque ils avaient pensé à un complice à l'intérieur, mais qu'ils n'avaient jamais pu le prouver. Ce qui veut dire qu'un des noms des victimes recensées dans le rapport pourrait bien être celui du complice. On le retrouve et on lui cause de l'incendie du Bonnie Brae. Il n'y a pas de délais de prescription pour les meurtres.

— Minute, minute. L'incendie du Bonnie Brae ? Comment est-ce que… je ne vous suis plus.

Il hocha la tête. Il venait de se rendre compte qu'il allait trop vite, et sur la foi de renseignements qu'elle n'avait pas.

— Le braquage a eu lieu un quart d'heure après l'appel aux pompiers. Et à peine trois rues plus loin. Tout cela a été minutieusement préparé et impliquait que les braqueurs se retrouvent derrière une paroi à l'épreuve des balles et puissent forcer les employés à leur ouvrir le coffre et trois tiroirs pleins de liquide. Ça a pris du temps. Et je me dis que ce temps-là, ils se le sont peut-être dégagé en attirant l'attention de la police sur autre chose.

— L'incendie.

— Exactement. Sauf que maintenant, je n'ai rien sur quoi m'appuyer… Braley dit qu'ils y avaient pensé à l'époque, mais qu'ils avaient fini par écarter l'idée. Mais c'était au début, à un moment où ils croyaient encore que l'incendie était accidentel, et même plus tard, quand tout le monde l'a attribué à des gangs et à des histoires de drogue. Et les types sur lesquels ils avaient des soupçons pour le braquage étant blancs, ils ne voyaient pas le lien avec une boîte à étoupe de Pico-Union où n'habitaient que des Hispaniques. Ils ont fini par laisser tomber l'idée, mais je crois que nous, on devrait la reprendre.

Elle garda le silence, hocha lentement la tête en se passant le scénario à l'esprit. Et vit ce qu'il voyait et le regarda.

— Bon alors, qu'est-ce qu'on fait ? lui demanda-t-elle.

Il se leva.

— On commence par aller jeter un coup d'œil aux archives de la Robbery Special.

Ils traversèrent la salle des inspecteurs et franchirent une porte pour passer dans la salle voisine. Elle était déserte et le bureau du capitaine fermé à clé. Bosch jeta un coup d'œil à l'intérieur par le panneau de verre près de la porte et vit les étagères où étaient posés les registres avec leurs reliures en cuir tout usées et craquelées.

— On appelle les types de l'entretien et on leur demande de nous ouvrir ? lui lança-t-elle.

— Ils ne voudront pas.

Il examina la poignée de la porte et vit qu'il n'aurait aucun mal à en forcer la serrure. On ne se souciait guère de la sécurité dans les QG de la police.

— Mettez-vous dans le couloir et avertissez-moi si quelqu'un sort de l'ascenseur.

— Qu'est-ce que vous allez faire ?

— Allez-y, c'est tout.

Tandis qu'elle s'avançait vers le couloir, il descendit l'allée entre les box en vérifiant les bureaux. Il en repéra un avec un aimant qui retenait toutes sortes de trombones. Il en prit deux et repartit vers le bureau du capitaine en en redressant un complètement et en incurvant légèrement l'extrémité de l'autre. Il n'avait pas ses rossignols sur lui – ils se trouvaient dans sa veste de costume et il s'était habillé simplement pour ce qu'il pensait devoir être un dimanche matin de dossiers à passer au crible.

Il s'accroupit devant le bouton de la porte et se mit au travail. Il ne lui fallut qu'une minute pour arriver à ses fins. Il entra, jeta les trombones dans la corbeille à côté du bureau et se dirigea vers les étagères. Les numéros des années étaient marqués sur les reliures. Cela faisait environ quarante ans qu'il fallait un registre par année. Il trouva rapidement celui de 1993 et le sortit. Puis il gagna la salle de la Robbery Special et se rendit à l'alcôve réservée à la photocopieuse. Il feuilleta les pages jusqu'à la date du braquage de l'EZBank et trouva l'entrée – elle ne prenait qu'un tiers de la page.

Il en sortit une copie, refit le chemin à l'envers, remit le registre à sa place et referma la porte en quittant le bureau du capitaine. Puis il lut l'entrée en se dirigeant vers la porte du couloir. Rien que du basique, mais elle comportait les noms et dates de naissance de trois victimes, dont celle d'un garde appelé Rodney Burrows.

C'était tout ce qu'il lui fallait.

Debout devant le mur de verre, Soto contemplait le Civic Center. Dimanche matin, tout était calme. Le bâtiment de City Hall se dessinait sur un ciel où montait le soleil. Monolithique sans doute, mais ce n'en restait pas moins le building le plus reconnaissable de la ville… et celui qui renfermait le plus de secrets.

— Je l'ai, dit-il.

Il lui tendit la photocopie en passant devant elle pour regagner l'unité des Affaires non résolues. Elle le suivit en lisant l'entrée des plus courtes.

Elle avait déjà une idée lorsqu'ils arrivèrent à leur box, mais ce n'était pas la bonne.

— Je passe ces noms à l'ordi et on va leur rendre visite, dit-elle. Par qui voulez-vous commencer ? Le garde ? Ce serait un certain Rodney Burrows.

Il fit non de la tête et s'assit.

— On ne va pas les voir avant d'en savoir un peu plus sur eux et sur l'affaire, dit-il. Burrows n'a pas craqué quand ils lui ont mis la pression en 93, il n'y a donc aucune raison pour qu'il le fasse aujourd'hui. Ce qu'il faut trouver, c'est quelque chose que les types des Vols n'avaient pas à l'époque. Quelque chose qui nous donne un avantage. On n'approche aucun de ses individus avant d'avoir ça.

— OK, dit-elle. Je commence à chercher leurs antécédents. Quoi d'autre ?

— Burrows aurait été viré de l'Academy peu de temps avant de louer ses services de flic. Ils ont peut-être encore quelque chose sur lui à l'école de police. Avec un peu de chance…

— OK, je vérifie.

Il regarda les classeurs sur son bureau, en choisit un et le tendit à Soto.

— Autre chose… Là-dedans, on a la liste des résidents du Bonnie Brae Arms. Ils ont tous été interrogés, sans exception. Prenez la liste et travaillez-la. Vous prenez les trois qui étaient dans la banque quand elle a été braquée et vous trouvez un lien avec l'incendie.

Perplexe, elle haussa les sourcils.

— Si l'incendie était une diversion, ils ont forcément choisi le lieu pour une raison précise, lui expliqua-t-il. Parce qu'ils savaient comment y entrer, parce qu'ils connaissaient l'existence de la colonne de vide-ordures… Parce qu'ils savaient qu'ils pouvaient y balancer un engin incendiaire, déclencher l'incendie au sous-sol et faire diversion. Pour moi, rien de tout ça n'a été fait au hasard. Ils savaient. L'un d'entre eux en tout cas. L'un d'entre eux y était allé avant. Il y a un lien et il faut le trouver, sinon on n'a rien pour leur tomber dessus.

Enfin elle acquiesça.

— Pigé, dit-elle. Pensez-vous qu'ils savaient qu'il y avait une garderie dans les sous-sols ?

— Je ne sais pas, mais ça aussi, on le trouvera.

Il s'apprêtait à se réinstaller à son bureau lorsque quelque chose lui revint.

— Vous étiez encore une enfant, mais vous rappelez-vous la fusillade de North Hollywood en 97 ? lui demanda-t-il.

— Je n'en ai pas vraiment de souvenir enfant, mais j'ai étudié l'affaire à l'Academy. Tout le monde la connaît. Pourquoi ça ?

— Eh bien, toujours d'après Gus Braley, à un moment donné, ils ont pensé à deux des types de l'EZ-Bank, mais ils n'ont pas pu faire le lien.

— Wouaouh.

— Ouais.

Il vit un éclair de ce qu'il savait être de la déception passer sur le visage de sa collègue. Les braqueurs de la banque de North Hollywood étant morts, brusquement elle devait bel et bien envisager que rechercher l'incendiaire du Bonnie Brae l'amène à conclure qu'il n'y aurait ni procès, ni châtiment. Que pour finir elle n'aurait que ceci : des criminels morts et hors d'atteinte des rigueurs de la loi.

— Vous pensez pouvoir gérer si on devait en arriver là ? lui demanda-t-il.

— C'est que… je n'aurai guère le choix, non ?

Il acquiesça, Soto donnant alors l'impression de chasser cette déception de son esprit.

— Vous y étiez ? lui demanda-t-elle. Au moment de la fusillade, je veux dire. J'ai entendu dire que tous ceux qui n'étaient pas de service ailleurs y sont allés.

— Oui, répondit-il en hochant la tête. J'y suis monté d'Hollywood. Mais je ne suis arrivé qu'au moment où ça se terminait. J'aime assez dire que j'y suis arrivé juste à temps pour me faire poursuivre en justice.

— Que voulez-vous dire ?

— Que les parents d'un de ces types ont traîné la police et certains d'entre nous devant les tribunaux en arguant que nous l'aurions laissé se vider de son sang en pleine rue. Qu'à les entendre, les inspecteurs auraient, et pendant plus d'une heure, interdit aux infirmiers de le soigner et qu'il serait donc mort de ses blessures à cause de ça.

— Ils ont gagné?

— Non, ça s'est terminé par un non-lieu et ça n'a pas été plus loin. Ça n'a jamais été rejugé.

— Et donc… ?

— Et donc quoi?

— Les flics avaient effectivement bloqué les infir-miers? Cette partie-là de l'histoire n'a jamais été évo-quée à l'Academy.

— Il y avait encore pas mal de confusion et l'hos-tilité n'était pas retombée. On ne savait pas s'il y avait d'autres tireurs. On les a retenus jusqu'à ce qu'on soit sûrs qu'ils ne couraient plus de danger. En atten-dant, il n'est pas impossible que quelques-uns d'entre nous aient signifié au type allongé par terre qu'il valait peut-être mieux pour tout le monde qu'il continue de saigner. Non, parce que nous, on avait des blessés un peu partout. Je ne crois pas qu'il y ait eu beaucoup de sympathie pour le mec à terre. Les flics voulaient être sûrs que leurs collègues soient tous soignés avant de s'occuper de ce type.

Elle ourla les lèvres et hocha la tête. Elle comprenait.

— Vous savez qu'on n'a eu aucun mort de notre côté, reprit-il. Mais quatre des flics blessés ce jour-là n'ont jamais pu reprendre le service. Ils étaient bien trop bousillés… physiquement ou moralement.

— Je sais. Ça, on nous l'a dit à l'Academy.

Elle donnait tellement l'impression de penser à quelque chose qu'il se dit qu'elle se rappelait l'échange de coups de feu qui avait coûté la vie à son partenaire. La comparaison était inévitable, il le sentit. Elle s'était trouvée elle aussi dans une fusillade. Elle ne pouvait qu'y voir un lien avec celle de North Hollywood, même si celle-ci avait eu lieu bien avant son époque.

— Bon, bref, dit-il. Pourquoi ne travailleriez-vous pas sur l'affaire de l'EZBank et moi sur Merced? On travaille tous les deux en même temps. Comme ça, le capitaine ne ronge pas son frein et personne d'autre n'est au courant.

Elle acquiesça.

— Merci, Harry, dit-elle.

— Ne me remerciez pas si vite. Les probabilités de réussite sont encore faibles… et dans les deux affaires.

— Dans l'un comme dans l'autre cas, vous n'étiez pas obligé de faire ça.

— Mais vous si. Et je sais ce que c'est.

— Un jour, il faudra que vous me disiez…

— Je le ferai.

Sur quoi, ils se retournèrent tous les deux vers leurs bureaux et se mirent au travail.

Chapitre 22

Il recentra son attention sur l'affaire Merced, la première chose qu'il fit étant de passer Charles Broussard à l'ordi pour voir si, par hasard, il n'avait pas eu d'ennuis avec la justice. Il en doutait – jamais les hommes politiques ne l'auraient fréquenté, ou cherché son argent, publiquement du moins. Sa recherche n'aboutit à rien : Broussard n'avait pas de casier, ni même seulement une amende pour excès de vitesse.

Il prit l'adresse portée sur son permis de conduire et pensa avoir enfin trouvé l'endroit de Mulholland Drive où Angel Ojeda avait fait la connaissance de Maria Broussard et entamé son aventure avec elle.

Puis il lança une recherche au cadastre du comté de Los Angeles et découvrit que Broussard possédait plusieurs propriétés, dont celle de Mulholland. Il avait aussi des sites commerciaux à Pacoima et City of Industry, Bosch en déduisant que ceux-ci devaient avoir un lien avec l'affaire de béton dont avaient parlé Ojeda et Virginia Skinner. Il trouva encore une autre adresse à Malibu. Une maison en bord de plage, le long du Pacific Coast Highway. Tout confondu, Broussard était propriétaire de biens immobiliers valant plus de vingt millions de dollars, et ce rien que dans le comté de Los Angeles.

Bosch lâcha le cadastre pour s'intéresser à ce que l'État de Californie savait de ses sociétés. Le nom de Broussard une fois entré dans la machine, il tomba sur plusieurs enregistrements, certains pour des sociétés depuis longtemps défuntes, mais la plupart toujours actives. La Broussard Concrete Design était une de celles dont il était déclaré président et chef d'exploitation. C'était celle, il le savait, qui produisait les barrières en béton utilisées dans les chantiers de construction. Il avait l'impression de voir les initiales B.C.D. inscrites au pochoir sur les plots depuis toujours.

Broussard était encore mentionné comme patron ou membre du conseil d'administration de plusieurs autres affaires portées aux registres de l'État. Aucune d'entre elles ne retint son attention, mais il se donna quand même la peine de les noter, adresses comprises.

Une de celles qui avaient cessé d'exister l'intéressa soudain. Broussard avait été le président d'une société intitulée White Tail Hunting Ranch and Range[1], sise dans le comté de Riverside, soit du côté est de celui de Los Angeles et assez proche de sa propriété de City of Industry.

Bosch nota l'info alors même que les archives de l'État précisaient que l'incorporation de cette société n'avait duré que quatre ans, celle-ci étant dissoute en 2006, lors de la vente de la propriété. Harry comprit alors que Broussard était chasseur ou, du moins, qu'il

_____
1. Ranch et stand de tir des cerfs.

en connaissait. Et Gun Chung avait identifié l'arme avec laquelle on avait tiré sur Orlando Merced comme étant une carabine de chasse.

Il était déjà 11 heures et Bosch tenait à être chez lui lorsque sa fille se réveillerait. Il éteignit son ordinateur et jeta un coup d'œil à Soto par-dessus son épaule. Elle était complètement absorbée par son travail.

— Je vais y aller, dit-il. Je veux passer un petit moment avec ma gamine.

— Pas de problème. Je vais rester encore un peu.

— Vous trouvez des trucs?

— Pas encore, non. Et vous?

— Je crois, oui. À l'époque où Merced s'est fait tirer dessus, Broussard était propriétaire d'un ranch de chasse et d'un stand de tir dans le comté de Riverside.

Elle se détourna de son écran et le regarda droit dans les yeux.

— Il devait donc connaître des dizaines de types qui auraient pu effectuer ce tir, lui fit-elle remarquer.

— C'est ce que je me disais.

— C'est bon, ça. Mais… vous avez dit « était » propriétaire. Il ne l'est plus?

— Il l'a vendu il y a environ dix-huit mois de ça, après le coup de feu sur Merced.

— Et après être passé d'Inglin à Zeyas.

Bosch acquiesça. Les possibilités augmentaient en même temps qu'elles se faisaient plus sombres.

— À demain, dit-il.

— OK, Harry. À demain.

Les voies étant dégagées sur la 110, il ne perdit pas de temps pour rentrer chez lui. Il sortit de l'autoroute à la bretelle de Barham et longea Cahuenga Boulevard jusqu'au virage pour monter dans la colline. Il y avait deux façons de s'y prendre : par Mulholland Drive à gauche ou Woodrow Wilson Drive, où il habitait, à droite. Il décida de profiter du temps qu'il avait gagné sur l'autoroute pour aller jeter un coup d'œil à la maison de Broussard et prit à gauche.

Mulholland Drive chevauche la ligne de montagnes qui divise Los Angeles. L'adresse qu'il avait se trouvait sur le côté nord de la route et offrait une vue magnifique sur la San Fernando Valley. Mais en passant devant la propriété, Bosch ne vit aucune maison, juste un portail d'entrée. Le chemin était en pente et disparaissait rapidement du champ de vision. Une rue plus loin, il entra dans le parking qui abritait un belvédère donnant sur les parcs de la ville. Il y laissa sa voiture et reprit Mulholland Drive en sens inverse. Une fois devant le portail de chez Broussard, il suivit des yeux une allée cimentée qui serpentait jusqu'à un garage à trois doubles portes en aluminium et verre teinté. Il lui fallut un petit moment pour se rendre compte que ce garage à six voitures se trouvait en fait au dernier étage d'une bâtisse qui en comptait plusieurs à flanc de colline. Celle-ci était entièrement et ostensiblement tout en béton brut, et son design de type « industriel chic », comme il était à la mode de le dire.

Il posa le pied sur la glissière de Mulholland et fit semblant de se pencher pour renouer ses lacets. En examinant la maison, il découvrit des caméras de surveillance aux coins du garage et tout en haut, au portail. L'endroit était une vraie forteresse, cela ne faisait aucun doute. Personne ne pouvait y entrer sans y avoir été invité. Et personne s'en approcher sans être vu. Bosch se demanda ce dont Broussard pouvait bien essayer de se protéger.

Il ôta son pied de la glissière et regagna sa voiture.

*

Maddie était réveillée quand il franchit la porte d'entrée. Assise sur le canapé, elle regardait la télévision en mangeant un bol de céréales. Il était midi et quart.

— Bonjour, ma fille.

— P'pa.

— Je croyais qu'on devait déjeuner ou petit-déjeuner ?

— Oui, mais j'ai pas pu attendre. Mes céréales, c'est une espèce d'entrée.

Il s'assit dans le fauteuil en face du canapé. Elle était encore en pyjama – pantalon de survêt et T-shirt barré de l'inscription *The 1975*, un groupe qu'elle aimait bien, il le savait. L'année d'avant, il lui avait acheté une place, à elle et à ses copines, pour aller les voir au Henry Fonda Theater.

— Qu'est-ce que t'as envie de faire ? lui demanda-t-il.

— Je ne sais pas. Quelque chose dehors.

Il acquiesça.

— À quelle heure dois-tu être là-bas ?

— À 17 h 30.

Il consulta sa montre. Ça allait être juste pour ce qu'il avait en tête. Il le lui exposa quand même.

— Y a un stand de tir à Riverside que j'aimerais bien aller voir. Qu'est-ce que t'en dis ? Ça fait un moment que tu n'as pas tiré.

Quelques années plus tôt, Madeline avait fait de la compétition et été plusieurs fois récompensée. Mais sa détermination avait décliné au fur et à mesure que le travail à l'école et ses activités de volontariat empiétaient sur son emploi du temps. Et l'intérêt qu'elle portait aux garçons l'en distrayait pas mal aussi.

— Ouais, cool, dit-elle. Où c'est, Riverside?

— C'est ça, le hic. C'est au diable à l'est, dans le comté voisin. Il faudrait qu'on parte rapidement pour que tu sois à l'heure pour tes repas aux personnes âgées.

— J'ai plus qu'à me changer. C'est OK si je fais mes devoirs en route?

— Bien sûr. Va t'habiller pendant que je sors les armes.

Un quart d'heure plus tard, ils sautaient dans la voiture. Bosch avait pris les pistolets de concours de sa fille, le Glock Model 30 qu'il portait au boulot et le Kimber Ultra dont il s'était servi comme arme de poing jadis. Le stand de tir de White Tail faisant partie d'un ranch de chasse, Bosch se disait qu'il serait assez bien équipé pour le tir longue distance, mais il n'avait ni fusil ni carabine. Si nécessaire, il demanderait à en louer.

La circulation étant relativement fluide en ce dimanche, ils roulèrent bien. Cela étant, il leur fallut quand même plus d'une heure pour y arriver, arrêt repas à West Covina inclus. Maddie faisait ses devoirs et parla peu, sauf lorsqu'elle sortit son téléphone pour trouver un fast-food. C'était devenu plus difficile depuis qu'elle avait cessé de manger de la viande au début de l'année. Avant, c'était presque toujours dans un In-N-Out Burgers qu'ils s'arrêtaient. Elle finit par choisir un Johnny's Shrimp Boat, dans Glendora Avenue, juste en retrait de la 110. Elle y commanda des crevettes frites, Bosch optant pour le riz façon chili. C'était tellement bon que Maddie mit ses manuels scolaires de côté le temps de manger dans la voiture.

— Alors, c'était bien, hier soir ? lui demanda-t-il.

— Oui. On s'est bien amusés. Et le film était vraiment bon.

— Et ce Jonathan Pace s'est conduit en gentleman ?

— Oui, papa. C'est un gars bien.

— Vous étiez combien ?

— Ben, pour finir, y avait que lui et moi.

— Tu m'as pas dit que vous seriez tout un groupe ?

— C'était prévu, mais des fois, y a des changements. Y a des gens qui sont pas venus. Bref, on est restés Jon et moi, et tout s'est bien passé, d'accord ?

— Pas de problème pour moi s'il y a pas eu de problème pour toi.

Il rassembla les emballages et les porta jusqu'à une poubelle du parking. Dans la voiture, toutes discussions cessant, elle replongea dans ses manuels et lui reprit le volant.

La société d'origine était peut-être morte, mais le White Tail Hunting Ranch and Range fonctionnait toujours, et sous le même nom, aux abords de la ville d'Hemet. Le stand de tir se trouvait dans une réserve privée au pied de la San Jacinto Mountain. Il se composait du stand de tir proprement dit sur le devant, et de plusieurs dépendances abritant le bureau, un bâtiment dortoir et une grange où dépecer les bêtes tuées. Bosch entra dans le bureau avec sa fille, et tomba sur un mur entier de photos représentant des hommes avec leurs tableaux de chasse. Il y avait là des cerfs, des chamois et d'innombrables photos de sangliers morts étendus par terre, ceux qui les avaient tués debout à côté d'eux avec leurs fusils.

— Ah mon Dieu ! murmura Maddie en regardant la photo d'un sanglier abattu, museau énorme et crocs tordus au premier plan.

Bosch lui fit signe de se taire tandis qu'un type sortait d'un bureau pour gagner le comptoir. Il était en tenue de travail et portait une casquette à la visière élimée avec un logo de la firme Smith & Wesson dessus.

— Vous désirez ? leur demanda-t-il.

— Oui, ma fille et moi avons vu votre stand de tir en passant et… il faut avoir une carte de membre pour pouvoir tirer ?

— C'est exact, mais nous en vendons aussi à la journée. C'est vingt-cinq dollars.

— Vous avez un stand pour tirs rapprochés ? On a des pistolets.

— Bien sûr.

— Alors, on signe pour la journée.

Il paya et signa le règlement. Ils prirent leurs armes et les boîtes de munitions. Le stand de tir rapproché était abrité. Ils choisirent le tir à douze mètres et mirent des bouchons d'oreille. Bosch laissa sa fille tirer la première et lui chargea son arme. Elle commença par rater la cible, mais au deuxième chargeur elle regroupa ses tirs et retrouva sa grande forme. Bosch, qui avait sorti une paire de jumelles de la boîte à gants, surveillait la cible quand elle tirait et lui annonçait ses points. Il n'avait plus à s'inquiéter de ses performances.

Elle se servit des trois armes et exécuta l'essentiel des tirs, Bosch finissant par se rasseoir sur un banc derrière le stand pour la regarder – en même temps qu'il observait les environs.

— Papa, tu ne veux plus tirer ? lui demanda-t-elle.

— Non, ça ira. Ça me fait plaisir de te regarder.

— On serait pas venus ici pour une autre raison ?

— Si, en quelque sorte. Je te dirai plus tard.

Il n'y avait que trois autres tireurs, et tous à la carabine, leur stand étant en plein air et séparé de celui du tir rapproché. Bosch les observa. Ils étaient manifestement ensemble, l'un d'eux à l'écart et visant à la lunette. Tous faisaient montre d'une si grande familiarité avec les lieux que Bosch en conclut qu'ils n'étaient pas là seulement pour la journée. C'étaient à l'évidence des membres du ranch.

Quarante minutes plus tard, Maddie arriva au bout de leurs munitions. Bosch descendit une balayette d'un râtelier à outils, la lui tendit et lui demanda de rassembler toutes les douilles de façon à pouvoir les recycler. Il l'attendrait au bureau, où il allait parler au type de la réception.

Une fois là-bas, il gagna le mur de photos. Il les regardait dans l'espoir d'y trouver un chasseur armé d'une carabine Kimber lorsqu'un type sortit encore une fois de l'arrière-salle.

— On s'amuse bien ?

— Ah ça, oui, répondit Bosch. Merci ! Je voulais vous demander… On peut chasser avec une carte d'un jour ?

— Non, pour ça, il en faut une de deux jours, même si vous ne l'utilisez qu'un jour. Il faut aussi apporter son permis de chasse avec les onglets à détacher pour pouvoir prendre les cerfs et les sangliers abattus.

— Pigé.

Bosch retourna aux photos et, sans se retourner, ajouta ces mots :

— Ma fille s'occupe de ramasser les douilles et après, on file.

— Vous avez la carte pour une journée, vous pouvez rester aussi longtemps que vous voudrez.

— C'est que je suis déjà venu ici, vous savez ? Il y a dix ou douze ans de ça. Avec Brouss quand il a ouvert le stand. Même que j'ai tué un sanglier ! Je me disais que la photo serait peut-être là quelque part.

— Ça remonte à loin, ça. Ces photos… s'il en reste encore… sont là-bas, de l'autre côté de la porte.

— OK.

Bosch gagna le côté droit de la porte et se mit à chercher.

— Il n'y en a plus beaucoup de cette époque, dit encore le type. M. Broussard en a repris pas mal quand il a vendu. Il a enlevé toutes celles avec Dave. Il ne doit pas vouloir que ça lui rappelle des trucs.

— Quels trucs ? demanda Bosch d'un ton détaché et sans cesser de regarder les photos.

— L'accident. C'est pour ça qu'il a vendu. Il ne voulait plus se rappeler.

— L'accident ? Quel genre d'accident ?

Le type le regarda un long moment avant de répondre.

— Inutile de raviver les plaies. M. Broussard m'a vendu le ranch et on n'a eu aucun problème depuis que je l'ai repris. Et j'en dirai pas plus.

— Excusez-moi. Ma fille me dit toujours que je suis trop curieux.

— C'est une maligne, si vous voulez mon avis. Et une sacrée tireuse… parce que je l'ai regardée.

— Ça, c'est sûr.

Chapitre 23

Bosch arriva à la salle des inspecteurs à 7 heures ce lundi matin-là et y trouva Soto déjà au travail. Il remarqua qu'elle portait les mêmes vêtements que la veille.

— Vous avez passé la nuit ici ?

— Je travaillais sur le nœud du problème et j'ai perdu toute notion du temps. J'ai dormi un peu en bas. Ça ne valait pas la peine de faire l'aller-retour à la maison.

Il acquiesça. Il y avait une salle équipée d'un lit de camp au niveau du garage, et l'on pouvait en disposer sur la base « premier arrivé premier servi ». La salle était ouverte à tous les officiers, hommes et femmes, mais il n'avait jamais entendu parler d'une femme en faisant usage. Il ne cessait d'être émerveillé par son ardeur au travail et son attachement aux dossiers.

— Le « nœud » du problème ? répéta-t-il.

— Oui, c'est comme ça que j'appelle ces recherches sur le lien entre les trois de l'EZBank et l'incendie du Bonnie Brae.

— Et vous avez quelque chose ?

— Pas encore. Mais je n'en suis qu'à la moitié des locataires. J'espère finir la liste aujourd'hui.

Il laissa tomber ses dossiers sur son bureau et s'assit lourdement dans son fauteuil. Soto décela quelque chose dans ce langage corporel.

— Qu'est-ce que vous avez ? lui demanda-t-elle.

Il hocha la tête et sortit une feuille de papier pliée d'un de ses dossiers et la lui tendit. C'était la sortie imprimante d'un article de la Riverside Press Enterprise du 23 mars 2005. Il était court et Soto le lut rapidement.

— Qu'est-ce que ça veut dire ? demanda-t-elle.

— Pour moi, ça veut dire que Broussard a couvert ses arrières. On ne l'aura jamais.

— Je ne comprends pas. Il n'y a aucun nom là-dedans. C'était un accident ?

— D'après l'article, oui. Je sors le dossier du shérif de Riverside sur l'affaire dès aujourd'hui.

— D'où vient ce truc ?

— Hier, je suis passé au stand de tir dont Broussard était propriétaire. J'y ai tiré quelques balles avec ma fille et le propriétaire, qui gère aussi l'affaire, m'a dit l'avoir racheté à Broussard après l'accident, répondit-il en lui montrant l'article d'un signe de tête. C'est ma fille qui l'a trouvé dans les archives numériques du journal. Il n'y a pas de noms, en effet, mais le type qui gérait le ranch pour Broussard a été victime d'un accident de chasse. Et la manchette dit bien : *Un chasseur tue son meilleur ami par accident*. Je vous parie tout ce que vous voulez que si je sors le dossier, le chasseur sera bien Broussard.

— Et il n'y a pas eu d'autres articles après celui-là ?

— Ça aussi, c'est étrange. Non, il n'y a pas eu d'autres articles là-dessus suite à cette brève. Si vous voulez mon avis, quelqu'un de puissant a mis un gros couvercle sur l'affaire.

Elle hocha la tête en enregistrant tout ce qu'il lui disait.

— Alors pourquoi êtes-vous si sûr qu'on ne pourra jamais atteindre Broussard?

Il ouvrit grand les mains.

— Eh bien, mais… si on se dit que le tireur de Mariachi Plaza sortait de ce stand de tir de Riverside, il est probable ou bien que le coup ait été monté par le type qui gérait le stand, ou bien que ce soit lui qui ait tiré. Dans un cas comme dans l'autre, c'était lui le lien avec Broussard et aujourd'hui, ce lien n'existe plus. Ça fait neuf ans que le mec est mort.

Et de lui remontrer l'article comme si c'en était la preuve.

— Y a forcément…, commença Soto… on a toujours Ojeda!

— Oui, mais ça ne suffit pas. Aucun district attorney ne voudra aller au procès avec ce qu'on a. Tout le monde se foutrait de nous au CCB. On n'a aucune preuve. Pas d'arme, pas de témoin direct, pas de…

Il s'arrêta en pensant à quelque chose.

— Quoi? lui demanda-t-elle.

— C'est mince, mais… Dès que j'ai le nom du type qui gérait le stand, je le passe à l'ordi de l'ATF. On aura peut-être la chance de découvrir qu'il possédait une Kimber Montana. Ça ne suffira pas à nous ouvrir la porte du district attorney, mais ça sera un élément de plus.

Il lui reprit la feuille, se retourna vers son bureau et réfléchit aux premières mesures à prendre. S'enquérir de quelque chose auprès d'une autre agence des forces de l'ordre était toujours délicat, surtout quand ladite agence était si proche de Los Angeles. Il y avait invariablement des liens et des relations entre les deux – une espèce de pollinisation croisée entre divers membres du personnel, et cela pouvait occasionner des désagréments à celui qui appelait sans savoir. Il valait toujours mieux entrer dans la place par l'intermédiaire d'une entité connue – jouer la bande plutôt que le coup direct.

Bosch avait le choix entre plusieurs contacts. Comme il s'était occupé d'un certain nombre d'affaires ayant des liens avec le comté de Riverside les dernières années qu'il avait passées à l'unité des Affaires non résolues, il avait bien rempli les entrées R dans son Rolodex mental. Il décida de tenter Steve Bennett, un enquêteur spécialisé dans la recherche des personnes disparues au Bureau du shérif du comté. Il ne l'appellerait pas pour un ou une disparue, mais il savait que, travaillant depuis longtemps dans ces bureaux en diverses qualités, Bennett saurait lui dire où et comment chercher ce dont il avait besoin.

Après plusieurs « ça fait une paie » et autres plaisanteries, Bosch lui demanda s'il pouvait trouver quelque chose sur l'accident mortel qui s'était produit quelque neuf ans plus tôt au White Tail Hunting Ranch. Puis il lui en donna la date exacte, Bennett lui renvoyant qu'il ne mettrait sans doute pas longtemps à sortir un truc des archives et voir de quoi il retournait. Il le rappellerait dès qu'il aurait quelque chose. Bosch le pria aussitôt de mener ses recherches en catimini. On n'avait pas besoin de savoir.

Puis il mit fin à l'appel et informa Soto qu'il allait descendre jusqu'au Starbucks, à une rue de là dans la 1re Rue. On était lundi et il avait la ferme intention de démarrer la semaine avec autre chose que ce qui venait du distributeur de l'entrée.

— Vous savez quand même que tout ça sort d'une machine, non ? lui lança Soto. Où ça percole. C'est juste que certains endroits sont meilleurs que d'autres.

— C'est vrai, lui renvoya-t-il. Mais de temps en temps, j'aime assez la touche humaine d'un café « fait maison ».

C'était une phrase qu'il empruntait à sa fille. Soto ne réagit même pas.

— Bon alors, vous voulez quelque chose ou pas ?

— Non, ça ira. J'y suis descendue y a peut-être une heure… pour la touche humaine.

— Ben voilà, dit-il.

Il avait quitté le bâtiment et déjà fait la moitié du chemin lorsque son portable bourdonna. C'était Bennett qui le rappelait du comté de Riverside.

— Harry, dit-il, j'ai pas grand-chose. Ils ont bouclé ça super vite. Une vraie tragédie, on dirait. Le type a tué son meilleur ami en le prenant pour un cerf, un sanglier ou quelque chose qui s'agitait dans les fourrés.

Bosch gagna un arrêt de bus pour s'asseoir sur un banc et se caler le portable dans le cou pour prendre des notes.

— D'accord, dit-il. T'as les noms du tireur et de la victime ?

— Le tireur s'appelait Charles Andre Broussard. Ce qui nous donne C comme…

— Je sais comment ça s'écrit. Et la victime ?

— David Alexander Willman. Orthographe ordinaire si tu sais pas. Quarante-deux ans. C'était le gérant du ranch et Broussard en était le propriétaire. D'après le dossier, c'étaient les meilleurs amis depuis le lycée d'Hemet, où ils avaient grandi. Ils étaient en train de chasser et se sont retrouvés séparés dans la Chute à sangliers… chute « C-H-U-T-E », une espèce de canyon à l'intérieur du ranch… et, Dieu sait comment, Willman se serait retrouvé dans un endroit où Broussard ne s'attendait pas à le retrouver. Alors Broussard croit qu'il s'agit d'un sanglier qu'ils traquaient et le flingue à trente mètres, la balle traversant le cou de son ami de part en part. Willman est mort sur place en se vidant de son sang.

Bosch nota quelques mots pour se rappeler ce résumé des faits.

— Avec quoi tirait Broussard ?

— Euh, voyons voir… avec un Encore Pro Hunter, dit-il. Un calibre 308.

— Et Willman ? On sait ce qu'il avait ?

— Euh… non, Harry. Y a rien là-dessus.

— Bien. Un inventaire dans ce rapport ?

— Non. Juste l'arme de Broussard.

L'espoir était faible que l'arme de Willman ait été mentionnée, voire incluse dans les éléments de preuve.

— Qui était l'enquêteur ?

— Bill Templeton. Il est toujours dans la police. Il est passé capitaine.

— Tu le connais ?

— Je le connais sans vraiment le connaître. Enfin, tu vois ce que je veux dire.

— Ouais.

Bosch dut réfléchir un instant avant de formuler la question suivante. Un bus s'arrêtant le long du trottoir, il dut s'éloigner de l'abri à cause du bruit.

— T'es dans la rue ? lui demanda Bennett.

— Oui. J'allais me chercher un café. Écoute, Steve… que savais-tu de Templeton en tant qu'enquêteur ? Je me demande s'il était du genre à boucler vite vite un dossier par paresse, ou sur encouragements.

Il y eut un long silence avant que Bennett ne lui réponde.

— Difficile à dire au vu de ce compte rendu et je n'ai jamais travaillé directement avec lui. Mais j'ai entendu dire qu'il joue au golf et qu'avant chaque coup, il jette un peu d'herbe en l'air pour voir de quel côté souffle le vent.

Bosch comprit aussitôt. Il n'était pas impossible que Templeton n'ait pas beaucoup résisté à certains encouragements pour clore rapidement cette enquête, surtout si lesdits encouragements venaient d'en haut.

— Harry, reprit Bennett, tu veux le numéro du dossier OSHA[1] ? Le rapport n'est pas ici, mais ils ont dû le contresigner. Tu veux le numéro ?

Bosch revint à l'Abribus pour pouvoir le noter. Il demanda aussi à Bennett les date de naissance et adresse de Willman et de sa femme, Audrey. Puis il le remercia d'avoir été si prompt à l'aider.

— Tu gardes le truc du golf pour toi, d'accord ? lui lança Bennett. J'ai pas envie d'avoir Templeton sur le dos.

---

1. Occupational Safety and Health Administration. Agence fédérale chargée de l'exécution des lois sur la santé et la sécurité des personnes.

— Bien sûr. Je te revaudrai ça.

Après avoir raccroché, Bosch fit demi-tour et regagna le PAB sans aller au bout de l'expédition café. Il n'avait plus besoin du coup de fouet de la caféine.

De retour à son ordinateur, il chercha David Alexander Willman dans les banques de données criminelles et fit chou blanc. Pour ce qu'on pouvait en savoir, Willman était blanc comme neige.

Puis il passa au site d'enregistrement des armes de l'ATF et renouvela sa recherche. Même s'il était mort, toutes les transactions légales qu'il avait pu faire en matière d'armes devaient s'y trouver. Cette fois, il obtint des résultats. Willman vendait des armes et sa licence fédérale qui avait expiré six ans plus tôt n'avait pas été renouvelée après sa mort.

Bosch se dit que vendre des armes collait bien avec la gérance d'un ranch de chasse et d'un stand de tir. Sa recherche fit aussi apparaître un certain nombre de transactions dans les huit années précédant son décès. Willman avait acheté et vendu des dizaines d'armes. Bosch en éplucha la liste et y trouva l'acquisition de deux carabines Kimber Model 84. Willman les avait achetées en 2000 et 2002, bien avant qu'on ne tire sur Orlando Merced avec ce type d'arme.

Il étudia ensuite les ventes de Willman et s'aperçut qu'une seule de ces carabines avait été revendue. Cela signifiait que, au moment de sa mort, il était bien propriétaire d'une Kimber Montana. Cela ne voulait pas dire qu'il l'avait en sa possession, seulement que cette carabine était déclarée à son nom.

Néanmoins, Bosch se sentit encouragé. Il tenait peut-être une piste sur l'arme du crime. Cela faisait neuf ans que Willman était mort et l'arme pouvait très bien avoir disparu depuis longtemps. S'il ne l'avait pas jetée après le coup de feu sur Merced, Broussard, lui, s'en était probablement débarrassé juste après avoir tué Willman. Tout cela n'était que conjectures, il le savait, mais il devait quand même reconnaître qu'il y avait une petite chance que Willman se soit montré assez intelligent pour garder sa carabine afin de tenir son copain Broussard. Il pouvait très bien lui avoir dit l'avoir jetée, mais l'avoir cachée quelque part au cas où quelque chose tournerait mal.

Il inscrivit le numéro de série de la Kimber dans son carnet et lança une autre recherche, celle-là sur ce qui était gardé aux Scellés du comté de Riverside. Dès qu'il eut ce qu'il voulait, il se tourna vers Soto.

— Je retourne à Riverside, dit-il.

Elle se détourna de son écran pour le regarder.

— Qu'est-ce qu'il y a là-bas ? demanda-t-elle.

— On m'a rappelé. Ce jour-là, c'était Broussard le tireur. Il a tué son ami David Willman et l'affaire a été classée comme un accident. Mais Willman était marchand d'armes et avait acheté une Kimber Montana qu'il n'a jamais revendue. Il se pourrait qu'elle soit encore là-bas.

— Où ?

— Je ne sais pas encore. J'ai l'adresse où habitait Willman, mais sa femme a revendu la maison deux ans après sa mort et a fait une excellente affaire. Elle habite à Rancho Mirage maintenant. Je me disais que ça serait bien de commencer par aller y faire un tour. Avec un peu de chance, elle l'a peut-être encore, cette carabine.

— J'y vais avec vous, lui lança Soto après avoir réfléchi un instant.

— Et le « nœud » de l'affaire ?

— Il peut attendre. Il n'est pas question que vous partiez à la recherche d'une arme sans votre partenaire.

Il acquiesça d'un signe de tête.

— Vous aimez le riz façon chili ? dit-il. Je connais un bon endroit pour ça. C'est à peu près à mi-chemin.

Chapitre 24

Arriver à destination lui prit bien plus longtemps que le dimanche précédent avec sa fille. Et d'un, les autoroutes étaient nettement plus encombrées, et de deux, Rancho Mirage est presque plus d'une heure à l'est de la Coachella Valley. Soto et lui en profitèrent pour parler des deux affaires sur lesquelles ils travaillaient et des mesures qu'ils comptaient prendre. Que l'arme qui avait servi à tirer sur Orlando Merced soit peut-être encore, comme il le croyait, entre les mains des proches de David Willman était certes une piste à explorer, mais ça ne lui permettrait pas, même de loin, d'obtenir un mandat de perquisition pour aller fouiller chez eux. Ils allaient devoir frapper à leur porte et espérer leur coopération, ou tomber sur quelque chose qui leur donne une meilleure cause probable à présenter à un juge.

Ils s'arrêtèrent à West Covina pour y avaler leur riz façon chili en guise de déjeuner, la conversation mourant peu à peu tandis qu'ils entamaient la seconde moitié du voyage. Ses pensées se mettant à vagabonder, Bosch passa de l'affaire au dîner qu'il avait eu avec Virginia

Skinner la veille au soir. La conversation s'y était avé-
rée intéressante. Une aventure s'y était peut-être même
dessinée – en tout cas côté Bosch –, et l'idée d'imagi-
ner où cela pourrait le mener l'excitait. Et ce n'était pas
seulement l'idée de fréquenter à nouveau quelqu'un.
Force lui était de reconnaître que les chances qu'il avait
d'aimer une dernière fois quelqu'un dans sa vie s'amenuisaient au fur et à mesure que le temps passait. Les
espoirs qu'il avait nourris de connaître une dernière
grande histoire d'amour avec Hannah Stone s'étaient
brisés l'année précédente. Le fils d'Hannah était en prison pour viol lors d'un rendez-vous galant. Lorsque
Bosch avait refusé de le soutenir lors d'une audience
de mise en liberté conditionnelle, Hannah avait brusquement mis fin à leur relation, Bosch en venant à se
demander si ce n'était pas la situation dans laquelle se
trouvait son fils qui la motivait depuis le début de leur
aventure.

En repensant à Virginia Skinner, il se rendit compte
qu'il était secrètement enthousiaste à l'idée d'une relation possible avec elle en raison de sa place dans les
médias. Entamer une aventure avec une journaliste serait
tellement lourd de complications qu'il valait mieux s'en
dispenser, mais justement : c'était ce risque même qui
était grisant. Quoi qu'ils fassent, il faudrait que ce soit
secret. Dans la police, ça revenait à coucher avec l'en-
nemi. Le PAB et les bâtiments du *Los Angeles Times*
n'étaient séparés que par les quatre voies de Spring
Street, mais il y avait là, entre ces deux institutions, un
mur invisible et deux fois plus haut que City Hall. Il
allait devoir se montrer extrêmement prudent s'il donnait suite. Et Virginia Skinner aussi.

— Vous avez appris à tirer à votre fille ? lui demanda Soto si soudainement qu'il en fut tout droit sorti de ses pensées.

Il était clair qu'elle se passait et repassait dans la tête ce qu'il lui avait dit avoir fait avec Maddie le dimanche après-midi précédent.

— Euh, oui, répondit-il.

— C'est un peu inhabituel, vous ne trouvez pas ?

— Bah, vous savez, quand il y a des armes dans la maison… Je voulais qu'elle sache tout ce qu'il faut en savoir pour sa sécurité. Je l'ai donc emmenée deux ou trois fois à des stands de tir et il s'avère qu'elle se débrouille vraiment bien. Ça lui vient naturellement. Elle a des tas de trophées et de rubans dans sa chambre. Même que maintenant, et vous me croyez si vous voulez, elle dit vouloir être flic.

— J'aimerais bien faire sa connaissance.

Il acquiesça.

— Et moi qu'elle fasse la vôtre, dit-il.

— Où est sa mère ?

— Elle est morte il y a quelques années de ça. C'est à ce moment-là qu'elle est venue vivre avec moi.

— Et qu'elle a commencé à tirer avec des armes à feu.

— Ouais.

Et ce fut tout ce qui fut dit sur le chemin de Rancho Mirage.

La maison où avait emménagé Audrey Willman après la mort de son mari se trouvait dans la zone résidentielle clôturée des Desert View Estates. Bosch montra son badge au flic faisant office d'agent de sécurité dans sa guérite pour pouvoir entrer dans le domaine et s'arrêta devant la bâtisse deux minutes plus tard. Haute de trois étages et entourée de maisons et de propriétés du même genre, elle trônait au milieu de deux mille mètres carrés de terrain. Il y avait aussi un rond-point orné d'un jardin de rocaille avec un arbre de Josué en son centre. Bosch et Soto s'approchèrent de la maison, sonnèrent et attendirent.

— Vous savez pourquoi ça s'appelle des « arbres de Josué » ? lui demanda Soto.

Bosch se retourna vers l'arbre, dont les branches multiples partaient à droite et à gauche à la manière d'un candélabre.

— Pas vraiment, non, dit-il.

— Ce sont les Mormons qui l'ont appelé comme ça. Ça leur rappelait la scène de la Bible où Josué lève les bras au ciel pour prier.

Bosch hochait la tête d'un air pensif lorsque la porte s'ouvrit derrière lui. Il se retourna et découvrit une servante en uniforme qui leur demanda de rester dehors tandis qu'elle refermait la porte pour aller savoir si Mme Willman acceptait de leur parler. Cela l'agaça fortement : il savait que le flic avait très certainement appelé en amont pour avertir la dame de leur arrivée. Elle aurait déjà dû être prête à les recevoir.

Au moins étaient-ils à l'ombre. La chaleur aride du désert commençait à lui taper sur le système. Il sentait que ses lèvres devenaient sèches et commençaient à se craqueler. Il étudia les finitions de la porte, puis son regard se porta sur le travail tout en languettes et rainures de la porte cochère. Il fut à nouveau frappé par l'énorme différence de valeur entre la maison où habitait David Willman au moment de sa mort et celle où résidait maintenant sa veuve.

— Que je vous dise un truc, lança-t-il à Soto. Ou bien Willman avait une sacrée assurance ou bien on a graissé des pattes quelque part. Ce n'est pas le genre d'endroit où un guide de chasse finit son existence.

— Elle aura poursuivi Broussard en justice. Pour mort suspecte ou autre.

Il hochait la tête pour lui dire qu'il était d'accord lorsque, la porte s'ouvrant enfin, une femme d'une cinquantaine d'années y apparut et déclara être Audrey Willman. Elle était grande et maigre et croulait sous les bijoux en or.

— Que puis-je faire pour vous, inspecteurs ? leur lança-t-elle.

Bosch décida d'aller droit au but.

— Nous enquêtons sur un meurtre qui s'est produit à Los Angeles et pourrait avoir un lien avec la mort de votre mari. Pouvons-nous entrer ?

— Cela fait presque dix ans qu'il est mort, leur renvoya-t-elle. Comment la mort de mon mari pourrait-elle avoir un rapport quelconque avec un meurtre à Los Angeles ?

— Nous pourrions vous l'expliquer si vous nous laissiez entrer.

Elle leur ouvrit. Ils se réunirent dans un salon, Bosch et Soto assis sur un canapé juste en face d'Audrey Willman qui, elle, avait choisi de prendre place dans ce qui ressemblait à un fauteuil club ancien.

— Eh bien, dit-elle, expliquez.

— Lorsqu'il est mort, votre mari possédait plusieurs armes à feu, lui dit Bosch.

— Évidemment. C'était un marchand d'armes agréé. Il en achetait et en vendait.

— Nous le comprenons bien. Ce que nous essayons de déterminer, c'est l'endroit où pourrait se trouver une des armes qu'il possédait à l'époque.

Audrey Willman se pencha légèrement vers eux et, soudain soupçonneuse, fronça les sourcils.

— Vous plaisantez, n'est-ce pas ?

— Non, madame, nous ne plaisantons pas, lui renvoya-t-il en s'essayant au style pince-sans-rire du personnage de Joe Friday. Nous avons besoin de savoir. Qu'est-il advenu des armes de votre mari après sa mort ?

Elle tourna ses paumes de mains en l'air comme pour lui montrer que la réponse allait de soi et ne valait certainement pas les deux heures et demie de route qu'ils venaient d'effectuer.

— Je les ai vendues. J'ai tout vendu… et légalement. Parce que vous croyez qu'après ce qui s'était passé, j'aurais encore voulu avoir des armes chez moi ?

C'était l'ouverture qu'il attendait.

— Que s'est-il passé exactement ? lui demanda-t-il. Je n'ai eu connaissance que des notes du bureau du shérif de Riverside. Comment se fait-il que votre mari ait fini par se faire tuer par son meilleur ami ?

Elle écarta la question d'un geste de la main.

— Le bureau du shérif est vraiment le dernier endroit où je chercherais à savoir ce qui est arrivé, dit-elle.

Il attendit, mais elle en resta là.

— Bien, mais dans ce cas, pouvez-vous nous donner votre version des faits ?

— J'aimerais bien, mais je ne peux pas. Il y a eu un litige. Je l'ai poursuivi en justice, mais je ne peux pas en parler.

Encore une fois, elle se servit de ses mains pour leur montrer le plafond et l'opulence des lieux qu'elle occupait. Le message était clair. Elle avait bénéficié d'un arrangement plus que profitable, mais avec son silence en contrepartie.

— Vous voulez dire qu'il y a une clause de confidentialité dans l'accord final ?

— C'est ça.

— Bon, je comprends. Mais pouvez-vous me dire ce que vous alléguiez dans vos poursuites avant qu'il y ait accord à l'amiable avec clause de confidentialité ?

— Je ne peux rien dire sur quoi que ce soit, répondit-elle en hochant la tête.

Et elle fendit l'air d'une main pour bien marquer qu'elle n'en démordrait pas.

Ce fut à son tour de hocher la tête. Comme il lui semblait impossible d'aborder la question de ces poursuites avec elle, il réattaqua sur les armes.

— Bon, c'est compris, dit-il. Revenons-en aux armes que vous dites avoir vendues. Celle en question n'a jamais été enregistrée suite à une vente. Elle est toujours déclarée sous le nom de votre mari au service des Alcools, Tabac et Armes à feu.

— Ce n'est pas possible. J'ai tout vendu et de façon parfaitement légale. C'est Ted Sampson qui s'en est occupé. Il a acheté le ranch et s'est servi de sa propre licence de marchand d'armes pour tout liquider.

Bosch se dit que ce devait être le type avec qui il avait parlé la veille au bureau de la White Tail.

— Sans doute, mais pour ce qui est de cette arme particulière, il n'y a aucune trace d'une vente quelconque.

Il s'agit d'une carabine de chasse Kimber. Modèle Montana. Cela vous dit-il quelque chose ?

— Aucune arme ne me dit quoi que ce soit. Je déteste les armes. Et je n'en ai aucune dans cette maison. J'ai laissé tout ça derrière moi en emménageant ici. Mais j'en ai gardé un inventaire précis parce qu'avant tout ça…

Et d'agiter à nouveau la main pour lui indiquer ce que lui avait rapporté l'accord à l'amiable.

— … je pensais que l'argent de ces ventes serait la seule chose qui me resterait. Ça et les vingt-cinq mille dollars de l'assurance.

— Bon, d'accord. Et donc, où pourrait bien se trouver cette carabine si Ted ne l'a pas vendue ?

Elle hocha la tête comme si la question la déconcertait.

— Je n'en ai aucune idée ! Il gardait ses armes dans le garage de notre ancienne maison, mais tout y a été débarrassé. Ça, j'en suis sûre. Il n'y restait rien quand Ted en a eu fini et j'ai dressé la liste de toutes les armes que nous en avons sorties.

— Vous avez toujours cette liste ?

— Eh bien, dit-elle après un instant de réflexion, je crois que oui.

— On pourrait la voir, madame Willman ? Ça pourrait être important.

— Attendez-moi ici. Elle est avec mes papiers pour les impôts. J'en suis sûre.

Elle se leva et traversa la pièce pour rejoindre deux portes-fenêtres habillées de rideaux. Elles donnaient sur un cabinet de travail où Bosch aperçut un bureau, des rayonnages, une bibliothèque et un vélo d'appartement installé devant une télé à écran plat. Willman referma les portes derrière elle.

Elle disparut pendant cinq minutes. Bosch et Soto se regardèrent, mais ne dirent mot. Ils savaient tous les deux que cette liste, à condition que la veuve Willman l'ait toujours, constituerait un solide élément de preuve si jamais l'enquête débouchait sur des poursuites malgré l'absence de l'arme du crime.

Willman ressortit de son bureau avec un bloc-notes dont plusieurs pages étaient retournées, un élastique entourant le tout.

— Je l'ai trouvée, dit-elle.

Elle s'approcha et ôta l'élastique, mais, devenu cassant avec le temps, celui-ci se rompit dans sa main. Elle s'assit et se mit à étudier les pages en les retournant une à une. À la quatrième, elle s'arrêta.

— Voilà, dit-elle. C'est la liste.

Et elle tendit le bloc-notes à Bosch. Il sortit le sien, où il avait inscrit le numéro de série du Kimber Model 84 dont, selon les registres de l'ATF, David Willman avait été propriétaire. Soto se pencha pour examiner le document avec lui. Il y avait dix-huit fusils et armes de poing, les sommes rapportées par leur vente inscrites juste à côté. Mais rien ne correspondait au Kimber, aucun numéro de série ne collait avec celui que Bosch avait noté. Le Kimber n'avait jamais été vendu. Bosch remarqua aussi la présence de deux cartouchières pleines de munitions qui n'allaient avec aucune des armes répertoriées.

— Pouvons-nous vous emprunter ce document, madame Willman ? demanda-t-il.

— Je préférerais le garder. Je peux vous en faire une copie. J'ai une photocopieuse.

— Il vaudrait mieux que nous ayons l'original. Nous pouvons vous donner un reçu et nous vous le rendrons dès que nous n'en aurons plus besoin.

— Je ne comprends pas. Pourquoi le voulez-vous?

— Ça pourrait être un élément important pour l'enquête. Si cette arme a été utilisée dans la commission de l'homicide sur lequel nous enquêtons, nous devrons en authentifier l'origine. Cette liste nous aiderait à prouver qu'elle avait déjà disparu il y a au moins neuf ans, lorsque vous avez dressé la liste des armes que possédait votre mari au moment de son décès.

— Bien, dit-elle à contrecœur. Vous pouvez la prendre, mais moi, je veux en faire une copie et que vous me rendiez l'original plus tard.

— Vous l'aurez, dit-il. Je vous le promets.

— Je vous en dresse un reçu, ajouta Soto.

Pendant qu'elle s'y mettait, Bosch posa à Willman une question qu'il avait décidé de garder pour la fin de l'entretien.

— Quelle arme votre mari avait-il avec lui le jour de l'accident?

Elle eut un léger hoquet d'incrédulité avant de lui répondre, ce haut-le-cœur ne semblant pas vraiment s'adresser à Bosch, mais plutôt dire l'émotion que lui inspirait la teneur de la question. Bosch en eut la confirmation de ses soupçons : les poursuites qu'elle avait engagées et dont elle avait maintenant fait serment de ne plus rien dire ne s'étaient pas réduites à des allégations de mort suspecte. Pour lui, Audrey Willman avait manifestement affirmé que la mort de son mari était tout sauf accidentelle.

— Son calibre 20 de chasse, comme d'habitude, répondit-elle.

— Pour du sanglier? Vous trouvez ça normal?

— Il ne chassait pas le sanglier. C'était l'autre qui s'en chargeait. Dave lui servait de guide. L'autre le lui avait demandé. Il n'avait donc qu'un fusil au cas où un sanglier serait sorti des broussailles pour le charger. Il s'en serait servi pour l'abattre.

Elle n'avait jamais prononcé le nom de Broussard. Bosch se demanda si c'était un des termes de l'accord à l'amiable ou si elle ne pouvait se résoudre à mentionner le nom de l'homme qui avait tué son mari. Encore une fois il essaya de faire sauter le verrou de l'action en justice.

— Si vous avez connaissance de quoi que ce soit sur votre mari et sur Charles Broussard qui n'entre pas dans les dispositions de votre accord, nous serions très heureux d'être mis au courant.

Elle le regarda un long moment, puis fit non de la tête.

— Je ne suis pas autorisée à parler de lui de quelque façon que ce soit, dit-elle. Je n'ai même pas le droit de dire son nom. Pourriez-vous, je vous en prie, me donner votre reçu et partir? J'ai des choses à faire.

De peu, songea-t-il. Il s'en était fallu de peu qu'elle s'ouvre à eux.

Chapitre 25

Ils quittèrent le domaine un quart d'heure plus tard, Bosch prenant bien soin de mettre la liste en lieu sûr dans sa mallette. Au lieu de se diriger vers la 10 qui aurait été le chemin plus rapide pour revenir à L.A., il décida de filer vers Hemet.

— Où va-t-on ? lui demanda Soto.

— À la maison où habitait Willman.

— Quoi ? Pour l'arme ?

Il acquiesça.

— Une idée que j'ai. Il faut bien qu'elle soit quelque part, cette arme. Je veux juste jeter un coup d'œil dans le garage où Audrey nous a dit qu'il rangeait ses fusils.

— Vous ne croyez pas que c'est Broussard qui l'a ? Non, parce que c'est pour ça qu'il se sentait en sécurité pour éliminer Willman.

— Peut-être. Mais il se peut que Willman lui ait dit s'en être débarrassé après l'affaire de Mariachi Plaza. Il n'est pas impossible que Broussard ait seulement cru être à l'abri.

— Mais qu'en fait Willman l'ait gardée par-devers lui ? Et l'ait cachée quelque part ?

Il acquiesça.

— Peut-être, dit-il. En guise de police d'assurance. Peut-être l'a-t-il cachée dans un endroit où sa femme n'a pas su aller regarder après sa mort.

Elle acquiesça à son tour : elle était preneuse.

— Bon mais… on va avoir besoin d'un mandat de perquisition?

— Pas si on est invités à entrer, dit-il en hochant la tête.

Ils roulèrent un moment sans rien dire, puis Soto demanda :

— Que pensez-vous d'Audrey? Elle avait vraiment envie de nous parler de ces poursuites judiciaires.

— Absolument. J'ai l'impression qu'elle se sent coupable.

— De quoi?

— D'avoir pris l'argent et de la fermer. Quel que soit le montant qu'elle a touché, elle sait que c'est comme ça que Broussard s'est tiré d'affaire. Au bout d'un moment, ça doit devenir difficile à supporter. Même si on a une baraque absolument superbe. En fait, c'est le fric de son silence. Bref… il faut qu'on trouve un autre moyen d'en savoir plus sur ces poursuites, peut-être en s'adressant au district attorney pour voir ce qu'il serait possible de faire pour passer outre à l'interdit.

— C'est vrai que j'aimerais voir de quoi il retourne.

Ils arrivèrent à Hemet une demi-heure plus tard. Chemin faisant, Bosch prit un appel du capitaine Crowder qui voulait être au courant des derniers développements de l'enquête. Bosch l'informa qu'ils suivaient une piste pouvant les conduire à l'arme du crime et qu'ils espéraient avoir quelque chose de concret pour lui plus tard dans la journée ou le lendemain matin. Cela l'apaisant pour l'instant, le capitaine mit fin à l'appel sans poser d'autres questions.

La maison où avaient vécu les Willman avant que David ne trouve la mort aux mains de Broussard se réduisait à une bâtisse de plain-pied dans un quartier de type moyenne bourgeoisie. Repeinte de frais, elle possédait un jardin bien entretenu et un garage à deux voitures attenant au bâtiment. D'après les registres du cadastre qu'avait consultés Bosch, elle appartenait maintenant à un certain Bernard Contreras.

Ce fut une femme d'une trentaine d'années qui leur ouvrit. Elle donnait l'impression d'être enceinte d'au moins sept mois.

— Madame Contreras ?

— Oui ?

Bosch lui montra son badge, s'identifia et lui présenta Soto.

— Nous enquêtons sur un homicide, poursuivit-il, et nous sommes à la recherche d'une arme qui pourrait avoir un lien avec notre affaire.

Elle posa la main sur son ventre comme pour protéger son futur enfant du simple mot « arme ».

— Je ne comprends pas, dit-elle. Nous n'avons aucune arme dans cette maison.

— Ce n'est ni de vous ni de votre mari que nous parlons, lui renvoya-t-il. Nous sommes là parce que la personne qui vivait ici avant vous en avait.

— Le type qui a été tué ?

— C'est ça, le type qui a été tué. C'était un marchand d'armes et c'est une de celles qu'il avait que nous cherchons.

— Ça remonte à loin. Mon mari et moi avons acheté cette maison il y a…

— Nous le savons. C'est pour cette raison que nous allons vous demander de nous rendre un service. Nous espérons que vous voudrez bien nous aider dans notre enquête.

Elle le regarda d'un air soupçonneux et resta sur la défensive.

— Quel service ? lui demanda-t-elle.

— Nous aimerions jeter un coup d'œil dans votre garage.

— Et pourquoi donc ?

— Parce que le propriétaire précédent… l'homme qui a été tué… y gardait une partie de ses armes. Nous aimerions juste y jeter un coup d'œil pour être sûrs que l'arme que nous cherchons ne s'y trouve pas.

— Ça fait six ans que nous habitons ici. On l'aurait déjà trouvée si quelqu'un l'avait laissée, non ?

— Vous avez sans doute raison, madame Contreras. Mais nous sommes de la police et il faut que nous le constations par nous-mêmes pour pouvoir dire qu'effectivement elle n'y est pas. Sans parler du fait que si elle y est… ce quelqu'un l'aura cachée.

Elle retira la main de son ventre et parut se détendre un peu. Bosch se dit que ça l'intriguait peut-être, elle aussi.

— Vous n'avez pas besoin d'un mandat de perquisition ou un truc comme ça ? lui demanda-t-elle.

— Pas si vous nous invitez à entrer pour voir.

Elle réfléchit un instant avant de donner son feu vert.

— Je vais vous ouvrir, dit-elle. Mais il y a beaucoup de caisses. Des trucs qu'on va mettre en garde-meuble, et je ne veux pas que vous regardiez dedans.

— Ne vous inquiétez pas, madame Contreras. On ne va pas fouiller dans vos affaires.

Elle recula, puis referma la porte derrière elle. Bosch et Soto suivirent un passage dallé jusqu'à l'allée cochère et attendirent devant le garage. La porte n'étant pas munie de fenêtres, Bosch se dit que c'était probablement une mesure de précaution qu'avait prise Willman pour y conserver ses armes.

La porte commença à se relever lentement. Mme Contreras les attendait à l'intérieur, la main de nouveau posée sur le haut de son ventre.

Bosch entra et regarda autour de lui. C'était un garage standard pour deux voitures, avec un établi dans un des deux espaces, des étagères de rangement et une chaudière le long du mur du fond. Aucun des murs n'étant fini, on pouvait voir la charpente en bois et les isolants. Parti pris de l'entrepreneur ou de l'acheteur pour réduire les coûts de construction, sans doute.

Dans l'autre espace se trouvait une compacte, tout indiquant que c'était madame qui l'y rangeait, son époux se servant du porche ou de l'allée cochère pour garer sa propre voiture.

Les poutres étaient apparentes et il y avait une plate-forme de rangement en hauteur. Plusieurs caisses s'y alignaient. Bosch les montra du doigt.

— C'est à vous ? demanda-t-il.

— Oui. Cet endroit était entièrement vide quand nous avons emménagé. S'il y avait eu une arme quelque part, nous l'aurions découverte.

Fixés à des montants de charpente de 60 × 120 placés de part et d'autre de l'établi se trouvaient des éléments en acier fermés par des serrures et des moraillons pour cadenas supplémentaires.

— Voilà les coffres à armes, dit-il. Ils étaient là quand vous avez emménagé ?

— Oui, c'est Mme Willman qui nous les a laissés quand on a acheté la maison.

— Ils sont fermés à clé ?

— Non, nous ne les fermons pas, répondit-elle. Vous pouvez vérifier.

Bosch les ouvrit et vit qu'ils s'en servaient comme de simples espaces de rangement. Ils ne contenaient pas d'armes. Il prit un escabeau à côté de l'établi pour regarder au-dessus. De la poussière et des insectes morts s'y étaient déposés, mais toujours pas d'armes.

Il passa à l'établi lui-même. Un étau aux mâchoires capitonnées était monté à un bout, un autre plus petit étant installé au milieu du plateau de 1,80 mètre de long. Il s'approcha encore et sentit de légères odeurs de lubrifiant et de solvant à canon, produits que tout marchand d'armes se doit d'avoir en quantité.

— Et ils vous ont aussi laissé cet établi ? Les étaux… ils sont espacés de façon à y installer un fusil pour vérifier l'âme ou y ajouter une lunette de visée.

— Oui, il a été laissé là, lui aussi, et nous avons décidé de nous en servir, dit-il. Mais ça prend beaucoup de place. Mon mari est obligé de se garer dans l'allée cochère, mais ça ne le gêne pas. Il adore bricoler ici le dimanche.

Bosch se contenta de hocher la tête. Il regardait l'établi au plateau maculé de taches d'huile. Manifestement fabriqué à la main, il était fait de tasseaux de 60 × 120 et de panneaux de contreplaqué. Il comprenait un plan de travail sur le dessus et une étagère en dessous. Ces deux surfaces étaient en contreplaqué de 2,5 cm d'épaisseur et soutenues par quantité de tasseaux en dessous. Solide et lourd, le meuble était pour l'heure couvert de matériel et d'outils électriques.

Bosch y posa la main pour garder l'équilibre et s'accroupit pour vérifier le dessous du plateau. Dans un coin de l'épaisse structure, il vit une arme retenue par des liens en plastique.

— Il y a une arme là-dessous, dit-il. Une arme de poing.

— Ah, mon Dieu ! s'écria Mme Contreras.

Bosch sortit une paire de gants en caoutchouc de sa poche de veste et les enfila. Puis il prit son téléphone portable, s'agenouilla de nouveau pour prendre des photos de l'arme *in situ* en se servant du flash pour éclairer le dessous du plateau. Enfin, il s'empara d'un cutter à tapis dans le fouillis d'outils posés sur le plateau et l'utilisa pour trancher les liens.

L'arme une fois libérée, il la prit dans ses mains et se releva pour l'examiner avec Soto. C'était un Glock P17. Mme Contreras se pencha pour l'examiner elle aussi, l'inquiétude se marquant sur son visage. Au bout d'un moment, Bosch tendit l'arme à Soto qui avait enfilé des gants en caoutchouc, et commença à ôter sa veste. Pour pouvoir examiner le dessous de l'étagère, il allait devoir se mettre à quatre pattes sur le sol plein de taches d'huile. Remarquant ce qu'il s'apprêtait à faire, Mme Contreras sortit une bâche d'un des rayonnages au fond du garage et la déplia pour l'étaler par terre.

— Tenez, prenez ça pour ne pas bousiller vos habits, lui dit-elle.

Bientôt, il fut accroupi sur le sol et se servit de la lumière de son portable pour éclairer les recoins sombres du dessous de l'étagère. Là aussi, il y avait une arme – un fusil cette fois. À nouveau il en prit des photos avant de demander qu'on lui passe le cutter pour trancher les liens en plastique.

Puis il tendit l'arme qui faisait son poids à Soto et se releva.

— Dieu de Dieu ! s'exclama Mme Contreras qui avait posé les deux mains sur son ventre pour protéger son enfant à venir.

L'arme n'était pas un Kimber Model 84. Bosch y reconnut une mitraillette M60 de la guerre du Vietnam. Alimentée par des munitions rangées dans des cartouchières, elle était portée en bandoulière par les soldats qui crapahutaient dans la jungle. Deux de ces cartouchières faisaient partie de la liste d'armes et de munitions répertoriées par Mme Willman après la mort de son mari. Enfin il tenait l'arme qui correspondait à ces cartouchières. Il se demanda si Willman avait caché la mitraillette et le Glock parce que c'étaient des armes volées ou des souvenirs de valeur.

— C'est ça que vous cherchiez ? lui demanda Mme Contreras.

— Non, ce n'est pas ça.

Voyant qu'elle peinait sous son poids, il reprit la mitraillette à Soto. Ceux qui la trimballaient dans les jungles du Vietnam lui portaient autant d'amour que de haine. Elle était le « gros porc » chaque fois qu'ils devaient la prendre pour partir en patrouille. Mais, lourde ou pas, elle n'en restait pas moins la meilleure arme à avoir avec soi dans une fusillade. Bosch la déposa soigneusement entre les mâchoires des deux étaux.

Puis il s'écarta de l'établi et regarda encore une fois tout autour du garage tant le fait d'avoir découvert ces deux armes le revigorait. Ce n'étaient pas celles qu'il cherchait, mais elles prouvaient que Willman avait bel et bien des armes cachées. Et cela nourrissait un peu plus son espoir de retrouver la Kimber Montana.

Il leva les yeux vers les poutres du toit.

— Vous pouvez monter dans les combles si vous voulez, lui dit Mme Contreras qui le soutenait maintenant à fond dans sa recherche d'armes cachées dans la maison où elle allait bientôt élever un enfant.

Il y avait une grande échelle en fibre de verre dans un râtelier installé à l'autre bout du garage. Bosch l'en descendit et la porta jusqu'à l'établi en prenant soin de ne pas érafler la voiture. Il la déploya entièrement, l'appuya à l'une des poutrelles et la tint en place tandis que Soto y montait en premier. Puis il la suivit et ils se retrouvèrent à marcher tête baissée sur un plancher de fortune fait de planches posées en travers des poutres.

Il chercha des cachettes, mais il n'y avait vraiment aucun endroit où dissimuler un fusil ou toute autre arme au milieu de ces poutres. Il était sur le point de renoncer lorsque Soto lui demanda de la rejoindre au bord de la plateforme. Il garda la main sur l'une des fermes du toit pour ne pas perdre l'équilibre.

Du doigt, Soto lui indiqua un espace entre deux traverses par où l'on découvrait l'un des coffres en acier. Il ne comprenait pas vraiment ce qu'elle voulait lui montrer.

— Quoi ? dit-il.

— Là, derrière le coffre, dit-elle. Le coffre est fixé aux montants de la charpente, mais il y a de la place entre eux.

Elle avait raison. Il y avait plus de trente centimètres d'espace entre les montants de charpente verticaux du mur. Et tous ces espaces étaient pleins de bourre d'isolation qu'on pouvait très bien ôter derrière les coffres afin d'y ménager un endroit assez grand pour y dissimuler un fusil. Bosch ne s'était pas rendu compte de cette possibilité lorsqu'il avait jeté un coup d'œil au-dessus des coffres.

— Il va falloir qu'on les décroche, dit-il.

*

Il leur fallut une demi-heure pour tout en sortir avant que Bosch puisse se servir des outils de Bernard Contreras pour desserrer les boulons maintenant le premier coffre en acier fixé aux montants de 60 × 120 de la charpente. Pour arriver à ses fins, il dut ensuite rendre la clé à molette à Soto en essayant de tenir le coffre.

Installée en haut de l'escabeau, Soto enleva les quatre boulons desserrés, Bosch sentant alors tout le poids du coffre qu'il tenait. C'était trop lourd.

— Attention ! cria-t-il.

Et il laissa glisser le coffre le long des montants jusqu'au sol en ciment, où il s'écrasa à grand bruit.

— Tout le monde va bien ?

Les deux femmes lui rapportant que oui, il examina l'endroit où s'était trouvé le coffre. Il y avait bien un espace vertical de dix centimètres entre deux des montants de la charpente. Un morceau de bois avait été cloué entre eux afin de servir de plancher à la cachette. Il n'y vit pas de fusil, mais une épée dans son fourreau. Il la descendit pour l'examiner. Elle était couverte de poussière. Elle ressemblait à une épée de samouraï avec une lame légèrement recourbée à son extrémité et toujours luisante et propre dans son fourreau.

Bosch l'appuya contre l'établi et passa au deuxième coffre.

N'ayant rien oublié des efforts qu'il avait dû déployer pour avoir le premier, il ne mit que dix minutes pour en desserrer les boulons avant de demander à Soto de se mettre en position sur l'escabeau. Cette fois, il savait à quoi s'attendre et poussa de tout son poids sur le coffre afin de le faire glisser lentement le long du mur. Et entendit Soto lui annoncer qu'il y avait bien une arme dans la deuxième cachette avant même qu'il ait le temps de se redresser.

C'était une carabine. Bosch sentit monter l'adrénaline. Il avait envie de l'arracher du mur pour voir si c'était une Kimber, mais il attendit que Soto l'ait photographiée avec son portable. Enfin il la descendit et la tint en travers de son corps, Soto se penchant pour l'aider à en examiner les estampilles.

— J'ai besoin de mes lunettes, dit-il.

— Là ! s'écria Soto tout excitée en lui montrant le côté gauche de la carcasse. Kimber Model 84 ! C'est forcément elle.

Elle repéra le numéro de série à gauche de l'estampille de la marque et demanda à Bosch s'il l'avait dans ses notes. Il lui tendit l'arme et alla chercher ses lunettes et son carnet dans sa veste, que lui tenait toujours

Mme Contreras. Puis il feuilleta son carnet jusqu'à la page où il avait noté le numéro et le lut à Soto.

— C'est ça ! dit-elle d'une voix qui tremblait légèrement.

Ils venaient de retrouver la carabine de David Willman portée disparue. L'étape suivante consisterait à déterminer si c'était bien celle avec laquelle on avait tiré sur Orlando Merced.

Bosch remit sa veste et regarda les deux coffres à armes posés sur le sol du garage. Il ne serait jamais capable de les remettre à leur place.

— Madame Contreras, dit-il, nous allons devoir vous prendre ces armes.

— Faites, je vous en prie, lui renvoya-t-elle. Mon mari ne va pas en croire ses yeux.

— Sauf que votre mari risque de ne pas être si content que ça parce que je suis incapable de soulever ces coffres pour les remettre où ils étaient.

— Vous inquiétez pas pour ça. Il le fera avec ses copains. Ils traînent suffisamment ici et ça lui fera une histoire pas possible à raconter.

— Ça me rassure, dit-il. Nous allons vous établir un reçu.

Ils rangèrent les armes dans le coffre de la voiture, en travers d'une couverture qu'il gardait dans son kit de planque. Après quoi ils remercièrent Mme Contreras et lui donnèrent son reçu.

Enfin ils repartirent vers Los Angeles. L'excitation était presque palpable dans la voiture. Bosch avait commencé sa journée en ayant l'impression d'être dans une impasse parce que Broussard avait pris la mesure même qui allait le protéger. Mais maintenant, tout avait changé. Il avait ce qu'il pensait être l'arme du crime dans son coffre. Le revirement avait été plus que soudain.

Il consulta sa montre et estima qu'il serait presque 17 heures lorsqu'ils arriveraient en ville. Il sortit son portable, appela le service des armes à feu du labo et demanda à parler à Gun Chung.

— Jusqu'à quelle heure tu vas y être ? lui demanda-t-il.

— Je suis de service jusqu'à 16 heures. Pourquoi ? Qu'est-ce qu'il y a ?

— On a le flingue qui a servi à Mariachi Plaza. Enfin... c'est ce qu'on croit. Mais on ne pourra pas être au labo à l'heure. On arrive de Riverside.

— Vous êtes encore loin ?

— On devrait pouvoir se pointer vers 17 heures.

— Ça ira. J'attendrai. Apporte-le et je te ferai la comparaison.

— On n'aura pas à se taper la file d'attente ?

— Non. Je vais te prendre sur mon temps libre. Comme ça, je peux faire ce que je veux.

— J'apprécie, mec. On arrive aussi vite que possible. Et... tu pourrais me rendre un autre service ?

— Oui, quoi ?

— Appeler les types des papillaires et voir s'ils pourraient pas nous envoyer quelqu'un. J'aimerais savoir si on pourra y relever des empreintes.

— Je vois ce que je peux faire.

Bosch raccrocha et informa Soto qu'ils allaient se rendre directement au labo, où Gun Chung était prêt à les attendre et à comparer la balle extraite de la colonne vertébrale d'Orlando Merced avec une autre tirée avec l'arme qu'ils avaient dans le coffre.

— Imaginons qu'il y ait correspondance, dit-elle. Qu'on a donc bien l'arme du crime…

— Oui.

— C'est quoi le scénario ? J'aimerais essayer de voir comment ça marcherait.

Il hocha la tête. L'exercice était bon – jusqu'à un certain point. Il n'est pas question que l'enquêteur invente un scénario et qu'ensuite il manipule les éléments de preuve pour qu'ils collent avec ce qu'il a imaginé. Cela étant, démarrer en se disant qu'ils venaient de retrouver l'arme du crime conduisait nécessairement à certaines conclusions.

— Bien, commençons par la première théorie que nous avons avancée à partir de la balistique et des preuves vidéo, dit-il.

— À savoir que la balle qui a touché Merced était destinée à Ojeda, précisa-t-elle.

— Voilà. Après, on a donc la confirmation que l'arme du crime appartenait à David Willman. Est-ce lui qui a tiré ? On ne le sait pas. En était-il capable ? Oui. Connaissait-il quelqu'un à qui il aurait pu donner son arme pour effectuer le tir ? Pour moi, c'est encore oui.

Il roula quelques minutes en se repassant le scénario dans la tête avant de reprendre.

— Bien, dit-il. Et si on relie Ojeda et Willman par un trait, qui d'autre croise-t-il ?

— Broussard.

— Broussard. Il a grandi avec Willman et est en affaire avec lui.

— Et sa femme a une liaison avec Ojeda.

Bosch acquiesça.

— Et donc, ce que je vois avec les yeux de Broussard :
il avertit Ojeda de laisser sa femme tranquille, mais Ojeda
refuse de passer à autre chose. Il va donc voir Willman
et lui dit : « J'ai besoin qu'on me fasse un petit boulot. » Willman accepte et organise le coup avec un tireur
lambda, ou alors, il décide de s'en charger lui-même. Je
penche pour cette dernière hypothèse – règle de base :
moins il y a de gens dans le complot, mieux ça vaut.

— D'accord. Willman, ça me va.

— Et donc, Willman tire, mais touche Merced au lieu
d'Ojeda. Tout part de travers. À ce moment-là, ils savent
que s'ils s'attaquent à Ojeda, ça va vraiment attirer l'attention des flics parce qu'il ne sera plus question pour
eux de continuer à croire que le premier tir était dû au
hasard ou à le mettre sur le dos des gangs. Ils compren-
dront qu'il y a quelque chose de louche dans cette histoire. Broussard n'a donc plus d'autre choix que de dire à
Willman de se faire discret… pour le moment du moins.

— En attendant, Ojeda reste assez longtemps dans
le coin pour pouvoir raconter ses conneries aux flics,
puis il quitte la ville.

— Bref, le tir a réussi. Certes, ils ont touché le mauvais mec, mais le bon s'est quand même tiré.

— Et Willman devient un problème pour Broussard.
Il connaît le secret.

— On a du mal à ne pas se demander pourquoi il
accepte d'aller à la chasse avec Broussard ce jour-là. Il
a dû lui dire qu'il avait une assurance imparable.

— Le flingue qu'il a gardé.

— Dieu sait comment, Broussard a dû se croire tranquille, se dire que l'arme ne referait jamais surface pour
tout relier ensemble avec lui au milieu.

Soto se tourna complètement de côté pour regarder Bosch tout en faisant le lien suivant :

— La balle ! s'écria-t-elle. Elle était toujours dans le corps de Merced. Quand il a vu que Merced en réchappait et qu'on n'allait pas la lui extraire, Broussard a dû se dire que l'atout maître de Willman n'était pas si génial que ça. Qu'il garde la carabine n'avait plus aucune importance dans la mesure où on n'avait pas de projectile avec lequel procéder à des comparaisons parce qu'on ne lui ôtait toujours pas la balle du corps. Il n'y avait donc aucun moyen de prouver qu'elle avait été tirée avec la carabine.

Bosch acquiesça.

— Mais Willman, lui, se dit qu'il est suffisamment à l'abri pour filer une arme à Broussard et partir dans les bois avec lui. Sauf qu'il ne l'est pas.

Ils réfléchirent un instant sans rien dire. Bosch se repassa encore une fois tout le scénario dans la tête et n'arriva pas à le démolir. Il ne s'agissait que d'une hypothèse, mais elle tenait. Cela dit, qu'elle marche ne signifiait pas pour autant que c'était comme ça que ça s'était passé. Dans toutes les affaires, il y a des questions qui restent sans réponse et des détails qui ne collent pas vus sous l'angle actes et mobiles. Bosch partait toujours du principe que, si l'on commence par se dire que tout meurtre est un acte irrationnel, il ne peut jamais y avoir d'explication entièrement raisonnable à sa commission. C'était de le comprendre qui l'empêchait de regarder avec plaisir des films et des émissions de télé ayant pour sujet des inspecteurs de police. Il les trouvait irréalistes de toujours donner au spectateur ce qu'il veut : à savoir toutes les réponses.

312

Il leva la tête et jeta un coup d'œil aux panneaux de signalisation de l'autoroute. Ils arrivaient à la bretelle de l'université de Cal State, où Gun Chung les attendait au labo.

Chapitre 26

Leur hypothèse se vérifia encore davantage lorsque Gun Chung identifia la Kimber comme étant bien l'arme avec laquelle on avait tiré la balle restée coincée dans la colonne vertébrale d'Orlando Merced dix ans durant.

L'arme ayant ensuite été traitée pour un relevé d'empreintes, Chung tira une balle dans le puits de tir du labo, la récupéra avec un filet puis, à l'aide du microscope double, la compara à la douille extraite du corps de Merced. Bien que celle-ci soit sérieusement endommagée, il fallut moins de dix minutes à Chung pour déclarer qu'il y avait correspondance et qu'il se sentait prêt à en témoigner devant un tribunal.

Bosch lui fit aussi tirer dans le puits avec la M60 et l'arme de poing. Puis il lui demanda de lui donner le profil numérique des balles en s'aidant de la base de données des munitions dès qu'il le pourrait. Ces deux armes n'avaient peut-être rien à voir avec l'affaire Merced, mais elles valaient la peine d'être vérifiées. Willman ne les avait pas cachées sans raison. C'étaient là des détails qu'il convenait de régler.

Il faudrait aussi s'occuper de l'épée de samouraï et en retrouver l'origine. Cela n'étant pas du domaine de Chung, Bosch décida de se renseigner sur les vols d'épées et les crimes perpétrés avec ce genre d'armes dès que, enfin libre des enquêtes qu'il menait, il en aurait le temps.

*

De retour à la salle des inspecteurs du PAB, ils ne trouvèrent personne à qui annoncer la nouvelle. Il y avait longtemps que Crowder et Samuels avaient fini leur journée. Et presque tous les autres enquêteurs avaient filé eux aussi. Bosch rangea les trois flingues et l'épée retrouvés à Hemet dans le coffre à armes de la salle des dossiers. Il avait l'intention de passer la M60 et le Glock au fichier de l'ATF dès le lendemain matin.

Lorsqu'il retrouva son box, Soto était en train d'éplucher les fiches d'appels anonymes que Sarah Holcomb lui avait laissées sur son bureau.

— Quelqu'un qui aurait appelé pour dire que c'est un certain Dave Willman qui a tiré ? lui demanda-t-il. Et que c'est Charles Broussard qui le lui a demandé ?

— J'aimerais bien.

Il s'assit à son bureau. Il était fatigué. Depuis quelque temps, conduire lui pompait toute son énergie.

— Autre chose dans tout ça ? demanda-t-il.

— Pas vraiment. Notre grande anonyme pour qui c'est le maire qui a toutes les réponses m'a rappelée, mais Sarah a loupé l'appel et la fille s'est contentée de répéter la même chose : « Allez donc parler à Zeyas. »

Sarah a remonté le numéro et c'est celui d'un portable non identifié... un jetable.

— Pas très étonnant. Si elle n'est pas américaine, elle n'a ni les papiers d'identité ni le compte bancaire qu'il faut pour avoir un portable légal. La plupart des clandestins de cette ville se servent de jetables. Ils ne coûtent pas cher et il y en a dans toutes les bodegas de L.A.

Soto rappela le numéro, le combiné à l'oreille, tandis qu'elle continuait de lui parler.

— Je dois dire que son insistance me pose question, dit-elle.

— Quelle question ? Celle de savoir si l'ex-maire est dans le coup pour Merced ?

— Non, pas ça. C'est bien trop tiré par les cheveux. Mais qui sait ? Peut-être qu'il est au courant de quelque chose.

— Parfait. Eh bien, à vous de le demander à monsieur le Juge... sur la base d'un appel anonyme. On verra s'ils vous laissent votre médaille de la Valeur.

— Je sais. C'est complètement fou.

— Non, ça ne l'est pas. C'est insensé jusqu'à ce que quelque chose l'étaie et je ne vois vraiment pas ce que ça pourrait être.

Elle raccrocha.

— Je tombe sur la messagerie, dit-elle.

Bosch tira son fauteuil près d'elle et l'informa qu'il voulait changer de sujet et parler de ce qu'ils allaient faire. Il était absolument nécessaire qu'ils aient un profil complet et de Broussard et de Willman. Profitant de son statut de senior, il choisit Broussard et lui laissa Willman. Il lui dit aussi que le moment était venu d'aller raconter ce qu'ils avaient à un procureur et de lui demander ce dont ils avaient besoin pour que le dossier débouche sur des poursuites. Il allait essayer d'obtenir un rendez-vous dès le lendemain en espérant tomber sur John Lewin ou un autre adjoint du district attorney qui soit à la hauteur de la tâche. Lewin cherchait toujours à travailler avec des inspecteurs susceptibles de lui donner une affaire gagnable à lancer. Certains de ses homologues au septième étage du CCB semblaient, eux, trouver plus d'intérêt à chercher toutes les raisons de ne lancer aucune poursuite.

— Et Bonnie Brae dans tout ça ? reprit-elle quand il en eut fini.

— Je pense qu'il faut attendre. Pour le moment, du moins. Il vaut mieux ne pas perdre l'élan qu'on a pour Merced. Et en plus, nous devons nous dire que Broussard travaille certainement à nous le faire perdre, cet élan. Il ne peut pas ignorer que Merced est mort et qu'on a la balle. Il n'est pas impossible qu'il nous ait déjà à l'œil. C'est pour ça qu'il vaut mieux donner tout notre temps à l'affaire Merced et aller vite.

Elle eut l'air déçue, mais accepta sa décision.

— Et si j'y travaillais sur mon temps libre ?

Il réfléchit un instant.

— Ce n'est pas moi qui vous dirai de ne pas travailler à quelque chose sur votre temps libre. Ici, on appelle ça les dossiers « marottes ». Mais cela ne me semble s'appliquer ni à votre affaire ni au sens qu'elle a pour vous. Je comprends bien que vous ne vouliez pas perdre l'élan que vous avez réussi à trouver. Pour éclaircir le « nœud » de l'affaire et tout ça... Je tiens seulement à être sûr que vous vous concentriez sérieusement sur l'affaire Merced.

— Ce sera fait, Harry, dit-elle. Je vous le promets.

— Parfait. Dans ce cas, faites ce que vous avez à faire.

*

Pour rentrer chez lui, Bosch reprit encore une fois par Mulholland Drive plutôt que par Woodrow Wilson Drive afin de pouvoir repasser devant la maison de Charles Broussard. Il ne savait pas trop ce qu'il espérait découvrir. Les chances d'apercevoir le suspect – car oui, il en était maintenant arrivé à un point où il voyait en lui un suspect – étaient quasiment nulles. Et pourtant. Il était toujours fasciné par la forteresse en béton derrière laquelle Broussard se tenait depuis si longtemps à l'abri de tous les regards.

Cette fois, il faisait nuit lorsqu'il arriva à l'embranchement pour le belvédère nord. Les panneaux indiquaient que le parc était fermé du crépuscule jusqu'à l'aube, mais il y avait des voitures garées sur le promontoire et des gens qui contemplaient l'énorme tapis de lumières de la Valley. Il s'approcha de la vue et regarda à droite, le long de la ligne de crête. Il revit l'avant de la maison en béton qui s'avançait nettement plus loin au-dessus du vide que celui des bâtisses qui la séparaient du belvédère. Il y avait de la lumière derrière des portes-fenêtres et, tout en bas de l'à-pic, au premier niveau, une piscine en forme de haricot était éclairée en bleu. Mais il n'y avait aucune activité humaine où que ce soit.

Bosch s'assit sur un banc et profita de la vue comme les autres touristes autour de lui. Mais il ne pensait qu'au meurtre et au genre d'individus qui se servent d'autrui pour tuer leurs ennemis et concurrents. Qu'aux narcisses finis qui s'imaginent que tout tourne toujours autour d'eux. Il se demanda combien il y en avait là-bas en bas, parmi les milliards de lumières qui brillaient à travers la brume.

C'est alors qu'il entendit quelqu'un parler d'un ton autoritaire. Il se retourna et vit un garde des parcs de la ville braquer le faisceau de sa lampe torche sur les visages et dire à tout le monde que, le belvédère étant fermé, il fallait partir pour ne pas risquer de contravention pour entrée interdite. Du type gros débile impoli, il portait un chapeau à la Dudley Do-Right[1] qui lui cassait toute son autorité. Puis il vint virer Bosch – c'était le seul badaud à ne pas s'être dépêché de rejoindre l'entrée du parking –, mais celui-ci lui montra son badge et l'informa qu'il était en plein travail.

— N'empêche qu'il faut dégager, lui renvoya le garde. Le parc est fermé.

Bosch remarqua sa plaque d'uniforme. Le bonhomme s'appelait Bender.

— Et d'un, ôtez-moi cette lumière de la figure. Et de deux, je suis sur une affaire. Je surveille une maison là-bas au bout et c'est le seul endroit d'où je peux le faire. Je m'en irai dans dix minutes.

Bender baissa sa torche. Il donnait l'impression de ne pas avoir l'habitude qu'on lui réponde.

— Et... vous êtes vraiment obligé de porter ce truc-là? reprit Bosch en lui montrant son chapeau.

---

1. Héros de la série « The Rocky and Bullwinkle Show ».

Bender le regarda un moment, Bosch lui renvoyant ses regards. Dans la lueur des lumières en dessous, Bosch vit le sang pulser à ses tempes.

— Et vous avez un nom qui va avec vot' badge? lui renvoya le garde.

— Mais absolument, et c'est Bosch. Vols et Homicides. Merci de me l'avoir demandé.

Il attendit. La balle était dans le camp adverse.

— Dix minutes, dit Bender. Je reviendrai vérifier.

Bosch acquiesça d'un signe de tête.

— Voilà qui me rassure, dit-il.

Le garde regagna l'escalier menant au parking, Bosch recentrant son attention sur la forteresse en béton. Il remarqua que la lumière de la piscine était éteinte. Le promontoire était équipé d'une rambarde de sécurité qui montait jusqu'à la taille. En s'y appuyant et en se penchant encore plus en avant, il élargit son champ de vision. Il sortit ses petites jumelles de la poche de sa veste, les porta à ses yeux et vit ce qu'il y avait de l'autre côté de certaines fenêtres éclairées. Il découvrit un living avec des tableaux abstraits accrochés à des murs de six mètres de haut et une cuisine où une femme se déplaçait derrière un comptoir. Il eut l'impression qu'elle vidait un lave-vaisselle. Elle était brune, mais il n'arrivait pas à la voir comme il fallait. Il songea que ce devait être Maria Broussard, la femme dont l'aventure extraconjugale avait tout déclenché.

Le bourdonnement de son portable le faisant sursauter, il recula du bord du précipice, remit ses jumelles dans sa poche et prit l'appel. C'était Virginia Skinner.

— D'abord, merci encore pour le dîner hier soir, lui dit-elle. C'était vraiment chouette et je me suis bien amusée.

— Moi aussi. Il faudra recommencer.

Il y eut un petit silence, le temps qu'elle enregistre l'info, puis elle reprit :

— Et pour l'autre truc… Charles Broussard t'inté-resse-t-il toujours ?

Il regarda fixement la maison avant de répondre.

— Pourquoi cette question ?

— Eh bien parce que aujourd'hui, c'est lundi et que, comme c'était plutôt mort, j'ai regardé toutes les mer-douilles qui s'accumulent sur mon bureau, tu sais bien… les communiqués de presse, les invitations des poli-tiques, tout ça, quoi. Et je cherchais vraiment à jeter et à ôter le maximum de trucs de mon bureau quand je suis tombée sur un communiqué de presse signalant un dîner « levée de fonds » que Broussard organise avec quelques autres demain soir pour le comité exploratoire de la campagne de Zeyas.

— Demain ? Chez lui ?

— Non, là, ce sera au Beverly Hilton. Il n'est même pas dit que Zeyas y soit, mais on a intérêt à se dire qu'il s'y pointera pour prononcer quelques mots.

— Il faut un billet ou une invitation pour entrer ?

— Eh bien… pour moi, non. Je fais partie des médias. Pour les autres, c'est cinq cents dollars le repas.

— Tu vas y aller ?

— Probablement pas… à moins que… si toi, tu y allais, je pourrais.

Il réfléchit à des trucs. Sa fille avait son opération « descente de police » dans les supérettes vendant de l'alcool le lendemain soir et elle n'avait aucune envie qu'il lui fasse honte en l'y rejoignant. Il avait donc projeté d'en être et de surveiller l'affaire sans qu'elle le sache. Il se disait que le sergent responsable ne serait jamais aussi vigilant que lui... même de loin.

— C'est à quelle heure ? demanda-t-il.

— À 19 heures, à la salle Merv Griffin.

— Il se peut que je sois dans le coin et que je m'arrête pour jeter un coup d'œil au monsieur. Ça t'embête si je te donne ma réponse demain ?

— Bien sûr que non. Alors, il t'intéresse toujours autant ?

— Je ne peux pas te parler de l'affaire. On a conclu un marché, tu te rappelles ?

— Évidemment. Je n'écrirai rien tant que tu ne m'auras pas donné le feu vert. Ce qui fait que tu peux me dire tout ce que tu veux et compter sur moi pour ne pas m'en servir.

Il reprit le chemin de l'escalier conduisant à l'embranchement. Brusquement, la conversation venait de prendre un tour bizarre lorsqu'elle lui avait rappelé, et très précisément, l'accord qu'ils avaient passé avant de dîner ensemble la veille au soir. Après, ils n'en avaient plus reparlé, même une seule fois.

— Harry ? T'es toujours là ?

— Oui, oui. Mais je suis en plein milieu de quelque chose et... Je t'appelle demain et je te dis si je vais à ce truc.

— Parfait. À demain.

Il raccrocha et remit son portable dans sa poche. Il allait descendre l'escalier pour regagner sa voiture lorsqu'il décida de jeter un dernier coup d'œil à la maison des Broussard. Il remarqua une silhouette debout sur un des balcons. Il se dirigea vers l'extrémité du promontoire et ressortit ses jumelles.

C'était un homme, et il portait ce qui ressemblait à un peignoir de bain ouvert par-dessus un short et un T-shirt. Dans sa main, une cigarette rougeoyait faiblement. Trapu et costaud, il avait une grande barbe.

Et semblait regarder Bosch droit dans les yeux.

*

Maddie était assise à la table de la salle à manger, à l'endroit même où Bosch s'installait pour travailler. Elle avait ouvert son ordinateur portable devant elle et donnait l'impression de rédiger un compte rendu pour l'école.

— Salut, ma fille, qu'est-ce qu'on mange ce soir? lui demanda-t-il en se penchant pour lui déposer un baiser sur le haut du crâne.

— Je sais pas. C'est ton tour.

— Non, non, hier soir, ç'aurait été le tien et ça décale tout d'un jour parce que t'as livré tes repas aux vieux.

— Non, non, non. C'est pas du tout comme ça que ça marche. C'est bien trop compliqué. Faut juste que tu saches les jours où tu es de service, et le lundi, c'est le cas.

Il savait qu'elle avait raison parce qu'ils en avaient déjà discuté plusieurs fois. Mais il était encore décontenancé par la confrontation à distance qu'il venait d'avoir avec le type qu'il pensait être Charles Broussard. C'était lui, Bosch, qui s'était détourné avant de rejoindre sa voiture.

— Bon, ben, j'ai rien, dit-il. Qui veux-tu appeler et où veux-tu que j'aille chercher quelque chose?

— Poquito Más?

— Ça me va parfaitement. Comme d'habitude?

— Oui, s'il te plaît.

— Je reviens tout de suite.

Poquito Más se trouvait littéralement sous la maison, au pied de la colline. En visant bien du haut de la terrasse de derrière, il aurait pu toucher le toit du restaurant avec un caillou. Parfois, de ce même endroit, il pouvait en sentir les odeurs de cuisine mexicaine. Cela dit, y descendre était une tout autre affaire. Il devait commencer par suivre les méandres de Woodrow Wilson Drive jusqu'en bas, puis remonter Cahuenga Boulevard sur un kilomètre cinq cents pour arriver au restaurant. C'était là une des étrangetés de la ville. Quelle que soit la proximité d'un endroit, il était toujours très loin.

Il attendait qu'on lui prépare sa commande lorsqu'il reçut un appel de Crowder.

— Vous connaissez un gardien des parcs de la ville du nom de Bender?

Bosch fronça les sourcils.

— Je viens juste de faire sa connaissance.

— Ouais, ben lui, il a pas trop apprécié.

— Vous plaisantez, j'espère? Quoi, monsieur Dudley Do-Right m'a collé une prune?

— Je veux que vous me donniez votre version des faits par écrit dès demain.

— Comme vous voudrez.

— Dites, vous vous êtes vraiment moqué de son chapeau?

— Oui, capitaine, faut croire que oui.

— Oh, allons, Harry ! Vous savez bien que ces mecs n'ont absolument aucun sens de l'humour.

— On en apprend tous les jours, capitaine.

— Et d'abord, qu'est-ce que vous fabriquiez là-haut ?

— Je regardais le paysage.

— Bon, je ne pense pas que ça aboutisse, mais vous me faites ce rapport, d'accord ?

— C'est entendu.

— Du nouveau pour Merced depuis qu'on s'est parlé la dernière fois ?

Bosch n'était pas prêt à lâcher le nom de Broussard dans les sphères du haut commandement. Il éluda.

— On a retrouvé l'arme, dit-il.

— Quoi ?! s'écria Crowder. Pourquoi ne m'en avez-vous rien dit ?

— Vous étiez déjà parti quand on est arrivés. J'allais vous mettre au courant demain matin.

— Où était-elle ?

Cachée dans la maison d'un type qui est mort.

— Vous voulez dire notre tireur ?

— On dirait bien.

— C'est assez génial, tout ça ! Il n'y aura donc pas de procès. On va pouvoir clore le dossier et le remettre dans une boîte avec un joli nœud tout rose dès cette semaine.

— Pas tout à fait, capitaine. Si c'est bien le tireur, quelqu'un l'a poussé à tirer, et c'est ce type-là qu'on veut.

La femme derrière le comptoir appela Bosch par son nom. Sa commande était prête.

— Et on sait qui c'est ? demanda Crowder.

— On y travaille, lui répondit Bosch. J'en saurai plus demain.

Il sentait bien que Crowder voulait plus d'infos, mais il savait aussi que c'était quelqu'un qui racontait tout aux gens du dixième étage. Et il ne pouvait pas se payer le luxe d'avoir le nom de Broussard qui commence à circuler dans des endroits où la politique compte plus que le travail de la police.

— OK, Harry, dit Crowder en laissant tomber. À demain. Je veux savoir tout ce que vous savez.

— C'est promis, capitaine.

Il raccrocha et prit le sac sur le comptoir.

Chapitre 27

Ce mardi après-midi-là, Soto et Bosch durent rester assis vingt minutes dans la salle d'attente du Bureau du district attorney au dix-septième étage avant d'être autorisés à voir un adjoint chargé d'engager les poursuites. Bosch pensait que ce devait être parce qu'il avait demandé que ce soit John Lewin en personne qui examine leur dossier. Mais ce ne fut pas à lui qu'ils eurent droit. Ils héritèrent d'une jeune star du nom de Jake Boland, qui avait très fièrement accroché son diplôme de droit d'Harvard au mur de son cagibi de trois mètres sur trois. En bras de chemise après une matinée passée à évaluer des tas de demandes, il avait accroché sa veste à un portemanteau fixé au dos de sa porte. Soto et Bosch s'assirent côte à côte sur des chaises posées devant son bureau.

— Nous ne sommes pas ici de manière officielle, lança Bosch.

— Comment ça ? lui renvoya Boland. Je suis chargé de démarrer des poursuites, moi. Allons-y.

— Nous ne sommes pas sûrs d'en être à ce stade. C'est ce que j'aimerais que vous nous disiez, vous aussi. Mais je ne veux pas que vous enregistriez ce dossier ou que vous le traitiez comme une demande de poursuites, parce que si vous la rejetez et que nous la déposons plus tard, un avocat de la défense se fera un malin plaisir de le révéler aux jurés… que le dossier a commencé par être rejeté par le district attorney, s'entend. Disons donc que nous ne sommes ici que pour avoir votre avis.

Boland se recula comme s'il se distanciait et des inspecteurs et de leur dossier.

— Dans ce cas, je ne vais pas pouvoir vous consacrer beaucoup de temps, dit-il. J'ai des poursuites à lancer, moi. Non, parce qu'au final, c'est ce qu'on regarde ici. Et si je n'en lance pas, c'est le travail au prétoire qui me passe sous le nez.

— Peut-être, mais vos dossiers doivent être solides. Si vos poursuites ne valent rien, jamais on ne vous laissera entrer dans une salle d'audience.

— Bon, écoutez… et si vous me disiez juste ce que vous voulez, que je puisse passer à l'affaire suivante, hein ? La salle d'attente là-bas est pleine d'inspecteurs qui, eux, veulent qu'on entame des poursuites. Je sais que ça peut vous paraître nouveau à tous les deux, mais aussi incroyable que ce soit, lancer des poursuites, ça arrive.

Bosch n'aurait pas détesté tendre les bras au-dessus du bureau et l'attraper par sa cravate mauve toute maigrichonne, mais il garda son calme. À tour de rôle, Soto et lui commencèrent à détailler ce qu'ils avaient au jeune procureur, y compris les derniers développements de la matinée – à savoir que Gun Chung avait relié les deux autres armes retrouvées dans l'atelier de bricolage de David Willman à des meurtres perpétrés à Las Vegas et à San Diego. Le premier avant le tir sur Merced, le second après. Sans compter que les empreintes relevées la veille sur l'arme avec laquelle on avait tiré sur Merced étaient bien celles de David Willman.

Lorsqu'ils eurent fini leur compte rendu, Boland se renversa à nouveau en arrière, mais cette fois pour se tapoter le menton du bout de son stylo en réfléchissant à l'histoire qu'on venait de lui raconter.

— Vous avez donc un tueur à gages tout là-bas dans un ranch de chasse et des armes qui le relient à trois assassinats, dit-il. Et absolument aucun lien entre ces trois meurtres.

— En dehors du fait qu'il est en possession de toutes les armes de ces crimes ? Non, lui répondit Bosch en hochant la tête. À Las Vegas, c'est un DJ de rap qui s'est fait mitrailler dans sa bagnole à la Tupac Shakur. La police y a donc vu une histoire de gang, alors qu'il s'agissait probablement de la conclusion d'un accord de business qui a mal tourné. Le truc de San Diego ressemble à un type qui liquide sa femme pour toucher l'assurance. C'est ce qu'on pensait à l'époque, mais il a trouvé un alibi, et comme les flics n'avaient pas de pistes, enfin… jusqu'à ce que nous passions vous voir aujourd'hui.

Boland arrêta de se tapoter le menton un moment.

— Et pour l'épée ? demanda-t-il.

— Rien de ce côté-là pour l'instant.

— Des idées sur la manière dont ces gens savaient que c'était à Willman qu'il fallait s'adresser pour des contrats ? Non, parce que… il faisait de la pub sur le Net ou quoi ?

— On ne le sait toujours pas, mais maintenant, les agences du maintien de l'ordre concernées sont sur le coup.

Boland hocha la tête.

— À propos, dit-il, vous avez eu un mandat de perquise pour trouver ces armes ?

— Eh non, lui répondit Bosch. C'est un des propriétaires actuels du lieu qui nous a invités à fouiller.

— N'empêche, dit Boland en fronçant les sourcils, ç'aurait été plus clean si vous aviez fait les papiers.

— C'était parfaitement clean, lui renvoya Bosch. La femme n'avait absolument rien à voir avec l'affaire. Son mari et elle ont acheté la maison à l'héritière de Willman il y a six ans. Pourquoi aurions-nous eu besoin de l'autorisation d'un juge pour fouiller le garage alors qu'elle nous disait : « Allez-y, je vous en prie » et que les armes que nous avons retrouvées y avaient manifestement été abandonnées par le propriétaire précédent ?

— Parce que dans le doute, avec ce papier, on reste dans les clous… toujours avoir un mandat sur soi. Allons, inspecteur. C'est le b.a.-ba du métier.

— À ceci près que des doutes, il n'y en avait pas. La fouille n'a posé aucun problème. Dites, vous êtes sûr que c'est d'Harvard que vous sortez ?

Boland devint écarlate.

— Je vais vous en donner un autre, moi, de b.a.-ba, inspecteur, réussit-il à lui renvoyer. Ne jamais insulter le procureur à qui vous demandez d'instruire un dossier.

— Sauf que si vous vous conduisiez comme un vrai procureur, il n'y aurait pas eu d'insulte. Et en plus, je ne vous ai pas demandé de lancer des poursuites. Je vous ai demandé ce qu'il nous manquait, ce qu'il nous faudrait pour le faire. Je ne vous ai pas demandé de cracher sur ce qu'on a.

Soto lui posa la main sur le bras pour essayer de le calmer. Boland, lui, tendit la main en un geste d'apaisement.

— Écoutez, dit-il, on va reprendre du début. Quels que soient les détails attenants à cette fouille, on va dire que ça ira et ce que je pense, c'est que vous avez de quoi accuser un tueur à gages décédé. Mais vous n'avez rien contre Broussard ou qui que ce soit d'autre. Même de loin.

— Sa femme avait une liaison avec la cible désignée, lui fit remarquer Soto.

— Dixit qui?

— Le témoin et son histoire se tiennent, lui répondit-elle. Et en plus, le type qui a tiré était l'associé de Broussard. Ils étaient amis depuis le lycée. Et vous dites que ça ne suffit pas?

Boland reposa son stylo et se pencha vers eux.

— Écoutez, les gars, non, sérieusement : ça n'est pas assez. Vous démarrez avec ce que vous avez maintenant et vous pouvez compter sur des tas de problèmes. Et d'un, vous pouvez être sûrs que Broussard aura un alibi en béton. Je vous parie qu'il était dans un autre État et qu'il a au moins dix personnes pour l'attester. C'est comme ça que fonctionnent ces types-là. Et de deux, il est évident que sa femme niera tout… son aventure, l'existence de cet Ojeda et que son mari aurait pu faire quoi que ce soit de mal. Elle fera un témoin des plus solides pour la défense. Et de trois, vous pouvez être certains que votre témoin à vous, cet… Ojeda, se couchera avant même d'arriver à la barre. Ils le retrouveront et l'achèteront ou lui foutront la trouille. L'un ou l'autre.

Soto hocha la tête de frustration. Boland continua de démolir leur dossier.

— Et vous n'avez rien qui dise que Broussard ait demandé à Willman, ou l'ait payé, pour faire ça. Comme je vous l'ai déjà dit, vous arriverez peut-être à condamner Willman, mais vu qu'il est mort… Ce qu'il vous faut, c'est un lien direct entre Broussard et le crime, pas simplement le fait que Broussard et Willman se connaissaient depuis le lycée. Ça, ça ne prouve rien devant un tribunal.

— Et la mort de Willman ? voulut savoir Bosch.

— Le comté de Riverside y a vu un accident. Jusqu'à l'OSHA qui a confirmé. Non, à moins que vous ne puissiez prouver le contraire, ça ne nous aidera pas. Il se peut même que ça ne soit pas admissible par un tribunal.

— Et la plainte pour laquelle Broussard a trouvé un arrangement à l'amiable avec la veuve Willman ? A-t-on une chance de pouvoir briser le sceau du secret dans cette histoire ?

— Probablement pas, non. Parce que les armes que vous avez trouvées n'ont rien à voir avec ça, n'est-ce pas ?

Bosch fit non de la tête à contrecœur. Personne n'aime s'entendre dire qu'il est un peu court… surtout par un petit con prétentieux. Cela étant, il arriva quand même à séparer la personnalité agaçante du bonhomme de ce qu'il avait à dire. Il comprit alors que le jeune procureur avait probablement raison : ils n'avaient toujours rien de bien solide. Soto s'apprêtait à protester contre ce rejet lorsque, à son tour, Bosch tendit la main vers elle et la posa sur son bras pour l'en empêcher.

— Bon alors, dit-il. De quoi avons-nous besoin ?

— Eh bien, des aveux signés, c'est toujours bon. Mais soyons réalistes : ce que j'aimerais, c'est quelqu'un, ou quelque chose, qui nous amène au cœur de la conjuration. C'est vraiment dommage que Willman soit mort, parce que, dans le cas contraire, on pourrait dresser les deux membres l'un contre l'autre et jouer à « qui va causer le premier ». Mais ça n'est évidemment pas près d'arriver.

Bosch comprit qu'il voyait juste. Il était déprimant de constater que Broussard avait peut-être réussi à se mettre à l'abri de toute poursuite dans l'affaire Merced.

— Bon, dit-il. On va voir ce qu'on peut faire.

— Bonne chance, les gars. Et croyez-moi : je n'aime pas démolir les dossiers de flics. Je préfère m'en servir pour lancer des poursuites. Mais comme je vous l'ai dit dès le début, moi, c'est des poursuites solides et gagnables que je veux engager, sinon, je risque de rester coincé entre ces quatre murs jusqu'à la fin de mes jours.

Bosch se leva pour partir. Aussi désagréable que fût la personnalité de Boland, c'était ce même mélange de confiance, d'obséquiosité et de capacité à voir la suite et à élaborer la bonne stratégie qui ferait de lui un bon procureur lorsque enfin il aurait le droit de plaider au prétoire.

Bosch et Soto descendirent Spring Street pour regagner le PAB. Leur prochain arrêt serait pour le bureau du capitaine, qui attendait avec impatience d'être mis au courant des derniers développements de l'affaire. Vu les réactions de Boland sur leur travail, il savait que cette rencontre ne donnerait pas de meilleurs résultats. Le matin même, le capitaine Crowder l'avait informé que le dixième étage lui mettait beaucoup la pression et qu'on souhaitait des résultats. Bosch avait demandé qu'on lui accorde le reste de la journée, mais on en était maintenant au point où des résultats, Crowder en voulait parce que le dixième étage, lui, l'attendait au tournant.

— Vous voulez que j'y aille avec vous ? lui demanda Soto.

— Je devrais pouvoir m'en débrouiller, dit-il.

— De quelles suites allez-vous lui parler ?

— Je n'en sais trop rien pour l'instant. Et si on lui disait qu'on va mettre un peu la pression sur Broussard histoire de voir comment il réagit ? Qu'est-ce que vous en pensez ?

— Quel genre de pression ?

— Je n'ai pas encore décidé. On va frapper à sa porte... on publie un truc sur lui dans les journaux...

— Allez frapper à sa porte et y a des chances qu'il prenne aussitôt un avocat.

— Oui, mais s'il le fait, ça nous dit tout de suite quelque chose.

— Et qu'est-ce que dirait l'article dans les journaux ?

— Je ne sais pas. Qu'on est peut-être enfin sur la piste d'un suspect. Sans donner de noms... Peut-être même qu'on a retrouvé l'arme du crime.

— Alors là, ça lui ferait tout de suite penser qu'on est à deux doigts de la solution.

— Et c'est ça, le risque. Parce que... a-t-on vraiment envie de lui montrer nos cartes ? C'est une manœuvre de désespéré, ça. Et sommes-nous vraiment si près du but ? Je n'en sais rien.

Bosch détestait agir sous le coup du désespoir. C'était comme donner le coup d'après à quelqu'un d'autre. Et cela impliquait de perdre le contrôle de l'enquête – en rameutant les médias, ce qui était toujours risqué, et en attendant les réactions du suspect, ce qui n'était jamais garanti et ne pouvait pas être complètement anticipé.

Il avait déjà vu la manœuvre marcher du tonnerre, mais il l'avait aussi vue tourner horriblement de travers. Il avait ainsi enquêté sur une affaire où l'équipe responsable avait décidé de publier un article pour dire que le Détachement spécial était en train de resserrer ses filets sur quelqu'un qu'on soupçonnait de meurtres et de viols en série. Il y était fait mention d'un élément de preuve qui, les flics le savaient, ferait comprendre au suspect que c'était lui et personne d'autre qu'ils avaient dans le collimateur – à savoir que l'individu recherché était un mari et père respecté et que c'était un col blanc. Les appels au 911 n'avaient pas tardé à affluer. Le type s'était emparé de son patron et retranché dans un cagibi à fournitures en gardant une paire de ciseaux sur la gorge de son otage. La police était bien entrée dans la place, mais trop tard pour empêcher le meurtre-suicide qui s'était ensuivi. Il n'y avait donc tout simplement aucun moyen de savoir ce qui se passerait si Broussard apprenait que l'enquête sur l'affaire Merced se rapprochait dangereusement de sa personne.

C'est alors qu'il repensa à la levée de fonds prévue ce soir-là au Beverly Hilton. Il serait possible d'y mettre un rien de pression sur Broussard, et ce sans avoir recours aux médias. Ils pourraient, au minimum, regarder pour la première fois de près le type qu'ils soupçonnaient d'être à l'origine du tir sur Merced.

— Vous faites ce que vous voulez, Harry, lui dit Soto. Je suis avec vous.

— Qu'est-ce que vous avez de prévu ce soir ?

— Ce soir ? répéta-t-elle. Je ne sais pas. Vous voulez monter à la maison de Broussard ?

— Non, mais il y a une levée de fonds qu'il doit donner à l'extérieur. Je me disais que ce serait bien d'aller y faire un tour, histoire de voir sa bobine, peut-être même de l'amener, lui, à nous jeter un petit coup d'œil. Je pourrais essayer de m'en servir pour retarder la visite à Crowder d'une journée. On lui dit qu'on le verra demain.

— Ça m'a tout l'air d'un bon plan. J'en suis.

— Parfait, alors.

Ils firent le reste du chemin sans rien dire.

Chapitre 28

Le Beverly Hilton était un grand hôtel avec plusieurs entrées et bon nombre de salles de tailles différentes pour accueillir des noces, des levées de fonds pour politiciens et autres réceptions. Bosch s'y était déjà rendu un certain nombre de fois au fil des ans pour des raisons tant professionnelles que personnelles. Soto et lui se rangèrent dans le garage sans l'aide du voiturier, puis ils traversèrent la grande entrée où ils durent affronter les foules rassemblées là pour divers événements, et suivre des flèches pour gagner les ascenseurs conduisant aux salles de banquet. Chemin faisant, Bosch remarqua la présence de plusieurs membres des services de sécurité de l'hôtel, tous en blazer bleu. Postés ici et là dans l'entrée avec leurs écouteurs dans les oreilles, ils étudiaient la foule. Il en conclut que Zeyas avait dû attirer de très gros bonnets pour son dîner à cinq cents dollars le couvert.

Arrivés au premier, ils suivirent un long couloir sur lequel donnaient diverses salles de banquet. La Merv Griffin Room se trouvait tout au fond avec ses deux doubles portes grandes ouvertes. Sur le mur entre elles se dressait un panneau de trois mètres de haut avec la photo en noir et blanc d'un Armando Zeyas serrant des mains et parlant à un groupe de supporters tout sourire. Pris au fisheye, le cliché donnait l'impression qu'il se trouvait au beau milieu du groupe. Bosch resta figé de stupeur lorsqu'il découvrit le slogan imprimé au-dessus de ce cercle d'individus de tous âges, genres et origines.

> *Tout le monde compte ou personne!*
> *Zeyas 2016*

Sous l'affiche se trouvait une longue table recouverte de tissu, derrière laquelle trois femmes attendaient de vérifier l'identité des invités et de recevoir leurs dons pour aider Zeyas à se lancer dans la course au poste de gouverneur. À côté de chacune des entrées se tenaient deux types au physique de brute épaisse, l'un et l'autre en blazer bleu.

Parce qu'il n'avait pas envie de donner leurs identités d'entrée de jeu, Bosch dirigea Soto vers la gauche de la table d'accueil. Après quoi, ils suivirent un petit couloir jusqu'à des portes en verre donnant sur un balcon en plein air où, Bosch le savait depuis longtemps, on allait fumer des cigarettes.

— Où va-t-on? lui demanda Soto alors qu'ils franchissaient la porte.

— Avantage stratégique, lui répondit Bosch. On essaie de le garder aussi longtemps que possible.

Ils passèrent sur le balcon battu par les vents. Il dominait Wilshire Boulevard, où la circulation n'avançait pas. L'hôtel était situé au croisement de deux artères

principales – les boulevards Wilshire et Santa Monica –,
et il y avait toujours des embouteillages.

Bosch s'accouda au rebord du balcon et regarda les
voitures. En des temps lointains, il se serait allumé une
cigarette.

— Et c'est quoi, notre avantage ? lui demanda Soto.

— Ils ne savent pas qui on est. Je n'avais pas envie
d'aller voir les gens de l'accueil et de leur fourrer tout
de suite mon badge sous le nez. Après, c'est toujours
plus difficile de se balader où on veut.

— Je pensais qu'on voulait juste jeter un petit coup
d'œil à Broussard et, peut-être, faire en sorte qu'il nous
renvoie la pareille.

— C'est ça. Mais un peu de subtilité ne fait pas de
mal. Le but est de le faire réfléchir. Qu'il se pose des
questions. Vous voyez ce que je veux dire ?

— Je crois, oui.

Elle se détourna de la vue et contempla la façade
massive du bâtiment.

— C'est donc ici que Whitney Houston est morte,
dit-elle.

— Exact. Dans une baignoire.

— Ils ont passé une de ses chansons à ma remise de
diplôme de fin d'études.

— Laquelle ?

— *Greatest Love of All*.

Il hocha la tête.

— Où êtes-vous allée au lycée ? À Garfield ?

— Non, à cette époque-là, j'habitais dans la Valley.
J'ai fini mes études secondaires au lycée San Fernando
de Pacoima.

— J'oubliais que vous étiez là-haut.

— Et vous ?

— Oh, moi, je suis allé à Hollywood High, mais je n'ai pas fini mes études. Je suis entré dans l'armée très tôt et j'ai dû passer une équivalence des études secondaires en rentrant.

— Ah oui, c'est vrai, le Vietnam. Vous êtes allé en fac ?

— Oui, au City College, deux ans. Et après, je suis entré dans la police. Où êtes-vous allée après le lycée ?

Elle sourit et hocha la tête. La réponse la gênait.

— À Mills. C'est une fac de filles à Oakland.

— Pas mal ! s'exclama-t-il, et il siffla un petit coup.

Maintenant que sa fille n'était plus qu'à un an de la fac, il connaissait l'essentiel de l'offre en matière d'universités, surtout en Californie. Mills était une fac où il n'était pas facile d'entrer, sans même parler de ce qu'il fallait payer.

— Je sais, je sais, reprit-elle. Comment une petite de Pacoima a-t-elle fait son compte pour finir à Mills ?

— Ça serait pas plutôt comment une licenciée de Mills a-t-elle fait son compte pour finir au LAPD ?

Elle hocha la tête. La question était bonne.

— Eh bien, j'ai eu des tas de bourses et j'ai choisi Mills parce qu'à l'époque je pensais vouloir être avocate. Vous savez bien, les droits civiques, l'aide juridique aux pauvres, les droits des locataires, ce genre de trucs. Mais après, quand j'ai quitté Los Angeles et me suis vraiment mise à réfléchir à ce que je voulais, j'ai pensé à être flic, vous voyez... parce que c'était peut-être la meilleure façon d'aider ma communauté.

Il acquiesça d'un signe de tête, mais il savait qu'elle ne lui disait pas tout.

— Sans parler de l'affaire Bonnie Brae, dit-il.

Elle hocha la tête à son tour.

— Oui, ça aussi, dit-elle.

Et elle donna l'impression de laisser tomber la conversation, Bosch en revenant à se demander ce qu'il espérait accomplir en venant à cette levée de fonds. En dehors de jeter un coup d'œil à Broussard, il n'avait jamais eu de plan précis en tête. Ça avait tout du coach qui jauge l'équipe adverse. Il n'était pas impossible que cela lui donne une idée plus précise du bonhomme auquel il s'intéressait. Mais maintenant qu'il y était, il fallait essayer de voir comment ils allaient se débrouiller pour entrer dans la Merv Griffin Room et jeter un coup d'œil à ce Broussard. Il commença à se dire que c'était sans doute une mauvaise idée. À ce niveau de la politique, il y avait toujours de sévères mesures de sécurité. L'idée qu'il avait eue de se mêler à la foule et de franchir les portes de la salle était irréaliste. Il envisageait de tout remballer et d'aller faire un tour à Hollywood pour voir ce que faisait sa fille – de loin, bien sûr   lorsque Soto l'interpella.

— Euh… Harry ?

— Oui, quoi ?

— J'ai l'impression qu'on va perdre notre avantage stratégique.

Bosch se détourna du spectacle de la rue et vit Soto regarder tout au bout du balcon. Il suivit son regard et découvrit une porte à une vingtaine de mètres de là. Deux hommes en smoking étaient sortis de la salle et s'arc-boutaient contre le vent pour essayer de s'allumer une cigarette. Lorsqu'ils se redressèrent, Bosch s'aperçut que l'un d'eux n'était autre que Connor Spivak, le bras droit du candidat Zeyas. Le deuxième lui semblait familier. Il était costaud et portait une grande barbe.

— Ça serait pas… ?

— Si, Broussard, répondit-il. Je crois bien.

Il n'avait vu que des photos, en plus de la silhouette sombre aperçue debout à son balcon la veille au soir.

— Ça y est. On est logés, enchaîna-t-il.

Spivak les avait repérés et s'avançait déjà vers lui avec l'autre homme.

— Et la raison qu'on a d'être ici ? demanda Soto en chuchotant.

— Je m'en occupe. Faites comme moi.

Spivak s'approchait tout sourire, l'autre homme qui se déplaçait plus lentement restant quelques pas derrière lui.

— Inspecteurs ? lança Spivak. Il me semblait bien que c'était vous. Quelle surprise !

Et de leur serrer la main à tous les deux.

— Qu'est-ce qui vous amène ? reprit-il.

— Eh bien, mais, lui répondit Bosch, nous avons entendu parler du dîner de ce soir et on s'est dit qu'on allait passer, histoire, disons… de parler quelques instants avec le candidat. Vous savez bien, pour le tenir informé de l'enquête. Vu tout l'argent qu'il met au pot…

— Bien réfléchi, ça. Il sera impressionné. Mais il n'est pas encore arrivé. Il a dû s'arrêter dans une synagogue de Westwood et ne passera ici qu'après le dîner pour dire quelques mots.

Il consulta sa montre et ajouta :

— Probablement pas avant une bonne heure. Mais je serais très content d'avoir les derniers développements et de les lui transmettre.

Bosch regarda Broussard, puis revint sur Spivak.

— Ah oui, bien sûr, dit celui-ci. Pas question d'aller crier ça sur les toits. À ce propos… je vous présente un des très généreux hôtes de cette soirée, M. Charles Broussard.

Broussard tendit d'abord la main à Bosch. Qui la lui serra en regardant droit dans les yeux l'individu qu'il croyait être le commanditaire du tir sur Orlando Merced.

— Mes amis m'appellent Brouss, dit Broussard.

Soto lui serra la main à son tour.

— Vous, les policiers, faites du bon boulot dans les pires circonstances, reprit Broussard. Tous mes vœux vous accompagnent. Faites attention à vous.

— Merci, lui dit Soto.

— Brouss, dit Spivak, ça vous gênerait de m'attendre un instant à l'intérieur?

— Pas de problème. Juste une dernière taffe et après, retour à la politique habituelle.

Bosch lui sourit et Spivak rit un peu trop fort.

Broussard renversa la tête en arrière et souffla de la fumée en l'air. Puis il laissa tomber sa cigarette et l'écrasa sous son pied. Et donna un petit coup de poing sur le bras de Spivak, pour rire.

— À tout à l'heure, Sparky, lui lança-t-il.

Puis il se tourna vers Bosch et Soto : « Ravi d'avoir fait votre connaissance » et se dirigea vers la porte d'où il était sorti avec Spivak.

— Ce balcon est une espèce de coulisse derrière la scène, leur expliqua Spivak. On se sauvait un instant.

— Combien faut-il lâcher pour être un des hôtes de cette petite soirée? lui demanda Bosch.

— Cent K, lui répondit Spivak sans aucune hésitation.

Bosch y alla d'un sifflement.

— Oh, il peut payer. Mais, inspecteur... vous ne m'avez pas dit que vous aviez de nouveaux développements dans l'affaire Merced ?

— Si, pour le candidat, lui renvoya Bosch. Quelles sont nos chances de lui parler cinq minutes quand il arrivera ?

— Pour être honnête, pas terribles. Dès qu'il arrive, c'est le podium qui l'attend. Et après, dès que je le fais descendre de l'estrade, on file à l'aéroport et je le colle dans un avion. Il a un déjeuner-prière demain matin à San Francisco.

— Mais alors, « Tout le monde compte ou personne », ça ne marche plus ? On ne va pas pouvoir se le coincer cinq minutes ?

Spivak hocha la tête comme s'il regrettait de ne pas avoir de meilleure réponse à lui donner.

— Je suis désolé, inspecteurs, dit-il. C'est juste que c'est pas le meilleur moment. Mais je peux très bien lui faire passer les dernières infos sur l'affaire. Je garde tout ça bien confidentiel et ça n'arrivera qu'à lui.

Bosch pesa le pour et le contre de la proposition.

— Oh, dit-il enfin, ça peut attendre. Dites juste au candidat qu'il ferait mieux de préparer son carnet de chèques.

Et il se mit en devoir d'avancer vers la porte.

— Ça veut donc dire que vous êtes près du but ? demanda Spivak.

Bosch le regarda et remarqua l'excitation dans sa voix.

— L'info, c'est pour le candidat, répéta-t-il. Pas pour les masses. Vous comprenez ? Je n'ai pas envie que ça finisse dans un discours ce soir ou dans les journaux demain matin.

— Bien sûr, dit Spivak. Totalement confidentiel.

Bosch et Soto le laissèrent et regagnèrent les portes par lesquelles ils étaient entrés, Spivak se dirigeant vers la sienne.

— Vous croyez qu'il va en parler à Broussard ? lui demanda Soto dès qu'ils se retrouvèrent à l'intérieur du bâtiment.

— Je ne sais pas. Peut-être.

— J'aimerais bien être là pour voir ça.

— Bon, on y va. Je veux passer au commissariat d'Hollywood.

Ils suivirent le petit couloir et virent que la table installée devant la grande salle était déserte. Le banquet avait commencé et les dames de la réception étaient passées à l'intérieur. Les types de la sécurité avaient disparu eux aussi – pour se poster de l'autre côté des portes jusqu'à la fin de l'événement, probablement.

Bosch regarda autour de lui et s'aperçut qu'il n'y avait plus qu'eux deux. Il passa rapidement derrière la table de l'accueil, ôta l'affiche du mur et l'enroula, bien serrée.

— Harry, s'écria Soto dans un chuchotement plein d'urgence, mais qu'est-ce que vous faites ?

— Il m'a piqué ma devise. Je ne fais que la lui reprendre.

Il finit d'enrouler l'affiche et se retourna pour gagner l'entrée. Ils étaient presque à l'Escalator lorsque Virginia Skinner apparut, tête baissée, en essayant de sortir quelque chose d'encombrant de son sac à main.

— Ginny ?

Elle releva la tête et s'arrêta pile avant de lui rentrer dedans.

— Tu es là? dit-elle.

Il tendit l'affiche enroulée à Soto et sortit sa clé de voiture.

— Tenez, prenez ça, lui dit-il, et filez à la voiture. Vous me reprendrez devant.

— Entendu.

Soto une fois disparue dans l'escalier mécanique, il centra son attention sur Skinner.

— Je croyais t'avoir entendue dire que tu ne couvrais pas ce genre d'événements? fit-il remarquer.

— Et moi, je croyais que tu devais me dire si tu y allais ou pas, lui renvoya-t-elle.

— Je suis venu sur un coup de tête et je n'avais pas l'intention de rester. C'est pour ça que je ne t'ai pas appelée.

— Même coup de tête pour moi. Tu as raison, je ne couvre pas ce genre de trucs. D'habitude. Mais j'ai eu envie de passer, histoire de glisser un paragraphe ou deux là-dessus dans ma colonne. Non, parce que c'est enfin officiel pour Zeyas : il est en campagne et tout n'est plus qu'une question de sémantique pour les levées de fonds.

— Ça n'a donc rien à voir avec moi ou ce dont nous avons parlé, hein?

— Non, rien. On a conclu un marché, Harry, et je m'y tiens. C'est promis.

— OK, bon.

— C'est quoi, ce truc enroulé que tu lui as donné? Et... c'est ta coéquipière? Elle est jeune.

Bosch se demanda à quelle question il devait répondre en premier.

— Oui, c'est ma coéquipière. Le service met toujours un vieux avec un jeune. Et le truc enroulé, c'est juste un souvenir.

— Un souvenir de quoi ?

— De rien. Ça n'a pas d'importance.

— As-tu vu Broussard ?

— Oui, je l'ai vu. J'ai même fait sa connaissance. Il était avec Spivak. Coup du hasard.

— Spivak, beurk ! C'est le seul type de l'entourage de Zeyas que je ne supporte pas. Trop adipeux. Pour moi, Zeyas ferait mieux de s'en débarrasser... surtout maintenant qu'il joue au niveau de l'État. Spivak n'a pas la carrure. C'est juste un petit joueur local qui vient d'atteindre son niveau d'incompétence, enfin... si tu veux mon avis.

— Broussard l'a appelé « Sparky ».

— Ah oui, ça remonte à loin, ça. Un jour, il a rédigé une profession de foi pour un candidat, où il préconisait de remplacer l'injection létale par la chaise électrique. Pour lui, c'était plus dissuasif. L'idée n'a évidemment pas été retenue, mais on a commencé à l'appeler « Spivak l'Étincelle » après ça.

— Bon, dit-il en hochant la tête. Faut que j'y aille.

— Et moi que j'entre.

— À plus.

— C'est ça, et n'oublie pas, Harry : l'accord n'est pas à sens unique. Vaudrait mieux que tu me donnes des nouvelles avant que tout le monde en ait.

— Ne t'inquiète pas. Quand ce sera le moment, tu les auras.

Il descendit l'Escalator deux marches à la fois. Lorsque enfin il franchit les portes automatiques donnant sur le rond-point du voiturier, Soto l'attendait dans la Ford. Il sauta dedans et elle déboîta.

— C'était qui, la femme dans le couloir? lui demanda-t-elle.

— Oh, elle? C'est juste une amie. Une journaliste, en fait.

— Il semblerait qu'elle ait envie d'être un peu plus que « juste une amie » avec vous.

— Ah, vraiment? J'ai pas remarqué.

*

Après avoir déposé Soto à sa voiture garée au PAB, Bosch reprit le chemin d'Hollywood. Il passa sur le canal tactique de son scanner et eut tôt fait d'apprendre où on en était dans la descente « alcools » à laquelle étaient associés les Explorers. La cible du moment était une supérette de La Brea, au sud de Sunset. Il s'en approcha, mais pas trop près. Sa Ford ordinaire n'aurait eu aucun mal à passer pour un véhicule de police et ç'aurait été le comble de la honte pour sa fille si jamais il devait lui gâcher son opération.

Il passa les deux heures suivantes à écouter la manière dont s'effectuaient les descentes prévues à divers endroits d'Hollywood. Il ne fut procédé à aucune arrestation. Elles viendraient plus tard, lorsque les résultats de l'opération seraient présentés à l'attorney municipal chargé d'engager des poursuites contre certains individus ou contre les détenteurs de la licence de boissons des établissements fautifs.

Dès qu'il entendit le responsable lancer le code signalant la fin de l'opération pour ce soir-là, il repartit vers chez lui par Laurel Canyon et le remonta jusqu'à Mulholland Drive, direction est. Cela lui permettant de passer devant chez Broussard, il s'arrêta encore une fois au belvédère, scruta la maison en béton, mais n'y vit ni lumières ni silhouettes sur aucun des balcons de derrière. Jusqu'à la piscine qui était plongée dans le noir.

Il réussit à repartir sans rencontrer le garde des parcs municipaux du nom de Bender et arriva chez lui avant sa fille. Il lui envoya un texto pour savoir à quelle heure elle allait se pointer, cinq minutes plus tard, elle franchissait la porte. Il lui demanda comment ça s'était passé, mais ne lui laissa en rien entendre qu'il connaissait déjà la réponse, vu qu'il avait suivi toute l'opération de loin.

— C'était génial ! dit-elle. Je me suis mis un faux anneau de nez ! Je me suis bien amusée.

— Combien de types t'ont vendu de l'alcool ?

— À peu près tous. La descente n'avait pas été décidée au hasard. Tous les établissements avaient soit déjà été contrôlés positifs, soit fait l'objet de plaintes. Un mec bien *grode* m'a même dit qu'il ne me vendrait un six-pack de bière que si je passais derrière le comptoir pour lui tailler une pipe ! C'est pas dégueulasse, ça ?

— Si, si.

Il n'avait pas entendu ça sur le canal tactique. Il décida de ne plus lui poser de questions et se contenta de la serrer dans ses bras.

— Je suis fier de toi, dit-il.

— Merci, papa. Tu sais quoi ? Je suis complètement crevée et demain y a école.

— Allez, va te coucher.

— J'y vais. Bonne nuit.

— Bonne nuit.

Il la regarda se diriger vers le couloir qui conduisait à leurs chambres.

— Hé, Mads ! lui lança-t-il.

Elle se retourna et le regarda.

— Ça veut dire quoi « grode » ?

— Je sais pas. Vieux, répugnant.

— C'est ce que je pensais, dit-il en hochant la tête. Bonne nuit.

— Bonne nuit.

Chapitre 29

Une fois encore, Soto était arrivée à la salle des inspecteurs avant lui. Il commençait à se dire qu'elle lui lançait un défi – comme si c'était à qui serait le plus attaché au boulot, qui pouvait arriver le plus tôt et rester le plus longtemps. N'ayant jamais eu ce genre de coéquipier de toute sa carrière, il en était réellement impressionné.

Elle ne remarqua sa présence qu'en entendant le bruit sourd de sa mallette tombant sur son bureau. Elle pivota alors dans son fauteuil et le regarda avec de grands yeux et un large sourire.

— Harry! s'écria-t-elle. J'ai trouvé le nœud du problème!

— Quoi? Pour Bonnie Brae?

— Oui, pour Bonnie Brae. Je suis arrivée tôt et j'ai repris la liste des locataires. Vous aviez raison : il y a un lien entre Bonnie Brae et l'EZBank. Et costaud!

Bosch tira son fauteuil et s'assit en face d'elle.

— OK, dit-il, racontez-moi tout, lentement.

Elle lui montra le classeur ouvert sur son bureau.

— J'ai donc épluché la liste des locataires en 93. J'ai commencé par le rez-de-chaussée et suis remontée jusqu'au troisième. C'est là que j'ai trouvé quelque chose. À l'appartement 3G. Une certaine Stephanie Pérez. Elle occupait un deux-pièces.

— Vous vous souvenez d'elle à l'époque ? Vous la connaissiez ?

— Non, le bâtiment était trop grand et je n'étais qu'une gamine. Je ne m'intéressais qu'à mes parents et aux maîtresses de la garderie de jour, comme Miss Esi.

— Bon, dit-il en hochant la tête. Désolé de vous avoir interrompue. Continuez.

— Et donc, cette Stephanie Pérez a été interrogée. Tout le monde l'a été par les pompiers et la CCS et les comptes rendus sont là, dans le classeur. Les enquêteurs se sont servis d'une échelle de un à cinq pour évaluer et les témoins et la qualité de leurs renseignements... cinq étant la plus haute note dans les deux catégories. Stephanie Pérez a été notée un et un. Elle a donc été vite oubliée parce qu'elle ne savait rien. Elle avait vingt-quatre ans à l'époque. Elle n'était pas mariée et travaillait comme caissière dans un supermarché Ralphs. Aucune affiliation à des gangs répertoriée et elle était au travail le matin de l'incendie.

— OK.

— Mais elle vivait seule dans un deux-pièces, et quand on lui a posé des questions sur cette pièce inoccupée, elle a dit que sa colocataire avait déménagé un mois plus tôt et qu'elle essayait d'en retrouver une autre.

Bosch réfléchit, puis changea de braquet.

— Un de nos lascars de l'EZBank est venu visiter l'appart pour le louer, dit-il.

— Non. Mais moi aussi, je me suis dit que c'était une possibilité. Alors, j'ai lancé une recherche sur Stephanie Pérez pour voir si elle se souvenait de quoi que ce soit. Les enquêteurs avaient suivi un protocole pour tous ces interrogatoires et cela incluait de noter les dates de naissance et les numéros de permis de conduire des témoins. Je n'ai pas eu de mal à la retrouver.

— Où est-elle?

— Elle est toujours dans le coin, mais maintenant elle habite dans un immeuble de Wilshire Boulevard. Et elle travaille toujours au même Ralphs, mais comme directrice adjointe. Mariée, divorcée, deux enfants.

— Bon alors, quand l'avez-vous appelée?

— Il y a une demi-heure. J'ai attendu 7 heures.

Il lui jeta un regard qui en disait long : appeler les gens aussi tôt était risqué. Réveiller quelqu'un pour lui parler de quelque chose qui s'était passé plus de deux décennies plus tôt pouvait le mettre en colère. Elle remarqua son inquiétude.

— Non, non, elle a été très cool, dit-elle. Elle était déjà levée et s'apprêtait à partir au travail.

— Vous avez de la chance. Qu'est-ce qu'elle vous a raconté?

— Que comme elle a déménagé juste après l'incendie, elle n'a jamais pu relouer cette deuxième chambre. Et qu'avant l'incendie, elle n'a vu personne. Elle venait juste de passer son annonce dans *La Opiníon*.

— Le lien, c'est donc la colocataire qui a déménagé?

— Exactement. Elle s'appelait Ana Acevedo et travaillait à l'EZBank… c'est l'employée qui a ouvert la porte.

Il acquiesça. La piste et le lien étaient excellents. Il comprit aussitôt que l'élan était passé de l'affaire Merced à l'enquête sur l'incendie du Bonnie Brae. Ils allaient devoir foncer et cela signifiait jouer de finesse avec le capitaine Crowder, ce qui risquait de ne pas être simple.

— Et ensuite ? demanda-t-il. Qu'est-ce qu'elle vous a dit d'autre ?

— C'est de mieux en mieux, Harry. Ça confirme des trucs qu'on savait déjà. Stephanie Pérez était la locataire en titre de l'appartement. Elle m'a raconté qu'elle avait demandé à Ana de dégager parce qu'elle jonglait avec deux petits amis et que l'un des deux était un Blanc, un dur qui n'arrêtait pas de dire des trucs racistes alors même qu'il fréquentait Ana. Stephanie n'avait pas envie d'être au milieu de tout ça, surtout si le Blanc en question apprenait l'existence de l'autre petit copain, parce que, pour elle, c'était le genre de type à être violent. Elle avait déjà averti Ana plusieurs fois, mais Ana n'avait rien fait pour changer les choses. Pour finir, Stephanie lui a dit de partir et elle est partie… un mois avant l'incendie.

Bosch se rappela le nom qu'il avait lu dans le registre des vols emprunté au Bureau du capitaine de la Robbery Special.

— Rodney Burrows ?

— C'est ce que je me dis. Elle ne se souvenait plus des noms, mais quand j'ai mentionné Rodney, elle a dit qu'un des deux types s'appelait bien comme ça. Mais quand je lui ai parlé de Rodney Burrows, elle n'est pas arrivée à se rappeler son nom de famille. Elle est prête à regarder des photos si je lui en apporte au supermarché aujourd'hui.

— OK, et l'autre petit copain?

— Même chose. Quand je lui ai demandé « Maxim Boiko? », elle s'est bien souvenue de Max, mais pas de son nom de famille. Pour lui aussi, elle est prête à regarder des photos.

— A-t-elle dit combien de temps ces types avaient traîné dans l'appartement? Ils couchaient là? Ils descendaient les poubelles? Des trucs comme ça...

— Je ne suis pas entrée dans les détails... mais la question sur la poubelle est géniale. Cela étant, j'ai eu l'impression que ces mecs dormaient là et que c'était ça qui faisait peur à Stephanie. Elle avait la trouille qu'un des deux se pointe et surprenne l'autre avec Ana.

— Naturellement.

Il réfléchit quelques instants à ce scénario. Cela semblait bien être le lien qu'ils cherchaient.

— Je crois qu'on tient quelque chose, Harry, dit-elle.

Il acquiesça, en ayant néanmoins d'autres possibilités en tête.

— A-t-elle jamais envisagé qu'Ana ait pu mettre le feu? Vous savez bien... pour se venger d'avoir été virée de l'appart.

— Je ne lui ai pas posé la question. Il faudra le faire.

Il hocha de nouveau la tête.

— Bien, dit-il, préparons des paquets de trombines pour nos trois zozos et commençons par Stephanie Pérez au Ralphs. Dépêchons-nous et dégageons avant que le capitaine ne se pointe et veuille les dernières infos sur Merced.

— D'accord.

— À propos, avez-vous vérifié si… si l'un des types de l'EZBank a un casier ?

Elle acquiesça.

— J'ai lancé des recherches sur leurs adresses et leurs casiers dès dimanche, après avoir trouvé leurs noms dans le registre des vols. Acevedo et Boiko sont clean. Mais Burrows, lui, a fait du pénitencier fédéral pour évasion fiscale.

— Évasion fiscale ?

— Oui. Il n'a rien déclaré pendant quelque chose comme six ans dans les années 90 et les fédéraux l'ont rattrapé. Il a trouvé un arrangement avec eux pour qu'ils lui réduisent sa peine et ils l'ont collé à Lompoc. Il y a passé vingt-deux mois.

— Mignon. Autre chose ?

— C'est tout ce que j'ai trouvé.

— Où habite-t-il maintenant ?

— Oh, c'est devenu une espèce de rat du désert. Il vit dans un lieu appelé Adelanto. J'ai regardé sa maison par Street View. On dirait un taudis entouré de barrières, le tout en plein milieu de nulle part.

Bosch comprit. Adresse complètement paumée dans la nature, évasion fiscale, viré de l'Académie de police pour propos racistes… il commençait à voir à quoi ressemblait le bonhomme.

— Avez-vous demandé une copie de son dossier d'évasion fiscale ? demanda-t-il.

— Non, je n'ai pas encore eu le temps, répondit-elle sur la défensive. Hier, on fonçait à mort sur Merced.

— Je sais, je sais. Je ne faisais que demander. Et… on aurait une photo d'identité des services fédéraux ?

— Il y en a une en ligne. Il faut juste que je l'imprime.

— OK, pour Acevedo et Boiko, vu qu'ils n'ont pas de casier, faudra vous servir des photos du permis de conduire.

— D'accord, mais ça sera des photos récentes, non ? Qu'est-ce qui se passe si Stephanie n'arrive pas à les reconnaître vingt et un ans après ? Elle dit n'avoir revu personne depuis cette époque.

Il réfléchit un instant et évalua les risques. Tout ce qu'ils tenteraient et qui tournerait mal ou s'avérerait négatif pouvait leur revenir dans la figure et les démolir au procès.

— Je veux quand même qu'elle regarde des photos, dit-il. Vous préparez ça et moi, j'appelle quelqu'un que je connais au bâtiment fédéral. Peut-être qu'on pourra jeter un coup d'œil au dossier de Burrows ou à son rapport présentenciel. Je veux pouvoir commencer à établir son profil.

— Ce sera fait.

— Le capitaine sera ici à 8 heures. Dépêchons-nous.

— Je m'y mets.

— Et Lucy… c'est vraiment bon, tout ça.

— Merci.

Il allait repartir à son bureau lorsqu'il s'arrêta et la regarda.

— Vous savez, lança-t-il, je dois avouer que je vous sous-estimais. Il y a quinze jours de ça, je n'étais même pas certain que vous puissiez intégrer cette unité. Mais maintenant, je n'ai plus aucun doute.

Elle garda le silence, il hocha la tête et se tourna vers son bureau.

Il ouvrit la liste de ses contacts téléphoniques et appela le portable de Rachel Walling au FBI. Cela faisait au moins deux ou trois ans qu'il ne s'était pas servi de ce numéro et ne lui avait pas parlé. Il pria le ciel que le numéro soit encore bon et qu'elle prenne son appel. Et qu'elle soit encore à l'antenne de Los Angeles. Avec le FBI, on ne sait jamais. Aujourd'hui ici, demain à Miami, Dallas ou Philadelphie. Il se rappela qu'avant L.A., elle avait eu droit à Minot, Dakota du Nord.

Elle décrocha.

— Tiens, tiens, tiens ! Harry Bosch. L'homme qui n'appelle que lorsqu'il a besoin de quelque chose.

Il sourit. La pique était méritée.

— Rachel, comment vas-tu ?

— Ça va bien, et toi ?

— Peux pas me plaindre, sauf qu'ils sont sur le point de me faucher l'herbe sous les pieds. DROP oblige.

— T'as déjà de la chance de pouvoir rester jusqu'à... quoi ? Soixante-cinq ans ?

— Hé, mais du calme ! Je ne suis pas si vieux que ça !

— Je sais, mais ce que je veux te dire, c'est qu'ici, on nous débarque à cinquante-sept. Y a pas de *Deferred Retirement Option Plan* pour nous !

— C'est pas juste. Mais dis... toi, t'as pas à te soucier de ça avant deux ou trois décennies, pas vrai ?

Il l'entendit presque sourire.

— C'est super sympa, ça, Harry. Tu dois vraiment avoir besoin de quelque chose.

— C'est-à-dire que... je t'appelais pour savoir comment tu allais, mais si tu as vraiment besoin que je te demande quelque chose, eh bien, je vais te demander si t'aurais pas quelqu'un des Impôts qui pourrait me parler d'un vieux dossier que...

Il y eut une pause, mais de courte durée.

— Tu sais bien que les Impôts ne parlent à personne, même pas à nous. De quel genre de dossier parle-t-on ?

— Évasion fiscale, 2006. Le mec s'est tapé deux ans de taule. Pour l'heure, il habite quelque part dans le désert et j'ai comme l'impression que c'est un « iste », tu sais bien. Extrémiste, séparatiste, survivaliste, suprématiste… je te laisse le choix. Qui sait ? Peut-être même fait-il dans la polygamie. Pour couronner le tout, il n'a pas payé ses impôts pendant six ans. Ce qui est quand même un sacré oubli, tu ne trouves pas ? Sauf que lui, c'était voulu.

— Eh bien, mais, si c'est tout ça à la fois, il est plus que probable que nous ayons traité une partie de son dossier. Qu'est-ce que tu cherches ? Tu bosses toujours aux *cold cases*, non ?

— Oui, oui. Et je pense que ce type a fait partie d'un trio de voleurs qui se sont fait deux cent cinquante mille dollars en braquant une société d'encaissement de chèques en 93. Même qu'à mon avis, c'était le complice à l'intérieur de l'établissement. J'aimerais en savoir plus sur le bonhomme et savoir aussi qui étaient ses AC à l'époque.

— Des morts ?

— Personne lors du hold-up, mais je m'intéresse aussi à un incendie qui a démarré à quelques rues de là, pour faire diversion. Neuf morts, la plupart des enfants. Je crois que ça s'est passé avant que tu sois à L.A. Tu chevauchais encore tes montagnes, du côté du Dakota du Nord.

— Ne me parle pas de ça. Donne-moi ce que tu as et je verrai ce que je peux te trouver.

Et là, il hésita, mais seulement un instant. C'était dans ces moments-là qu'il était vulnérable. Il ne lui avait décrit son enquête que par la bande. S'il lui donnait les noms et les détails, rien ne l'empêcherait, de son côté, de lancer ses propres recherches, voire, ce n'était pas impossible, de rafler l'affaire au LAPD. Mais c'était Rachel Walling. Ils se connaissaient depuis longtemps. Il se sentait en confiance.

— Rodney Burrows, dit-il.

— Tu as un numéro de dossier, sa date de naissance... autre chose ?

— Attends une seconde.

Il pivota dans son fauteuil, couvrit le micro de son téléphone et demanda les renseignements à Soto. Elle lui tendit un bloc-notes avec toutes les infos dessus. Il ôta la main de son micro de téléphone et les lut à Walling.

— Et tu n'as pas d'associés connus ?

— Non, pas d'AC. C'est ça que tu vas me trouver... enfin j'espère.

Puis il se retourna vers son bureau et en profita pour consulter la pendule murale. Il savait que s'ils ne dégageaient pas de la salle des inspecteurs, ils allaient devoir affronter Crowder et tout lui dire sur l'affaire Merced. Il se leva.

— Ça te va ? demanda-t-il. Tu as besoin d'autre chose ?

— Oui, lui répondit-elle. J'ai besoin d'un bon petit déjeuner et tu me le dois, Harry. Qu'est-ce que tu dirais de me retrouver à 9 heures au Dining Car[1] ?

Il pensa à ce que Soto et lui projetaient de faire avec Stephanie Pérez au Ralphs. Le supermarché n'était

_____
1. Célèbre restaurant de Sunset Boulevard.

pas très loin du Dining Car. Il y avait aussi que, ce matin-là, il s'était passé de petit déjeuner en essayant, mais en vain, d'arriver à la salle des inspecteurs avant Soto.

— Qu'est-ce que tu dirais de 10 heures ?

— C'est trop tard. 9 h 30.

— Je devrais pouvoir. Ça te gêne si j'amène…

— Tu viens seul, Bosch. Je n'ai aucune envie de rencontrer un flic de plus.

— Euh… bon, d'accord, dit-il.

Il s'aperçut qu'il parlait déjà dans le vide.

*

Ce fut lui qui, comme d'habitude, prit le volant pour aller chez Ralphs. Il resta silencieux en évaluant ce qu'ils allaient devoir faire dans cette enquête brusquement dynamisée. À son avis, ils n'auraient droit qu'à une tentative et il valait mieux qu'ils en tirent le maximum. Ils allaient tout droit vers une situation où ils allaient devoir serrer Rodney Burrows et le faire causer. Et, pour le moment, ils n'avaient pas grand-chose pour y arriver. Ils n'avaient ni témoins, ni preuves matérielles. Ils n'avaient qu'un bon timing et des trucs approchants. Et une intuition.

— Revoyons un peu tout ça avant d'aller lui parler, dit-il.

— D'accord.

— Nous avons donc Ana Acevedo, une employée de l'EZBank, au Bonnie Brae Arms jusqu'à un mois avant l'incendie.

— Exact.

— Et la dame file deux amours, le premier avec Maxim Boiko et le second avec Rodney Burrows, eux aussi à relier à l'EZBank.

— Voilà.

— C'est donc le premier truc à vérifier avec Pérez. Nous avons besoin de confirmer que ce sont bien les trois individus dont nous parlons et qu'Ana ramenait bien ses petits copains à l'appartement de manière régulière. Il nous reste à coller ledit Rodney Burrows au Bonnie Brae.

— Ça, nous l'avons. C'est même pour ça que Stephanie a viré Ana. Elle m'a dit que tout ça ne pouvait que mal se terminer et qu'elle n'avait pas envie que ça se passe à l'appartement.

— Bon, d'accord, mais il faut en reparler avec elle. Et sérieusement. On veut que le type sorte les poubelles. On veut être sûrs qu'il connaissait bien le complexe d'appartements.

— Pigé.

— Il faut aussi qu'on se renseigne à fond sur Ana et qu'on voie si elle n'aurait pas pu foutre le feu elle-même.

— Pour se venger. Compris.

— Et je veux que ce soit vous qui posiez les questions. Vous avez déjà parlé avec elle et établi une relation de confiance. Il y a aussi que vous avez toutes les deux vécu au Bonnie Brae et que vous pouvez vous en servir si c'est nécessaire.

— OK. Oui, on s'est déjà parlé en espagnol avant.

— Eh ben voilà. Je vais rester en retrait, et si je pense à une question à lui poser, je vous prends en aparté.

— D'accord.

— Deux ou trois autres trucs… Il faut qu'on sache comment elle a fait la connaissance d'Ana Acevedo. Enfin… comment elles sont devenues colocataires, vous voyez ? Et on veut encore savoir si elle a continué à avoir des relations avec les uns et les autres pendant les vingt années écoulées.

— Pour ça, elle a déjà dit que non, mais je lui reposerai la question.

Il lui jeta un bref coup d'œil et vit qu'elle notait ses questions dans un carnet exactement semblable à celui qu'il emportait partout. Et le carnet était neuf. Il venait de le remarquer.

Cinq minutes plus tard, ils entraient dans le parking du Ralphs, au croisement de la 3ᵉ Rue et de Vermont Avenue. Le parking était étonnamment plein pour cette heure matinale. Il se dit que ce devait être des tas de types du service de nuit qui passaient au supermarché en rentrant chez eux.

Une fois à l'accueil, ils demandèrent à voir Stephanie Pérez et furent dirigés vers la section produits frais, celle dont elle avait la charge. Stephanie Pérez était une petite chose toute ronde vêtue d'une veste de service blanche dix fois trop grande pour elle. Bien qu'elle ait déjà parlé avec Soto un peu plus tôt dans la matinée, le fait que les deux inspecteurs soient venus la voir sur son lieu de travail semblait la mettre mal à l'aise. Soto lui ayant demandé s'il n'y avait pas un endroit tranquille où parler, elle les conduisit dans une salle de repos à l'arrière du magasin. Il était bien trop tôt pour que quiconque soit en pause, ils eurent donc toute la place pour eux.

Pérez demandant si ça ne gênait personne que l'entretien se déroule en espagnol, Bosch signifia son accord à Soto d'un hochement de tête : toujours faire ce qu'il faut pour mettre le témoin à l'aise, telle était la règle. Soto lui demandant en retour si ça ne l'embêtait pas que la conversation soit enregistrée, Pérez répondit que non. Soto posa son téléphone sur la table et enclencha l'enregistrement, Bosch se disant aussitôt de lui rappeler, une fois l'entretien terminé, qu'il n'était pas nécessaire de demander la permission.

Les deux femmes se mirent alors à parler, Bosch faisant de son mieux pour suivre. Il comprenait nettement mieux l'espagnol qu'il ne le parlait. Cela dit, il perdit quand même rapidement le fil à force de ne reconnaître que deux ou trois mots par-ci par-là, puis il pensa à tout autre chose lorsque son portable se mit à bourdonner. Il le sortit de sa poche pour regarder l'écran et vit que c'était Crowder. Il laissa la messagerie s'enclencher et se reconcentra sur la conversation à laquelle il ne comprenait rien.

Vingt minutes plus tard, Soto se tournait vers lui.

— Elle aimerait regarder les photos, dit-elle.

Bosch réfléchit un instant. C'était l'heure de la grande décision. Si Pérez n'arrivait pas à identifier les employés de l'EZBank, cela risquait de créer des problèmes plus tard. Le moment était venu de se lancer et Soto lui laissait le choix.

— OK, finit-il par dire. Allons-y.

Soto avait apporté une pile de classeurs. Chacun contenait trois jeux de six photos de tapissage, chaque tapissage contenant une photo d'un des employés de l'EZBank parmi cinq autres individus d'âges et d'origines semblables, pris au hasard. Les photos se trouvaient dans des fenêtres découpées dans un morceau de carton fin. Ils commencèrent par le plus facile. Ana Acevedo. Soto n'avait pas réussi à trouver de permis de conduire récent pour elle, ni en Californie ni dans aucun des États voisins. Pour ennuyeux que ce soit dans la mesure où cela ne permettait pas de savoir où elle habitait maintenant, cela signifiait néanmoins que Soto avait dû se servir d'une photo de permis remontant à l'époque du hold-up de l'EZBank. C'était donc très vraisemblablement l'identification la plus facile que Pérez aurait à faire.

Soto ouvrit une page contenant six photos de Latinas, Pérez posant le doigt sur celle d'Acevedo en moins de deux secondes.

— Voilà Ana, dit-elle.

— D'accord.

Soto sortit la photo de son cadre en carton fin et demanda à Pérez de la signer au dos afin de confirmer son identification. Puis elle la remit dans le dossier et posa celui-ci sur le côté de la table. Elle ouvrit le dossier suivant qui, lui, contenait les photos de six hommes originaires d'Europe de l'Est. Pérez se pencha sur les clichés, les étudia tous et tapa sur la photo de Maxim Boiko.

— Max, c'est celui-là, dit-elle.

Soto suivit le même protocole et la lui fit signer au dos.

Enfin on arrivait à l'identification capitale. Soto ouvrit la page de six photos et la posa devant Pérez sans dire un mot. Elle savait combien il est important de ne rien dire ou communiquer par son langage corporel qui puisse encourager ou confirmer le choix du témoin. Cela risque de donner une identification douteuse aux yeux d'un juge et d'un jury.

Pérez se pencha une fois encore pour examiner les photos – celles, cette fois, de six hommes d'environ quarante-cinq ans. Tous d'extraction purement américaine. Bosch savait qu'il y avait toutes sortes de théories sur l'identification interethnique et que le processus dans lequel ils venaient de s'engager présentait beaucoup de problèmes de précision. Le mieux qu'ils pouvaient faire était de présenter les photos au témoin, de ne rien dire qui puisse induire une identification plutôt qu'une autre et d'attendre, tout simplement. Si Pérez parvenait à identifier un suspect, les avocats auraient tout loisir de la mettre en cause le moment venu.

Elle étudia les photos pendant presque une minute, puis, lentement, posa le doigt sous un des clichés.

— Lui, dit-elle. C'est Rodney.

Bosch et Soto échangèrent un regard, puis Soto demanda à Pérez de signer la photo qu'elle avait choisie. C'était bien celle de Rodney Burrows.

— Il faut que je rappelle le capitaine, dit Bosch à Soto. Finissez et rejoignez-moi à la voiture.

Il remercia Pérez pour sa coopération et le temps qu'elle leur avait accordé, puis il retraversa le magasin, en sortit et regagna sa voiture. Chemin faisant, il écouta le message que Crowder lui avait laissé.

« Harry, ici le capitaine Crowder. Je veux mon compte rendu et je ne déconne pas. Vous me rappelez. Tout de suite. »

Bosch s'installa au volant et alluma le moteur. La matinée était fraîche et il avait besoin de chaleur. Il appela le capitaine sur sa ligne directe.

— Où êtes-vous, Harry ? lui lança Crowder en guise de salutation.

— Sur le terrain. Il vient d'arriver quelque chose.

— C'est pas ça que je veux entendre ! Ce que je veux, c'est votre rapport sur l'affaire Merced. Qu'est-ce que vous avez à me dire ? Vaudrait mieux que ça soit bien !

Chapitre 30

Soto ayant regagné la voiture, ils s'échangèrent leurs comptes rendus sur le chemin du PAB. Elle lui résuma l'entretien qu'elle avait eu avec Stephanie Pérez, il lui raconta sa conversation avec Crowder – comment, au début, il avait été déçu que l'enquête sur l'affaire Merced soit momentanément au point mort, mais comment, plus tard, il avait été rassuré d'apprendre que Bosch et Soto approchaient de quelque chose de significatif dans l'affaire ô combien plus importante du Bonnie Brae, l'avancée étant survenue suite à un appel anonyme passé sur la ligne affectée au dossier Merced.

— À propos de Crowder, reprit-il. Il faut que je vous dépose au PAB. J'ai un petit déjeuner. Crowder m'a dit que le service médias était d'accord pour que vous soyez interviewée par un journaliste de *La Opinión*. Ça fait maintenant plus d'une semaine qu'Orlando Merced est mort et ils veulent publier un dernier état de l'affaire. Je lui ai dit de faire ça maintenant de façon à ce que nous ayons le reste de la journée pour travailler. Allez-y pendant que moi, je retrouve mon amie des fédéraux.

— D'accord, dit-elle. Qu'est-ce que je lâche au journaliste ?

Il prit le pont au-dessus de la 110 et jeta un coup d'œil en dessous en pensant à la question de Soto. Les dix voies de circulation donnaient l'impression de s'être complètement figées.

— Eh bien… vous ne mentionnez pas Broussard.

— OK. Et pour la carabine ?

Il ne savait pas trop.

— Demandez à Crowder. Laissez-le décider. On pourrait déclencher des trucs en publiant l'info. Mettre un peu la pression à Broussard.

— D'accord, je lui demande. Est-il au courant pour Broussard ?

— Je n'en ai pas parlé dans mes comptes rendus.

— Sait-il qu'on a quelqu'un dans le collimateur ?

— Ça aussi, je l'ai laissé de côté.

— Compris.

— Bien. En attendant, si je ne suis pas de retour quand vous avez fini, essayez de confirmer les lieux d'habitation pour Ana Acevedo. On est peut-être très intéressés par Burrows, mais il faut qu'on lui parle, à elle, pour ficeler l'histoire. Même chose pour Boiko.

— OK.

— À propos… avez-vous demandé à Pérez si elle avait jamais envisagé que ce soit Ana qui ait mis le feu ?

— Oui, et elle m'a répondu que non. Elle m'a dit que ce n'était pas une bonne colocataire, mais qu'elle n'était pas méchante. Qu'elle n'aurait jamais fait un truc pareil.

Il réfléchit à cette réponse. Que, méchante ou pas, Ana Acevedo ait peut-être un lien direct avec l'incendie, ou du moins avec les types qui l'avaient fait démarrer... et avec le hold-up qui allait avec, était important à savoir.

— Harry, voulez-vous que je change mon rendez-vous avec ma psy? lui demanda-t-elle.

Il sortit de ses pensées et la regarda. Il avait complètement oublié. C'était mercredi et elle avait son rendez-vous habituel avec le docteur Hinojos aux Sciences du comportement.

— Oui, dit-il. Voyez si elle ne pourrait pas vous dispenser cette semaine. On a des tas de choses en route dans cette histoire. Ne cassons pas notre élan.

— Je l'appelle.

— Et je serai de retour dans une heure. On en saura peut-être un peu plus sur Burrows à ce moment-là.

— Qui est cet agent que vous allez retrouver?

— Elle travaille dans une unité du Renseignement. Ils jettent loin le filet et après, ils analysent ce qu'ils ont.

— Je me disais bien que c'était une femme. Votre voix a complètement changé quand vous lui avez parlé au téléphone tout à l'heure. C'était comme quand vous parlez à votre fille. Vous devenez tout gentil gentil.

Il lui jeta un coup d'œil. Il ne savait pas trop s'il fallait la féliciter de bien sentir les choses ou lui demander de s'occuper de ses oignons.

— Ouais, bon, dit-il. On a eu une histoire.

— Et elle veut vous voir tout seul.

— Elle est comme ça. Elle m'en dira plus s'il n'y a que moi.

— Du moment que ça marche...

Il acquiesça. Il était content de laisser tomber cette discussion sur Rachel Walling.

— OK, revenons un peu à Stephanie Pérez avant que vous filiez, reprit-il. Grâce à elle, on a les trois mecs de l'EZBank au Bonnie Brae.

— Oui, et c'est du solide. On a ses identifications sur pages de six photos et ce qu'elle pense de Burrows... et ça confirme qu'il avait des comportements racistes.

— Bon, et Ana ? Comment s'est-elle mise avec Pérez ? Combien de temps ont-elles partagé l'appartement avant que Pérez la flanque dehors ?

— Stephanie m'a dit qu'elles avaient vécu sous le même toit pendant un an et qu'elle l'avait acceptée après avoir apposé une petite annonce de colocation au panneau d'affichage de la laverie du complexe[1].

— Ana habitait déjà au Bonnie Brae ?

— Non, mais elle y avait habité enfant. Elle était revenue voir des amies, avait vu l'avis et contacté Pérez. Elle lui avait dit vouloir loger là parce qu'elle connaissait l'endroit et pouvait aller au travail à pied. Elle n'avait pas de voiture.

Il hocha la tête. Tout cela était parfait. Dans le précédent résumé qu'elle lui avait fait de son entrevue avec Pérez, Soto avait aussi mentionné que, trois mois durant, jusqu'au moment où Pérez lui avait demandé de partir, Burrows couchait au minimum deux nuits par semaine avec Acevedo à l'appartement. Boiko, lui, venait moins fréquemment, mais n'en passait pas moins la nuit avec elle à l'occasion. Cela étant, lorsque Pérez avait commencé à se plaindre de cette situation, Acevedo avait réagi en obligeant ses deux bonshommes à prendre part

---

1. Aux États-Unis, il est fréquent que les locataires disposent d'une laverie collective dans les sous-sols des immeubles.

à l'entretien de l'appartement. Ce qui incluait des cor-vées du style descendre les poubelles.

Tout cela reposait certes sur des souvenirs vieux de vingt et un ans, mais restait tout à fait positif dans l'élan que cela donnait au dossier. Ce dont Bosch et Soto avaient besoin à présent, c'était que tout cela soit confirmé par Acevedo, Burrows et Boiko en personne.

— On a vraiment besoin de retrouver Acevedo, lança-t-il.

— Je vous l'ai déjà dit : je m'en occupe.

Ils durent s'arrêter à un feu rouge, au croisement de la 1re Rue et de Hill Street, à quelques rues du PAB.

— D'après Gus Braley, la vidéo la montre en train de déclencher l'alarme avant que les voleurs n'entrent dans le bâtiment, reprit-il. C'est en se fondant sur ça qu'à l'époque il a été déterminé qu'elle n'avait pas pris part au hold-up.

— Vous pensez autre chose ?

— Pas encore. Mais maintenant, je regarde cette vidéo sous l'angle opposé.

— Ce qui veut dire ?

— Ce qui veut dire que lorsqu'on sait qu'on a une caméra qui vous surveille, on sait probablement aussi que si on ne tire pas le signal d'alarme, on est sûr d'être suspecté.

Elle réfléchit à cette idée un instant et finit par acquiescer.

— Je vois, dit-elle.

— C'est pour ça qu'il faut qu'on la retrouve et qu'on lui parle. Vous dites qu'elle a disparu. Pas de permis de conduire, aucune trace, lieu de résidence inconnu. Ça ne me plaît pas.

— À moi non plus. Vous pensez qu'elle est morte ? Peut-être qu'ils se sont servis d'elle et qu'après, ils l'ont enterrée dans le désert ?

Il hocha la tête. C'était possible.

— L'autre truc, c'est qu'on n'a rien sur les deux types armés. Les trois dont nous parlons étaient à l'intérieur de l'EZBank et ce ne sont pas eux qui ont effectivement commis le hold-up.

— Ou fait démarrer l'incendie.

— Si l'un de ces types est l'initié à l'intérieur, ça nous conduira aux deux autres.

— On pourrait pas remonter en arrière et ne parler que de la façon dont ça s'est déroulé ?

Le feu passant au vert, il reprit la route.

— On a donc les deux types dans la voiture, dit-il. Leur premier arrêt est pour le Bonnie Brae. L'un d'eux entre dans le bâtiment et balance son cocktail Molotov dans la colonne du vide-ordures.

— Ils déclenchent l'incendie et filent à la banque.

— Voilà. Ils ont un scanner dans la voiture, ils s'arrêtent près de la cible et attendent de voir comment on réagit à l'incendie. Quand ils entendent « À toutes les unités », ils foncent à la caisse. Ou alors, s'ils ne sont pas aussi malins, peut-être se contentent-ils de s'arrêter et d'attendre les sirènes. Et quand ils se rendent compte que la réaction est énorme, ils entrent, font le coup et ont le temps de dégager avant que les flics ne se pointent.

Bosch gara la voiture dans la cour devant le PAB. Soto en descendit d'un saut et le regarda.

— Pour moi, ça fonctionne bien, dit-elle.

Il acquiesça.

— Je vous retrouve dans une heure, dit-il.

Rachel Walling l'attendait dans un box de la salle du fond, celle qui donnait sur la 6ᵉ Rue et était réservée aux poids lourds et aux fidèles du restaurant. Les trois tables rondes pour les groupes importants et les trois box pour les plus petits étaient tous occupés, Bosch y reconnaissant une bonne moitié des clients comme venant de City Hall. Il ne savait pas trop qui ils étaient, mais qu'ils prennent leur petit déjeuner à 9 heures un jour ouvré disait assez clairement qu'ils occupaient un poste – au minimum – de moyenne importance dans la hiérarchie de la mairie.

Rachel ne donnait pas l'impression d'avoir pris une seule ride depuis la dernière fois qu'il l'avait vue. La mâchoire était restée ferme, le cou bien tendu, et ses cheveux noirs avaient toujours leurs reflets de jais. Et comme d'habitude pour lui, c'était surtout ses yeux : le regard y était sombre, perçant, indéchiffrable. Souvenir de ce qui aurait pu être, il se sentit vibrer en s'approchant d'elle. À une époque, cette femme avait été la sienne, puis tout avait tourné de travers. Les autres femmes ne lui avaient laissé que peu de regrets. Rachel, elle, lui en inspirerait toujours.

Elle sourit et mit de côté le journal plié qu'elle lisait lorsqu'il se glissa dans le box.

— Harry, dit-elle.

— Désolé d'être en retard.

— Tu ne l'es pas vraiment. Il se passerait quelque chose ?

— Ça commence.

Elle lui montra le journal qu'elle avait mis de côté.

— Tu étais dans le journal la semaine dernière, dit-elle. Pour le mariachi qui est mort. Je peux te demander si c'est pour ça que tu m'as posé des questions sur Rodney Burrows ?

— Pas vraiment, non. J'ai d'autres dossiers en cours. Tu sais bien comment c'est.

— Bien sûr. J'avais juste envie de savoir si c'était lié.

— Non, c'est comme je t'ai dit au téléphone : je m'intéresse à l'incendie qui a tué tous ces gamins. Tu m'as trouvé quelque chose ? Je vois bien ton journal, mais pas de dossier ou autre ?

Elle sourit comme si elle écartait une insulte.

— Tu sais bien qu'on ne donne jamais de dossiers, Harry ! Comme si nous étions du genre à partager !

Le garçon arriva avec une cafetière, Bosch lui signala qu'il en prendrait bien une tasse, puis le garçon leur demanda s'ils étaient prêts à commander ou s'ils avaient besoin d'un menu. Bosch, qui n'en avait jamais eu besoin depuis vingt-cinq ans qu'il venait au Dining Car, regarda Rachel.

— On mange ou ce sera juste un petit truc doux et bref ? lui demanda-t-il.

— On mange. Je te l'ai dit : j'ai faim.

Ils commandèrent sans menu et le garçon s'en alla. Bosch avala une gorgée de café brûlant, puis il fixa Rachel pour lui faire comprendre que le moment était venu de lui donner des trucs.

— Alors, dit-il, Rodney Burrows…

— OK, voilà l'affaire. Tu ne t'es pas trompé sur le monsieur. On l'avait depuis longtemps dans le collimateur, mais après avoir fait de la taule pour évasion fiscale, il s'est tenu parfaitement tranquille. Enfin… c'est ce qu'on pense. Bref, j'ai besoin de savoir si le Bureau va être gêné par ce que tu es en train de faire.

— Pas si le Bureau a bien laissé tomber en 1993, dit-il en hochant fort la tête. Il s'agit d'une enquête strictement *cold case*. Le mec vit maintenant à Adelanto et, pour autant que je sache, il y est aussi discret qu'une petite souris.

— Bon, je te fais confiance sur ce point.

— Alors… Tu me dis ce que tu as ? Quand est-il apparu sur le radar du FBI ?

— Eh bien, au milieu des années 90, on a commencé à surveiller pas mal de ces types. Tu sais bien… le genre sympathisant des milices, Posse Comitatus[1], Christian Identity[2]… tous ces groupes « Me-marche-pas-sur-les-pieds » qui haïssent l'État. En moins de deux ans, on a eu droit à Waco[3] et à Ruby Ridge[4]. Ajoutes-y les émeutes de 92 ici même, à L.A., et tu as une espèce d'appel aux armes qui plaît bien à bon nombre de ces marginaux. Certains d'entre eux, comme ton bonhomme, y ont vu les signes avant-coureurs d'une guerre des races. Mélanges-y tes idées anti-État habituelles, ton accumulation d'armes pour « tenir bon » et x allégeances à des tas d'« ismes » divers dont tu m'as déjà parlé, et tu tiens une espèce de mouvement

---

1. Groupe qui se revendique d'une loi de 1878 interdisant à l'armée fédérale d'agir comme force de police dans les États.
2. Mouvement suprématiste blanc avec affiliations dans les gangs.
3. Le siège, puis l'assaut lancé par le FBI contre les Branch Davidians ont fait 82 morts, dont 21 enfants.
4. L'assaut de ce camp retranché tenu par un Béret vert a fait 3 morts en tout.

aux contours plus ou moins flous. On a remarqué que ça prenait forme dans pas mal d'endroits du pays. Il est évident que nombre d'entre eux n'ont pas retenu notre attention... ne pas oublier l'explosion d'Oklahoma City en 95.

— Bon mais... et Burrows?

— Lui et quelques autres crétins de son espèce ont formé un truc qu'ils ont appelé WAVE, pour White American Voices Everywhere[1], qui semblait plutôt anodin et a intégré une espèce de regroupement national d'associations qui voulaient fermer les frontières et se préparer à défendre l'Amérique blanche dès que la guerre des races serait déclarée.

— C'est pas le genre de trucs que prêchait déjà Charlie Manson à son époque?

— Si, répondit-elle. Mais tout comme il aurait fallu le faire tout de suite avec lui, nous avons, nous, commencé à surveiller Burrows et son groupe.

— Quand ça?

— On s'y est mis aux environs de 94, quand ils ont commencé à coller des tracts sur les pare-brise des bagnoles de Los Angeles à San Diego... que, soit dit en passant, ils appelaient « Ban Diego[2] ».

— Mignon, ça. Mon affaire a démarré un an plus tôt.

— Je sais. Je ne peux donc pas t'aider directement sur ce coup-là. Tu m'as demandé ce qu'on avait sur Burrows, et pour nous, ça commence en 94.

— Qu'est-ce qu'ils faisaient en plus d'imprimer des tracts?

---

1. Voix de l'Amérique blanche partout.
2. Excluez Diego.

— Pas grand-chose. Ils avaient un camp près de Castaic où ils tiraient au fusil, entraînaient leurs recrues et écoutaient des tonnes de speed metal. Bref, le groupe de haine de base… beaucoup de grands discours et pas grand-chose d'autre. Le plus audacieux qu'ils aient jamais fait a été de publier un manifeste raciste et de distribuer des tracts pour inviter les gens à une journée ouverte à leur camp d'entraînement. On les surveillait de près, on avait infiltré un de nos agents dans leur clubhouse et il a été déterminé que ç'avait tout du « tu-causes-tu-causes-mais-tu-fais-rien ». Qu'ils ne lanceraient jamais la guerre et que quand elle viendrait, ils se contenteraient de jouer les majorettes.

— Vous les aviez infiltrés ? Et vous avez tout mis sur écoute ?

— Non, on avait une taupe. Un des membres de ce WAVE s'était fait prendre pour un truc et avait accepté de nous informer de ce qui se passait.

— D'où venait le fric pour ce camp d'entraînement ? Ces mecs avaient des boulots ? Lesquels ?

— Les rapports que j'ai lus avant de venir disent qu'ils avaient beaucoup d'argent, mais qu'on ne sait pas d'où il sortait. Ces types étaient gardiens de sécurité et routiers. Le financement était de source inconnue.

— Le hold-up dont je t'ai parlé a rapporté deux cent cinquante mille dollars. Il y en avait eu un autre quelques mois plus tôt et il n'est pas impossible qu'il y ait des liens entre les deux affaires.

— Eh bien, ceci pourrait expliquer cela, mais je n'ai rien lu de tel dans nos rapports.

— Burrows était-il le big boss ?

— Non, c'était juste un petit pion. WAVE a été fondé par un certain Garret Henley, un routier. C'est lui qui a commencé à recruter des gens.

Bosch sortit son carnet pour y noter ce nom.

— Mais tu ne pourras pas lui parler, reprit Rachel. Il est mort il y a douze ans de ça. Il s'est suicidé après avoir été mis en examen pour évasion fiscale. Il savait qu'il allait finir en taule. C'est comme ça qu'on attrapait les trois quarts de ces types… ils arrêtaient de payer leurs impôts.

— Bon alors, y en avait d'autres ? demanda Bosch. Qui étaient les associés de Burrows ? Dans mon affaire, il a agi avec deux autres porte-flingues.

Walling tendit la main et déplia le journal qu'elle avait mis de côté. Finalement, il vit qu'elle y avait porté des notes en marge. Elle les lui lut et replia le journal.

— D'après les rapports, il y avait deux frères, copains comme cochons avec lui : Matt et Mike Pollard. Et si tu cherches un complice pour la voiture en fuite, on a un aspirant conducteur de stock-car du nom de Stanley Nance dans le groupe. Surnom du bonhomme : « Nascar Nance ». C'était peut-être lui, ton chauffeur.

Tout cela plaisait décidément beaucoup à Bosch. Tout semblait coller. Rachel sentit son excitation.

— Bon, écoute, dit-elle, avant que tu commences à me danser la gigue écossaise, sache que j'ai vérifié ces trois types et que le résultat ne va pas beaucoup te plaire.

— Quoi ? dit-il.

— Et d'un, Nascar Nance, c'est au ciel qu'il court le Grand Prix maintenant. Il s'est tué en 1996 en se fracassant dans une pile de pont à 150 à l'heure. Et les deux Pollard ont été expédiés en prison fédérale pour évasion fiscale, un seul d'entre eux en ressortant vivant. Mike Pollard avait eu droit au pénitencier de Coleman, en Floride, et y a été poignardé à mort à la bibliothèque en 2006. L'affaire n'a jamais été résolue et on pense que le mobile était d'ordre racial.

— Et l'autre ?

— Matt Pollard a exécuté sa peine à Lewisburg et a été libéré sous condition en 2009. Surveillance de cinq ans, il devait se présenter au contrôleur fédéral de Philadelphie. Il y a deux mois de ça, il a été complètement libéré et on ne sait plus où il est. Ces anti-étatistes forcenés aiment beaucoup disparaître de tous les écrans radars. Ils évitent de renouveler leurs permis de conduire, ils n'ont plus de numéro de Sécu-retraite, ils ne paient plus leurs impôts, et j'en passe.

Bosch fronça les sourcils et se rappela qu'Ana Acevedo avait, elle aussi, complètement disparu de la circulation. Puis il pensa soudain à quelque chose qui clochait pour les hommes de WAVE.

— Burrows n'est pas allé en prison avant 2006, dit-il. Et il en est ressorti vingt-deux mois plus tard.

— Que veux-tu que je te dise ? On n'avance que lentement, dit-elle. Je ne connais pas les détails de toutes les affaires, mais je sais qu'on a suivi ces types l'un après l'autre, Burrows arrivant probablement en dernier.

Cela ne lui parut pas coller dans le tableau.

— Bon, d'accord, dit-il, mais Burrows, lui, est allé au country club de Lompoc. Comment se fait-il qu'il ait eu droit à Lompoc alors que les Pollard se sont tapé Lewisburg et Coleman ? Parce que ces deux derniers pénitenciers, c'est pas du gentil. On dirait bien que Burrows a eu du bol.

Elle acquiesça d'un hochement de tête.

— Il faudrait ressortir les trois dossiers et voir leurs différences de traitement. Mais ça, tu ne me l'as pas demandé. Tu ne m'as parlé que de Burrows. Qui sait? Peut-être que ses crimes étaient moins importants. Sans oublier qu'il a négocié un arrangement alors que les deux autres sont allés jusqu'au procès. Des tas de facteurs pourraient expliquer ce décalage.

— Je sais, je sais. Je me demande seulement s'il n'a pas eu droit à un traitement de faveur pour avoir fait l'informateur toutes ces années auparavant.

Elle fit non de la tête.

— Je n'ai rien vu dans son dossier laissant entendre qu'il aurait eu droit à une aide substantielle, dit-elle.

— Ce qui ne veut pas dire qu'il n'y en ait pas eu.

— Quoi qu'il en soit, là, tu me demandes des choses qui sont nettement au-dessus de ce pour quoi je suis payée. Je n'ai pas accès aux listes des informateurs confidentiels. Elles sont toutes sous clé pour des raisons évidentes.

— As-tu noté des numéros de dossiers? Je pourrais en glisser un mot au procureur.

— Oui.

— Et l'agent qui s'est occupé de WAVE? Qui était-ce?

— Nick Yardley. Il est toujours à l'antenne de Los Angeles.

— Tu crois qu'il accepterait de me parler?

— C'est possible, mais n'oublie pas que c'est pour une histoire d'impôts que Burrows est allé en taule. Techniquement parlant, nous n'avons fait que donner un coup de main. Nick pourrait te relier à eux, et si ça

se produit, tu peux laisser tomber. Les agents de l'IRS[1]
ne traitent pas avec les flics du coin.

— Je sais.

— Et si tu le vois, ne lui dis pas que nous avons parlé
ensemble. Dis-lui que tu as eu tes renseignements aux
archives du tribunal.

— Évidemment.

C'est alors que le garçon arriva avec les plats. Bosch
avait envie de s'en aller et de continuer à travailler sur
le dossier, mais il savait que, s'il se montrait grossier
avec Rachel, elle pourrait très bien ne plus jamais l'aider. Et ce risque-là, il n'avait pas envie de le courir.

Ils se mirent à manger et il s'essaya à des petits bavar-
dages.

— Alors, qu'est-ce qu'il fait, le Jack, ces derniers
temps ? demanda-t-il.

Jack n'était autre que Jack McEvoy, l'ancien journaliste du *Times* avec qui Rachel Walling vivait depuis
quelques années et qu'il connaissait, lui aussi.

— Il va bien, lui répondit-elle. Il est heureux… et
il a de la chance, vu ce qu'est devenu le marché des
journaux.

— Il travaille toujours à son site d'investigations ?

— Il est passé à un autre il n'y a pas longtemps.
Le Fair Warning[2]. C'est un site d'enquêtes et de protection du consommateur. Tu devrais aller regarder.
L'État, les journaux… plus personne ne s'occupe vraiment du citoyen lambda de nos jours. Ils font des trucs

_____

1. Internal Revenue Service, équivalent américain de nos services
des impôts.

2. La mise en garde équitable.

très intéressants sur ce site. Et lui, il aime à nouveau son boulot.

— Super, ça. J'irai voir. Fair Warning.com ?

— Non, .org. C'est à but non lucratif.

— OK, je vais aller voir ça.

Il songea à lui poser des questions sur le numéro d'équilibriste qu'elle faisait en entretenant une relation avec un journaliste alors qu'elle travaillait pour le Bureau, mais, avant qu'il ait pu dire quoi que ce soit, son portable se mit à vibrer dans sa poche. Il posa sa fourchette et jeta un coup d'œil à l'écran. C'était un message de Soto : *Prête à partir.*

On lui rappelait, et pas très gentiment, que le dossier attendait. Il regarda Walling qui prenait tout son temps pour étaler son *cream cheese* sur son bagel.

— Faut que tu y ailles, c'est ça ? lui lança-t-elle sans lever le nez de son bagel.

— En gros, oui, dit-il.

— Alors t'inquiète pas pour moi. Vas-y.

— Merci, Rachel. Pour tout. Je m'occupe de la note.

— Merci, Harry.

Il prit le muffin dans son assiette et se fit un devoir de sortir du box.

— N'oublie pas ça, reprit Rachel en lui tendant le journal par-dessus la table.

Il le lui prit et se leva.

— Dis à Jack qu'il a sacrément de la chance.

— Quoi ? demanda-t-elle. Pour son boulot ?

— Non, Rachel. De t'avoir, toi.

Chapitre 31

Bosch n'avait pas envie de passer à la salle des inspecteurs pour s'y faire embarquer dans quoi que ce
soit par Crowder ou Samuels. Il envoya donc un texto
à Soto et l'attendit à l'endroit même où il l'avait déposée une heure auparavant. Elle mit moins de dix minutes
pour sortir du PAB et en traverser le parvis. Elle avait
emporté son iPad.

Elle monta dans la voiture, mais Bosch ne bougea
pas. Ils avaient besoin de dresser un plan pour le reste
de la journée et il voulait savoir ce qu'elle avait raconté
à Crowder sur leurs deux affaires.

— OK, dit-il, on en est où ?

— J'ai fait l'interview et ça n'a posé aucun problème. Le journaliste ne m'a rien demandé de très difficile et l'arme est la seule chose que je lui ai donnée.
Il était ravi, tout comme le capitaine et le lieutenant, et
maintenant, on peut y aller pour Bonnie Brae.

— Qu'est-ce que vous avez dit à Crowder là-dessus ?

— Juste qu'on voit une diversion dans le hold-up
de l'EZBank et que c'est un angle d'attaque que les
premiers enquêteurs n'avaient pas exploré. Je lui ai dit

qu'on avait établi un lien solide entre les deux scènes de crime et qu'on devait absolument prendre la route aujourd'hui pour préciser les détails.

— C'est parfait. Et maintenant, nous, on sait où crèchent Burrows et Boiko. Mais toujours rien pour Ana Acevedo, c'est ça?

— Je n'arrive pas à la localiser, dit-elle en hochant la tête, déçue. J'ai essayé tous les logiciels et banques de données possibles et imaginables. AutoTrack, le DMV, Lexis/Nexis, le gaz et l'électricité, les registres électoraux, les emprunts pour les voitures... tout ce qu'on veut.

— Vous pensez qu'elle est morte?

— Si elle l'est, ça n'a été enregistré nulle part.

— Elle a peut-être seulement changé de nom.

Il avait dit ça d'un ton plein d'espoir alors même qu'il pensait de plus en plus qu'elle avait été tuée et enterrée dans un endroit où on ne la retrouverait jamais. Si Burrows et les deux autres voleurs s'étaient servis d'elle, elle représentait un danger, et ce dès la fin du hold-up. Les morts du Bonnie Brae s'y ajoutant, le tout la rendait probablement encore plus dangereuse pour eux.

— Les sources habituelles ne donnent rien, reprit Soto. Actes de mariage et demandes de changement de nom, rien de rien. Si elle en a changé, elle ne l'a pas fait légalement ou alors, Dieu sait où.

— Au Mexique?

— Si c'est le cas, elle n'a jamais retraversé la frontière pour obtenir un nouveau permis de conduire, ouvrir un compte bancaire ou avoir la télé câblée. Elle a disparu, tout simplement, et pour ce que j'en sais, personne n'a rapporté sa disparition. En tout cas, pas dans cet État.

Vu le travail qu'elle avait abattu rien que la semaine précédente, Bosch n'avait aucune raison de douter de la rigueur de ses recherches.

— Bon, ben, dit-il, essayons de tourner ça à notre avantage. On va voir Burrows et Boiko et on leur dit que c'est elle qu'on cherche. Ce sera notre angle d'attaque avec eux.

Elle acquiesça :

— Ça me plaît. On commence par qui ?

— J'aime assez Burrows. Avec ce que je viens d'apprendre à ce petit déjeuner, pour moi, c'est lui. Le coup de l'EZBank pourrait très bien n'avoir servi qu'à trouver l'argent nécessaire à la création du groupe de suprématistes blancs dont il a fait partie.

— Super, ce mec ! J'ai hâte de tout savoir.

— Ça ! C'est un sacré lascar !

Bosch prit par la 1re Rue et descendit jusqu'à Los Angeles Street pour rejoindre l'autoroute. Il leur faudrait bien deux heures de route en plein désert de Mojave pour arriver à Adelanto. Cela laissait à Bosch plus que le temps nécessaire pour rapporter à Soto tout ce que Walling lui avait dit sur Rodney Burrows.

*

Adelanto se trouvait en retrait de l'autoroute 15, presque à mi-chemin de Las Vegas. D'humeur contemplative, Bosch conduisait sans rien dire tandis que Soto se servait de sa tablette électronique pour continuer ses recherches sur Ana Acevedo. La dernière décennie avait

386

vu une véritable explosion de sites Web permettant de retrouver des gens. Si la plupart fonctionnaient avec les critères habituels du type patronyme, date de naissance et numéro de Sécurité sociale, les procédés étaient variés. Certains sites faisaient davantage appel à l'immobilier alors que d'autres s'appuyaient essentiellement sur les données bancaires ou légales. D'autres encore se spécialisaient dans les achats de voitures et les données à caractère financier. Tout compte fait, l'enquêteur prudent ne pouvait se contenter de ne faire travailler que deux ou trois moteurs de recherche pour arriver à des résultats concluants. Il y avait toujours une dernière banque de données à consulter.

Et là, au fur et à mesure que Soto jurait ou marmonnait des trucs du genre « Mais c'est pas elle, bon sang ! » et autres « Lâchez-moi un peu, à la fin ! », très lentement, Bosch commença à comprendre la gravité de la situation dans laquelle il s'était fourré. Jusqu'à ce matin-là, l'enquête sur l'affaire du Bonnie Brae lui avait paru aussi abstraite qu'impossible à élucider, les encouragements et l'aide qu'il prodiguait à Soto visant surtout à solidifier leur relation de coéquipiers. Mais maintenant, et en raison même de l'excellent travail de Soto, ils étaient sur le point d'affronter l'homme qui pouvait très bien être responsable de la mort de neuf personnes, dont des amis d'enfance de Soto. Il se rendait enfin compte qu'il lui était absolument impossible de la mettre en présence de cet individu, mais que ce qu'il avait déclenché y conduisait tout droit. Il allait devoir être aussi prudent avec elle qu'avec Burrows… si jamais ils se rencontraient.

— Comment va, Lucy ? lui demanda-t-il.

Elle était penchée sur sa tablette. Elle lui jeta un bref regard ; il se concentra aussitôt de nouveau sur la route.

— Vous êtes avec moi depuis toute la matinée ou presque, lui renvoya-t-elle. Pourquoi me demandez-vous ça ?

— C'est juste que, enfin… Burrows… Ça pourrait être notre homme. Vous n'allez pas péter les plombs, dites ?

— Non, Harry, je ne vais pas péter les plombs. Ne vous inquiétez pas.

Il lâcha de nouveau la route des yeux et la regarda longuement.

— Quoi ? dit-elle.

— Je veux juste être sûr de ne pas avoir à me faire du souci à cause de vous.

— Je suis flic, Harry, et c'est en flic que je vais me conduire. En flic totalement professionnel. Je ne vais pas piquer ma crise pour ce mec, d'accord ? C'est de justice qu'il s'agit, pas de vengeance.

— C'est que la frontière entre les deux est bien mince, Lucy. Je vous dis seulement que si jamais vous tentez quoi que ce soit, je vous saute dessus dans la seconde. C'est compris ?

— Oui, c'est compris. Bon, je peux me remettre au boulot maintenant ? dit-elle en levant bien haut sa tablette pour souligner sa question.

— Bien sûr. Mais vous suivez mes indications si jamais on parle à ce type. Je veux lui jouer le scénario de la disparition, juste pour voir si je peux lui faire parler d'Ana. Et après, on improvise.

— Le plan me paraît bon.

— Alors c'est parfait.

C'était dans un lotissement de petites maisons bâties sur des terrains étroits et tout en longueur qu'habitait Rodney Burrows. Il n'y avait là ni arbres ni buissons, ni même seulement de pelouse visible dans tout le quartier. Tout était brûlé, poussiéreux et stérile sous le soleil du désert.

La propriété était entourée par une clôture à maillage métallique surmontée de rouleaux de barbelés rasoirs probablement pas très différente de celle de la prison fédérale où il avait purgé sa peine. Bosch se demanda si le bonhomme s'en rendait compte.

Bosch, lui, ne rata rien de l'ironie de l'affaire en examinant cette véritable forteresse. Comme bien d'autres qui pensaient et agissaient comme lui, Burrows avait très vraisemblablement filé à cent kilomètres de la grande ville pour s'enterrer dans le désert parce qu'il voulait être loin de tout ce qui, à ses yeux, clochait dans la société et dans ses grands centres urbains. À son avis, les problèmes se réduisaient à des choses du genre immigration et encombrement dû à la croissance de minorités qui sapaient les infrastructures du pays et profitaient des aides de l'État. Alors il avait « giclé », comme on dit dans les milieux suprématistes blancs, pour retrouver les grands espaces et des visages de Blancs. Il avait trouvé Adelanto, s'y était installé et avait découvert que cette petite ville ne différait en rien de la mégalopole. C'était un microcosme, une sorte de louche qui, plongée dans le melting-pot, en ressortait le même mélange d'ingrédients. Adelanto étant un lieu de minorités dans la majorité, Bosch ne voyait rien d'étonnant à ce que Burrows se soit barricadé derrière un grillage de deux mètres de haut en mailles chaînées, dernier effort qu'il pouvait fournir pour tenir le monde à distance. Et, comble d'ironie, Adelanto signifiait « progrès » en espagnol.

Le grillage formait une espèce de goulet d'étranglement vers lequel il dirigea la Ford de façon à pouvoir passer le bras à la portière et atteindre un poste téléphonique apposé au portail d'entrée. En plus de son pavé numérique, l'appareil était équipé d'un objectif de caméra et d'un bouton d'appel. Tout cela était fixé à un poteau, sous un panneau *Chien méchant* et un autre où l'on voyait la forme noire d'une arme de poing au-dessus des mots : *Ici on n'appelle pas police secours*.

Bosch se sentit mal à l'aise dès qu'il comprit l'agencement des lieux. Celui-ci permettait en effet à Burrows de contrôler la situation aussi bien dans les premiers contacts qu'en cas de confrontation. Soto, elle aussi, trouvait la situation inconfortable.

— Qu'est-ce qu'on fait ? demanda-t-elle.

— Y a pas grand-chose à faire, dit-il. On voit si on peut l'amener à nous ouvrir.

Il tendit le bras par la portière et appuya sur le bouton d'appel afin d'établir le contact. Il dut recommencer pour obtenir une réponse. La voix qui se fit entendre alors était celle d'un homme au ton bourru.

— C'est quoi ?

Bosch montra son badge à la caméra, mais en le tenant de manière à ce que son doigt cache les mots *Los Angeles* imprimés en relief.

— C'est la police, monsieur. Nous avons besoin que vous veniez au portail, s'il vous plaît.

— Pourquoi avez-vous besoin que je fasse un truc pareil ?

— Nous menons une enquête et nous avons besoin de votre aide, monsieur.

— Quel genre d'enquête?

— Pouvez-vous venir, monsieur?

— Pas avant que je sache de quoi il retourne.

— C'est pour une disparition, monsieur. Ça ne vous prendra que quelques minutes.

— La disparition de qui? Je connais personne dans le coin. Et pour ce que j'en ai à foutre, ils pourraient tous disparaître.

Ça s'emmanchait mal. Bosch décida de jouer la force.

— Monsieur, nous avons besoin que vous veniez au portail. Si vous refusez, nous allons avoir un problème.

Il y eut un long silence avant que la voix ne se fasse entendre à nouveau.

— On ne s'emballe pas. Je vous demande juste quelques minutes.

— Merci, monsieur.

Bosch recula assez loin pour pouvoir ouvrir sa portière et descendre de voiture. Il enclencha la position parking et regarda Soto. Il ne savait toujours pas trop comment elle allait réagir face à l'homme qui était peut-être responsable de la tragédie de son enfance, voire de sa vie.

— Bon, dit-il. Je sors, je la joue décontracté et je l'attends. Vous, vous restez dans la voiture. Je vous ferai signe si j'ai besoin de vous.

— D'accord, dit-elle. Qu'est-ce que vous allez faire?

— Je sais pas trop. Je vais y aller au pif.

— OK.

Il détacha sa ceinture, sortit de la voiture, passa devant et s'adossa à la calandre d'un air très relax, les mains sur le capot pour ne pas perdre l'équilibre. La maison ne se trouvait qu'à une cinquantaine de mètres, au bout de l'allée. Bientôt il vit s'ouvrir la porte du garage et un pick-up garé devant descendre l'allée pour rejoindre le portail. Dès que le véhicule commença à s'en approcher, le portail automatique s'ouvrit en glissant sur ses rails, Bosch découvrant alors, à côté du type installé au volant, un chien assis sur le siège passager. Puis il aperçut une carabine accrochée au râtelier derrière la tête du chauffeur. L'inquiétude le gagna, mais il essaya de n'en rien montrer. Le pick-up s'immobilisant à cinq mètres du portail, le conducteur se mit au point mort, laissa tourner le moteur et descendit de la cabine. Bosch l'entendit dire au chien de rester tranquille.

La première chose que remarqua Bosch lorsque le bonhomme referma sa portière fut qu'il portait un holster de style western à la ceinture avec étui fixé autour de la cuisse droite; et il y avait un pistolet dedans. Tout cela faisant vite monter la tension, Bosch laissa tomber la pose relax et se redressa devant sa voiture.

— Ne bougez plus, monsieur! ordonna-t-il en pointant le doigt sur le type.

Celui-ci s'arrêta net et regarda autour de lui comme si quelque chose lui échappait. Il était plus petit que ce à quoi s'attendait Bosch. Si tous ses adversaires étaient gigantesques dans son imagination, en réalité, il était rare qu'ils soient à la hauteur de ses attentes. Burrows, lui, avait tout du costaud dans son jean et sa chemise à carreaux. Il arborait une barbe rousse broussailleuse et une vieille casquette John Deere[1].

---

1. Célèbre marque de matériel agricole.

— Qu'est-ce qu'il y a? demanda-t-il.

— Monsieur, lui renvoya Bosch, pourquoi portez-vous une arme dans son étui?

— Parce que je le fais toujours et que j'ai le droit d'être armé dans ma putain de propriété.

— Votre nom, s'il vous plaît, monsieur.

— Rodney Burrows. Et arrêtez avec ce « monsieur » tout le temps.

— Parfait, monsieur Burrows. Avec la main gauche, vous sortez l'arme du holster et vous la déposez sur le capot de votre pick-up.

Sentant peut-être quelque chose dans le ton de Bosch, le chien se mit à aboyer et sauta sur le siège du conducteur pour être plus près de son maître.

— Et pourquoi je le ferais, hein? demanda Burrows. Je suis dans ma propriété.

— Pour ma sécurité, monsieur… monsieur Burrows, lui répondit Bosch. Je veux que vous posiez votre arme sur le capot du pick-up.

En montrant le véhicule du doigt, Bosch déclencha un deuxième paroxysme d'aboiements, l'animal se mettant à sauter d'un siège à l'autre dans la cabine. Bosch entendit la portière de la Ford s'ouvrir dans son dos et sut que Soto en descendait. Mais il n'avait aucune envie de lâcher des yeux le bonhomme qu'il avait devant lui.

Puis il vit Burrows lever les mains en l'air, paumes vers le ciel, et sut que Soto avait sorti son arme.

— Monsieur! cria-t-elle d'une voix aiguë. Votre arme sur le capot!

— Soto, dit-il, je m'en occupe. Repos.

Elle l'ignora.

— Monsieur! cria-t-elle à nouveau. L'arme!

— OK, OK ! Je le fais, dit Burrows en avançant la main droite vers son holster.

— La main gauche ! hurla Bosch. La gauche !

— Je m'excuse, répondit Burrows comme si de rien n'était. La gauche… c'est pas vrai !

Il sortit l'arme de son étui avec la main gauche et, tranquillement, la jeta sur le capot du pick-up, où elle atterrit avec un grand bruit métallique qui fit aboyer et s'agiter le chien encore plus fort.

— Ta gueule, Lola ! cria Burrows.

L'animal n'en fit rien. L'arme étant maintenant sur le capot du pick-up, Bosch se sentit suffisamment en sécurité pour jeter un coup d'œil à Soto. Debout derrière la portière passager de la Ford banalisée, elle avait pris la pose combat et, les bras en appui sur le rebord de la fenêtre, visait toujours la masse corporelle de Burrows.

— Du calme, Soto, dit-il. Je contrôle.

— Je vous couvre, dit-elle.

— Repos, lança-t-il d'un ton égal. L'arme dans l'étui.

Il attendit qu'elle obéisse, puis il se retourna vers Burrows et fit un pas en avant, faisant ainsi rempart entre lui et Soto.

Il écarta Burrows du pick-up, le poussa vers la voiture banalisée, l'obligea à s'allonger sur le capot et commença à le fouiller pour voir s'il avait d'autres armes. Puis, il jeta un coup d'œil à Soto et lui lança un regard sévère.

— Un petit conseil, dit-il ensuite à Burrows. Quand on a des flics qui frappent à sa porte, vaut mieux pas leur ouvrir avec un pistolet à la ceinture et une carabine dans le pick-up.

— Je sais pas ce que vous foutez, mec, protesta Burrows. Je suis sur mes terres. J'ai absolument le droit de…

— Vous êtes un criminel qui a déjà été condamné et se trouve en possession d'une arme à feu, lui renvoya Bosch. Et ça, ça vous fusille toutes vos conneries juridiques.

— Je ne reconnais pas vos lois.

— Un bon point pour vous. Mais la loi, elle, vous reconnaît. Avez-vous d'autres armes ?

— J'ai un couteau. Dans la poche revolver. C'est que des conneries, tout ça. Du harcèlement de l'État. Et ce capot est brûlant, bordel !

Bosch ne réagit pas. Il se moquait bien que le capot soit brûlant ou pas. Il sortit le couteau de la poche de Burrows. Un cran d'arrêt. Il appuya sur le verrou de sûreté et une lame de dix centimètres jaillit du manche. Il tint l'arme bien haut de façon à ce que Soto puisse la voir et arrêter net toute plainte visant à laisser croire que c'était lui qui l'avait glissée dans la poche du suspect. Puis il referma le cran d'arrêt, le posa sur le capot et l'y fit glisser hors de portée de Burrows.

Il pesa ensuite de tout son poids sur le bonhomme, lui écrasa la poitrine sur le capot, et sentit la chaleur dont celui-ci se plaignait. Puis, en un geste mille fois répété, il lui posa l'avant-bras sur la colonne vertébrale pour le maintenir en place tandis qu'il détachait ses menottes de sa ceinture et lui en passait une au poignet gauche.

— Hé, mais qu'est-ce que vous faites ? s'écria Burrows.

Bosch lui ramena le bras gauche dans le dos, fit passer son poids sur son autre avant-bras de façon à lui reprendre le poignet droit et achever la manœuvre. Puis il redressa Burrows et le tourna vers lui.

— Z'avez pas le droit! dit Burrows. Z'avez pas le droit de m'arrêter dans ma propriété!

— Faux, lui renvoya Bosch. Je vous tiens maintenant, Burrows. Y a-t-il quelqu'un d'autre dans la maison?

— Quoi? Non, personne.

— D'autres chiens en plus de celui du pick-up?

— Non. Mais c'est quoi, ça? Qu'est-ce que vous voulez?

— Je vous l'ai dit : on veut vous parler de quelqu'un qui a disparu.

— Qui?

— Ana Acevedo.

Bosch observa sa réaction, vit combien de temps il lui fallait pour reconnaître et se rappeler ce nom. Cela lui prit quelques secondes, puis ce fut le déclic.

— Je l'ai pas revue depuis, comme qui dirait… des années.

— Bien. On va en reparler. Mais maintenant, vous avez une grosse décision à prendre, Rodney. Vous voulez qu'on aille chez vous ou qu'on cause ici? Ou alors… vous voulez revenir avec nous à L.A. et qu'on fasse ça au commissariat?

— Vous êtes de L.A.?

— C'est exact. J'ai dû oublier de le mentionner. Alors, vous répondez à nos questions ici ou là-bas?

— Et si j'appelais juste mon avocat et que vous arrêtiez de m'en poser, des questions, hein, bordel?

— C'est une question de choix. On vous descend à L.A. et on vous trouve un bigo dès qu'on arrive. Promis.

— Non, non, tout de suite. Ici. Mon avocat est ici. L.A., c'est un trou à rats. Je veux plus jamais y retourner.

— Alors vous choisissez. Ou vous nous parlez ici ou vous appelez votre avocat de L.A. Je suis sûr qu'il pourra vous faire sortir dès demain matin… après une petite nuit au zoo.

Burrows hocha la tête et garda le silence. Bosch savait qu'on tournait autour de la question de savoir si oui ou non Burrows venait de demander un avocat.

— Bien, dit Bosch.

Et il écarta Burrows du capot et le poussa vers la portière arrière de la Ford.

— On va faire venir la fourrière pour le chien, dit-il.

Dans l'instant, Burrows se raidit et tenta de faire du surplace.

— OK, OK, dit-il. On peut entrer, mais je sais rien de rien sur Ana Acevedo.

— On verra.

— Et ma chienne ? Et mon pick-up ?

Bosch se retourna pour regarder le pick-up. Le moteur tournait toujours. L'animal avait posé les pattes de devant sur le tableau de bord et regardait Bosch d'un air féroce.

— Y aura pas de problème, dit Bosch.

Il tourna Burrows vers la maison en gardant une main sur son avant-bras. De l'autre, il fit signe à Soto de récupérer le pistolet et le couteau.

— Mais faut fermer le portail, quoi ! protesta Burrows. Autrement, ils entreront.

— Qui ça « ils » ?

— Les gens autour, là. Les gamins dans la rue.

— Comment ça se ferme ?

— Y a une télécommande dans le pick-up.

— Pas question d'ouvrir le pick-up.

— Elle est inoffensive. C'est juste qu'elle aime aboyer.

— OK. Je vais l'ouvrir. Mais sachez juste que si elle me saute dessus, je l'abats.

— Elle le fera pas.

Bosch fit signe à Soto de venir garder Burrows tandis qu'il gagnait le pick-up. Il sortit son arme, puis l'abaissa le long de sa jambe, ouvrit la portière et fut accueilli par un déchaînement d'aboiements. Mais la chienne recula contre la portière passager. Bosch tendit la main et appuya sur le bouton d'une télécommande accrochée au pare-soleil. Le portail du domaine commença à se fermer.

— Lola, au pied ! cria Burrows.

La chienne bondit de la cabine et passa devant Bosch en un éclair de gris. Il avait à peine fini de lever son arme qu'elle était déjà par terre, à côté de son maître.

— Gentille, la Lola, dit Burrows. Vous pouvez éteindre le moteur ? L'essence est pas donnée par ici.

— Elle ne l'est nulle part, dit Bosch en tendant la main pour éteindre le moteur et prendre la carabine au râtelier.

Chapitre 32

Bosch tint Burrows menotté jusqu'à ce qu'ils soient dans la maison et qu'il en ait fait tout le tour pour vérifier qu'il n'y avait personne d'autre. Il trouva une table et des chaises à la cuisine et l'assit contre un mur orné d'un drapeau nazi. Il posa les deux armes sur un comptoir, revint vers lui, lui ôta les menottes et prit place en face de lui, Soto se tenant debout à droite, à côté du comptoir et des armes. L'évier voisin débordait d'assiettes et de verres sales. Soto sortit son portable, mit sur enregistrement et le posa sur le comptoir tandis que Burrows se frottait très exagérément les poignets pour les sentir à nouveau.

La chienne gagna le bol près de la porte de derrière et se mit à y laper bruyamment de l'eau. Tous attendirent que le bruit cesse.

— C'est quoi, comme chien? demanda Bosch.

— Moitié pitbull, moitié rottweiler.

— Ça va bien avec le drapeau, hein? reprit Bosch en la montrant du doigt.

Burrows ne réagit pas. La chienne trouva un endroit à côté de la porte, en fit deux fois le tour et se coucha.

— Vous vivez seul ici ? demanda Bosch.

— Oui. Bon, dites, on pourrait pas laisser tomber les papotages ? J'ai envie d'en finir.

— Bien sûr. Où avez-vous trouvé les flingues ?

— À une foire à Tucson. Tout est parfaitement légal. C'était là que j'habitais à l'époque.

— Sauf que vous avez oublié de mentionner que vous étiez un criminel condamné.

— Je les ai achetés à un citoyen privé qu'avait même pas à me demander. En plus que mon avocat a demandé à la cour d'expurger mon casier de cette condamnation. J'ai exécuté ma peine et ma conditionnelle est terminée.

— Eh ben, bonne chance, mec. Avez-vous d'autres armes à feu dans cette maison ?

Burrows ne répondit pas tout de suite.

— Ne mentez pas ! On foutra tout en l'air dans la baraque.

— J'ai un fusil à côté de mon lit. Je suis surpris que vous ne l'ayez pas vu quand vous piétiniez tout partout dans ma maison. Si je viens d'hésiter, c'est parce que vous m'avez demandé si j'avais des armes dans la maison. J'ai aussi un Colt.45 dans la boîte à gants du pick-up, mais comme vous m'avez pas demandé pour le pick-up…

Bosch fit signe à Soto, qui quitta la cuisine pour aller chercher les deux armes. Il vérifia qu'elle avait bien laissé son portable sur enregistrement et se tourna de nouveau vers Burrows.

— Bien, je vais donc vous lire vos droits tout de suite.

— Comment ça ? Je croyais qu'on allait juste causer ?

— C'est bien ce qu'on va faire. Mais je n'ai pas encore pris de décision pour vos armes à feu. Et le cran d'arrêt est illégal, lui aussi. Et donc, on voit comment ça marche et on fait tout comme il faut.

Sans quitter des yeux l'homme qu'il avait devant lui, Bosch sortit son porte-badge. Puis il baissa les yeux et lui lut ses droits sur une carte qu'il y conservait.

— Comprenez-vous ces droits tels que je viens de vous les lire? demanda-t-il.

— Je ne les reconnais pas, lui renvoya Burrows.

— Je me fiche de savoir si vous les reconnaissez ou pas. Comprenez-vous ce que je viens de vous lire?

— Oui, mais je ne…

— Je parie que vous payez vos impôts maintenant, exact?

— Malgré mes protestations.

— D'accord, mais ça ne change rien. Tels sont donc les droits que vous garantit le gouvernement de ce pays. Vous pouvez protester, mais telles sont les règles. Voulez-vous poursuivre cet interrogatoire ou préférez-vous passer à l'arrière de la voiture et descendre à L.A.?

— Je comprends ces droits. Je vous parlerai sans la présence de mon avocat.

— Bien. Nous faisons des progrès. Où est Ana Acevedo?

Burrows recula sur son siège comme si la franchise de Bosch était un objet qui le frappait de plein fouet.

— Écoutez, protesta-t-il, c'est ce que j'essaie de vous dire depuis le début. Je n'ai aucune idée de l'endroit où elle est. Je n'ai pas revu cette fille depuis vingt ans.

— Quand et dans quelles circonstances l'avez-vous vue pour la dernière fois ?

Avant que Burrows ait pu répondre, Soto revint dans la cuisine. Elle posa les deux nouvelles armes qu'elle avait collectées à côté des autres, puis elle reprit son poste près du comptoir.

Bosch se retourna vers Burrows et reposa sa question :

— Parlez-nous de la dernière fois que vous avez vu Ana Acevedo.

— Je ne… C'est des années 90 qu'on parle, là. Comment je pourrais me rappeler exact…

— Mais vous viviez quand même avec elle. Vous devriez pouvoir vous rappeler le moment où vous…

— Non, je ne vivais pas avec elle. Qui vous a raconté ça ? Jamais je ne…

Il ne termina pas sa phrase.

— Qu'est-ce que vous ne feriez jamais ? lui lança Soto. Vivre avec une métisse ?

D'un regard, Bosch lui signifia d'arrêter ça. Il tenait à ce que Burrows continue de baisser la garde, et la meilleure façon d'y parvenir était de n'avoir qu'une personne aux commandes.

— Bon, mais si vous ne viviez pas avec elle, au minimum, vous lui rendiez visite au Bonnie Brae, dit-il. On a des témoins.

— Oui, oui, c'est exactement ça, dit Burrows. Je lui rendais visite à cet endroit, mais je n'y vivais pas. Je n'y ai jamais vécu et je n'ai jamais vécu avec elle non plus.

Le plan était de se servir d'Ana Acevedo pour amener Burrows à reconnaître des faits qui pourraient être utiles à lui opposer dans un procès impliquant l'incendie du Bonnie Brae et, dans la liste, Bosch venait juste de cocher la première case, et la plus importante. Burrows reconnaissait s'être rendu au Bonnie Brae Arms pour y voir Acevedo. La voie était ouverte et allait leur permettre d'établir qu'il connaissait donc bien les lieux. Et au bout de cette voie, il y aurait qu'il savait parfaitement où se trouvait la colonne de vide-ordures.

— Bon, mais alors, quelle était la nature exacte de vos relations avec elle?

— Elle et moi, on bossait ensemble et c'est elle qui me faisait du rentre-dedans. C'était contre le règlement, mais elle arrêtait pas, alors on a eu un petit truc. Mais ça n'a pas duré six mois en tout.

Soto y alla d'un bruit moqueur avec sa bouche, mais Bosch l'ignora.

— C'est du boulot d'encaissement des chèques que vous parlez? demanda-t-il. C'était là-bas que c'était contre le règlement?

— Oui, on y travaillait tous les deux, dit-il. On y est restés un an. J'étais à la sécurité. Après, elle a lâché le boulot, et moi avec, et je l'ai plus revue. Je le jure et c'est tout.

— Pourquoi a-t-elle arrêté?

— Y avait eu un hold-up. Où moi, j'ai été agressé et elle passée à tabac. Ils y avaient collé une arme sur la figure. Un AR-15. Ça lui a foutu la trouille et elle a plus voulu travailler là… c'était comme le syndrome SPT ou autre, mais ils appelaient pas ça comme ça à l'époque. Et je l'ai jamais revue après. Elle est venue me voir une fois à l'hôpital après le hold-up et ç'a été tout.

— Où est-elle allée ?

— Je viens de vous le dire : je ne sais pas.

— Et vous n'avez jamais essayé de la retrouver.

— Non, je n'étais pas… écoutez : c'était juste de la baise. On n'était pas amoureux. J'ai laissé filer.

— Et vos copains de WAVE, ils savaient qu'elle existait ?

Une lueur de surprise apparut dans les yeux de Burrows. Bosch était donc au courant pour WAVE. Burrows ne répondit pas, mais Bosch insista.

— Vous leur aviez dit ? demanda-t-il. Est-ce que vous vous êtes vanté devant les gars du clubhouse de tringler une Mexicaine ? Et… comment vous l'auriez appelée, vous autres ? « Une guenon de la frontière » ?

— Non, je ne leur en ai pas parlé. Je n'en ai parlé à personne et je l'appelais pas comme ça.

Bosch le fixa longuement du regard, le jaugeant en même temps qu'il réfléchissait à la suite.

— Combien de nuits avez-vous passées au Bonnie Brae ? demanda-t-il.

— Je ne sais pas. Trente, quarante… J'y étais souvent. On était…

— Quoi ? Amoureux ?

— Non, pas du tout. C'était pas de l'amour.

— Vous y aviez des vêtements ?

— Ouais, j'y laissais des uniformes pour le boulot… pour les avoir sous la main.

— Vous faisiez la lessive ? Vous descendiez les poubelles ?

— Je donnais des coups de main, oui. Ça ne veut pas dire qu'on…

— Comment ? Vous descendiez la poubelle pour une femme que vous n'aimiez pas ?

— Écoutez, vous transformez tout !

— Comment ça ? Vous descendiez la poubelle ou vous ne la descendiez pas ?

— Oui, je la descendais, mais ça voulait rien dire et ça n'a aucune importance parce que je l'ai pas revue depuis vingt ans et que je sais pas où elle est, bordel !

Bosch marqua une pause. Il laissa les choses se calmer un peu alors même que, dans son cœur, il rugissait parce que Burrows venait de lui donner tout ce dont il avait besoin.

— Comment gagnez-vous votre vie, Rodney ? reprit-il.

— Je conduis un camion de pièces détachées.

— Des pièces détachées de quoi ?

— De voitures américaines.

— Où est Ana Acevedo ? Qu'avez-vous fait d'elle ?

— Quoi ?! Mais je n'ai rien fait ! Je ne sais pas où elle est !

Il avait crié si fort que la chienne souleva le museau de dessus le plancher.

— Et vous savez quoi ? enchaîna-t-il. Maintenant, je m'en fous. Descendez-moi à L.A. Je veux voir un avocat.

Il commença à se lever, mais Bosch s'y attendait. Il bondit, tendit la main au-dessus de la table et le rassit sur sa chaise d'une seule main posée sur son épaule.

— Asseyez-vous. Et ne vous levez pas tant que je ne vous aurai pas dit de le faire.

Bosch entendit le grondement sourd de la chienne près de la porte.

— Vous violez mes droits civiques, protesta Burrows. Vous n'avez pas le droit d'entrer chez moi, dans ma propriété, et de me dire ce que je dois y faire.

Bosch regarda Soto et lui montra le portable. Burrows venait de demander un avocat, techniquement parlant l'interrogatoire était terminé. Elle éteignit l'application.

— C'est drôle comme vous dites toujours la même chose, fit remarquer Bosch. Vous ne voulez rien avoir à faire avec ce pays et ses lois et, tout d'un coup, vous voulez que nous, on joue selon les règles mêmes que vous rejetez.

— Je veux mon avocat.

— Vous nous avez invités chez vous, monsieur Burrows. Vous aviez le choix et vous nous avez invités à entrer. Si vous nous dites que vous voulez un avocat, alors on arrête tout immédiatement et on vous emmène à L.A. pour vous coffrer.

Burrows posa les coudes sur la table et se passa les mains sur la figure.

— Ou alors, reprit Bosch, vous nous parlez de ce hold-up à l'EZBank.

Burrows hocha la tête comme s'il n'avait pas le choix.

— Deux types, dit-il. Ils sont entrés, ils ont mitraillé et m'ont filé un coup de crosse avec une de leurs armes. J'ai eu une fracture du crâne et une commotion cérébrale et j'ai jamais pu vraiment me rappeler quoi que ce soit après ça. Mais ce qu'on m'a raconté, c'est qu'ils m'avaient jeté à terre et collé un flingue sur la tête pour me tuer si quelqu'un n'ouvrait pas la porte.

— Et qu'est-ce qui s'est passé?

— Ana leur a ouvert. Elle avait déjà déclenché l'alarme silencieuse. Elle savait que les flics arrivaient, alors elle a ouvert. Et les voleurs sont entrés et les ont forcés à ouvrir le coffre et les tiroirs à argent liquide.

— Les ont forcés « qui », à ouvrir le coffre ?

— Le gérant qu'était avec elle au fond. C'était lui.

— Lui « qui » ?

— Euh, il s'appelait… Je me rappelle pas. C'était comme un nom russe.

— Vous voulez dire ukrainien ?

— Si vous voulez.

— C'était pas Maxim ?

— Si, voilà, c'était ça. On l'appelait Max.

— Et lui aussi, il baisait Ana en douce, pas vrai ?

Encore une fois, la surprise se marqua dans les yeux de Burrows.

— Non, ça, c'est des conneries. C'est pas ça qui se passait.

— Vous êtes sûr ?

— Je l'aurais su, non ?

— Vraiment ? Vous ne m'avez pas dit que vous ne viviez pas avec elle ? Que vous n'étiez pas là tous les soirs ? C'est pourtant bien ce que vous venez de me dire.

— Je l'aurais su.

— Combien de nuits y passiez-vous par semaine ?

— Trois ou quatre. On aurait pu faire plus, mais sa coloc ne m'aimait pas. Non, y avait personne d'autre.

— Bon alors… Ce que vous me dites, c'est qu'après ce hold-up, Ana Acevedo a lâché son boulot, et vous par la même occasion.

— Ouais, c'est ça qu'est arrivé. Elle avait le SPT.

— Pour le boulot, je comprends. Mais pour vous ?

— Elle disait que je lui rappelais ce qui s'était passé au magasin.

— Quel magasin ?

— Là où on travaillait. L'EZBank. On appelait ça le « magasin ».

— Quand avez-vous revu Ana après qu'elle a arrêté le boulot ?

— Combien de fois faudra-t-il que je vous le dise ? Elle est venue me dire au revoir à l'hôpital. Et je l'ai plus jamais revue.

— Et donc, elle s'est servie de vous. Comment les flics vous ont-ils traité après le hold-up ?

— Ah ben voilà, c'est sur eux que vous devriez enquêter ! Ces fumiers ont essayé de me mettre tout le bazar sur le dos. Ils ont dit que c'était moi qu'avais préparé le coup. Ben tiens, comme si une partie du plan était que je me fasse ouvrir le crâne comme une coquille d'œuf !

— Ils vous ont arrêté ?

— Je n'ai jamais été accusé de quoi que ce soit. Et vous savez pourquoi ? Parce que je n'ai jamais rien eu à voir avec ça. Je m'étais payé une putain de commotion cérébrale et ces mecs me disaient, là, sur mon lit d'hôpital, que c'était moi qu'avais tout manigancé. Parlez d'une connerie !

Bosch ne réagit pas. Il évaluait la situation. Il avait toutes les réponses qu'ils étaient venus chercher. Burrows, et de son propre aveu, était bel et bien resté au Bonnie Brae et n'ignorait rien de la colonne de vide-ordures – il y avait descendu les poubelles. L'heure était venue d'aiguiser le couteau, de faire le point avec lui. Bosch jeta un regard à Soto, elle hocha légèrement la tête : l'enregistrement était reparti. Sa légalité serait douteuse, mais Bosch voulait que cette partie-là de l'interrogatoire soit quand même enregistrée.

— Parlez-moi de l'incendie, dit-il.

Burrows eut l'air perplexe.

— Quel incendie ? demanda-t-il.

— L'incendie au Bonnie Brae.

— Ah, l'incendie qui s'est déclaré le même jour ? Je sais rien là-dessus. Ana n'habitait plus là. Sa coloc l'avait virée. L'incendie a été déclenché par les gangsters qui contrôlaient la rue. Comme l'année d'avant les émeutes, les mecs qui brûlaient leurs propres quartiers et tuaient jusqu'à leurs enfants, quoi. Si c'est pas cinglé, ça ! Non, parce que… c'était tout ce qu'on disait, nous.

Du coin de l'œil, Bosch vit Soto quitter sa posture relax près du comptoir. Il se tourna vers elle et lui décocha un deuxième regard qui la remit à sa place. Ce n'était pas le moment de donner libre cours à ses émotions personnelles et d'aller au clash avec le raciste. Ils avaient un but dans cette affaire, et plus ils faisaient parler Burrows, plus ils s'en rapprochaient.

— Expliquez-moi ça, dit-il à Burrows. De qui parlez-vous et c'était quoi, ce « tout » que vous disiez ?

— Le WAVE, mec. On avait tout vu venir. Et d'ailleurs, c'est qu'une question de temps.

— Avant le déclenchement de la guerre des races ?

— On pourrait appeler ça comme ça, oui. Mais qu'on l'appelle comme ci ou comme ça n'a aucune d'importance, ça se profile.

— Lequel des frères Pollard a préparé l'engin incendiaire ?

— Quel engin incendiaire ?

— Celui qu'ils ont balancé dans le conduit de
vide-ordures du Bonnie Brae.

Ébahi, Burrows en perdit presque la voix.

— Avant de piller l'EZBank, précisa Bosch.

— Vous êtes fou ! On était complètement non violents, nous. On n'a jamais fait de mal à personne ! Vous
pouvez pas nous coller ça sur le dos. Et d'ailleurs, à
l'époque, je les connaissais même pas, ces mecs. C'est
venu plus tard.

Bosch se pencha en travers de la table.

— Mon œil ! C'est pas juste : « Tiens, je crois que
je vais m'inscrire pour une petite guerre des races
aujourd'hui. » Vous les connaissiez déjà et vous
saviez tous ce que vous vouliez. Et vous aviez besoin
de fric pour construire votre petit clubhouse là-bas,
à Castaic.

— Non ! Vous êtes complètement fou et c'est fini,
j'arrête de parler. Ou vous m'emmenez pour me coffrer, ou bien vous dégagez de ma maison et de ma propriété. Immédiatement !

Bosch se leva et lui fit signe d'en faire autant.

— Bon alors, debout.

— Quoi ? Qu'est-ce que vous faites ?

— On descend à L.A.

— Oh, allez, vous allez pas faire ça, si ?

— Debout, s'il vous plaît.

— On a parlé ! Je vous ai aidés ! Qu'est-ce que vous
voulez ? Je ne sais rien sur Ana Acevedo ! Je n'ai rien eu
à voir avec cet incendie et vous n'avez aucune preuve

410

que j'y aie été mêlé. Les Pollard, j'ai fait leur connaissance un an après, à Castaic.

Bosch fit le tour de la table et s'approcha de lui. Soto le rejoignit – le message était clair.

— OK, OK, dit Burrows en levant les mains en l'air. Je comprends. Vous vous foutez complètement de la vérité. Vous avez juste besoin d'un bouc émissaire et ce bouc émissaire, c'est moi. Parce que moi, je suis toujours la cible la plus facile.

— C'est exact, dit Bosch. Vous avez tout compris.

Burrows se leva et Soto se glissa derrière lui pour lui passer les menottes.

Bosch le poussa hors de chez lui, Soto se chargeant de porter les armes. Ils fermèrent la porte avec le chien à l'intérieur et descendirent l'allée cochère. Arrivé au pick-up, Bosch ouvrit la portière et se servit de la télécommande pour ouvrir le portail.

Burrows fut installé à l'arrière de la Ford, les armes étant déposées sur la couverture dans le coffre. Bosch fit alors signe à Soto de reprendre le chemin du pick-up afin qu'ils puissent parler sans que Burrows les entende.

— Alors ? Qu'est-ce que vous pensez de tout ça ? demanda-t-il.

— Je pense que c'est un fumier de raciste comme on le sait depuis toujours. Et vous ?

— Ça, pour l'être, il l'est. Mais je ne pense pas que ce soit notre complice.

— Mais pourquoi ? C'est lui-même qui dit avoir passé du temps au Bonnie Brae. Et il reconnaît savoir où se trouvait la colonne de vide-ordures. Il y avait accès et il avait le mobile. Et il se foutait pas mal de savoir qui pouvait être victime de ses actes.

Bosch réfléchit un bon moment et regarda la Ford derrière Soto. Il semblait bien que Burrows ait baissé la tête. Bosch ne le voyait pas.

— C'est moins ce que je l'ai entendu dire que ce que j'ai vu, lâcha-t-il enfin. Des signes révélateurs que j'ai décelés. Il ne savait pas pour Boiko et Ana. En fait, il ne savait pas grand-chose.

— Et quoi ? Vous le croyez ?

— Lucy, ça fait presque quarante ans que je lis les visages et il arrive un moment où on peut s'en remettre à son instinct. Et moi, là, ce que je lis, c'est que ce n'est pas notre homme.

Elle croisa fort les bras sur sa poitrine.

— J'aimerais bien être aussi habile que vous à lire les gens, mais... Vous ne vous êtes jamais trompé ?

— Bien sûr que si. Personne ne gagne à tous les coups. Mais ça ne change rien à ce que je sens, là, tout de suite.

— Et donc, qu'est-ce que vous voulez faire ? Le relâcher dans la nature ? Non, parce qu'il portait quand même une arme à la ceinture comme une espèce de cow-boy.

— Non, je n'ai aucune envie de le relâcher. Je veux le refiler au shérif de San Berdoo pour possession d'armes et qu'il se débrouille avec ça. Après, on dégage d'ici et on passe au suivant.

— Boiko.

— Voilà, et après, à Ana. On a toujours besoin de la retrouver. Et écoutez... je n'ai pas dit qu'on laissait tomber Burrows. On a toujours nos filets dans l'eau. Peut-être qu'on trouvera quelque chose qui changera tout ce qu'on pense de lui. Mais pour l'instant...

Il regarda encore une fois la Ford. Burrows s'était redressé et Bosch le vit les regarder fixement par la vitre.

— Vous voulez que j'appelle le shérif? demanda Soto.

— Oui, allez-y. Dites-lui qu'il faudra sans doute amener la fourrière.

Elle acquiesça d'un air morne.

— C'est entendu, Harry, dit-elle.

Chapitre 33

Ils attendirent presque une heure avant que n'arrive une voiture pie des services du shérif du comté de San Bernardino. Il leur fallut ensuite encore une demi-heure pour expliquer la situation et transférer la garde de Burrows à l'adjoint réticent. Lorsque enfin ils retrouvèrent l'autoroute, les trois quarts de l'après-midi étaient foutus et Bosch succombait à la nervosité qu'on éprouve à avoir perdu son temps à explorer une impasse. Soto, elle, gardait le silence. Elle ne lâchait pas des yeux l'écran de sa tablette et ne disait rien.

— Vous avez faim ? lui demanda Bosch. On pourrait s'arrêter quelque part.

— Non, pas après ça, lui répondit-elle. Contentons-nous d'aller parler à Boiko.

— OK, et c'est où ? À North Hollywood ?

— Oui, mais n'allons pas chez lui. Y a toutes les chances qu'il soit au travail. C'est maintenant lui, le grand patron d'EZBank, et la direction générale est à North Hollywood, au croisement de Lankershim Boulevard et d'Oxnard Street.

— D'accord.

La direction de la chaîne d'établissements d'encaissements de chèques s'avéra être située dans un bâtiment indistinct perdu dans un quartier de petites sociétés industrielles d'Oxnard Street. Il leur fallut presque deux heures de plus pour y arriver et, une fois encore, Bosch dut approcher la voiture d'un portail pour montrer son badge à une caméra.

Le portail s'ouvrant cette fois sans discussion, il entra et se gara. Avant de descendre de voiture, il ordonna à Soto de mettre son portable sur l'application magnéto et de s'assurer que tout soit bien enregistré si jamais ils avaient la chance de parler avec Boiko. Puis les deux inspecteurs sortirent de la Ford et franchirent une porte barrée du seul mot *Entrée* pour se retrouver en plein centre opérationnel d'une affaire où l'on vendait du liquide par l'intermédiaire de tout un ensemble de points de distribution. Ils découvrirent une petite salle d'attente décorée de photos de paysages génériques sur les murs, une réceptionniste assise derrière un bureau et un garde de la sécurité en uniforme debout à côté d'une porte qui, Bosch le remarqua, n'avait ni bouton ni poignée.

— Nous venons voir Maxim Boiko, dit-il.

La réceptionniste consulta un agenda sur son bureau et fronça les sourcils.

— Vous avez rendez-vous ? demanda-t-elle.

Bosch nota qu'elle avait un léger accent. D'Europe de l'Est. Il sortit une nouvelle fois son badge et le lui montra.

— Mon rendez-vous, c'est ça, répondit-il. Dites à Max que c'est au sujet du hold-up.

Elle continua de froncer les sourcils en décrochant son téléphone. Puis elle passa son appel en parlant brièvement dans une langue qui, Bosch le décida, devait être de l'ukrainien. Après avoir reçu ses instructions, elle raccrocha et regarda le garde.

— Conduis-les au bureau de M. Boiko au fond, dit-elle.

Le garde se tourna pour regarder une caméra montée au-dessus de la porte. Il hocha la tête, il y eut un déclic électronique et la porte s'ouvrit. Il la tint aux deux inspecteurs et tous entrèrent dans un sas où ils durent attendre que la première porte se ferme avant que la deuxième ne s'ouvre. De là, le garde les fit descendre un couloir et passer devant plusieurs portes avant d'atteindre une pièce où deux bureaux installés côte à côte faisaient face à un mur d'écrans vidéo montrant tout à la fois l'intérieur de divers magasins d'encaissement de chèques et les opérations en cours au quartier général. Bosch remarqua qu'un des écrans était occupé par la chaîne CNN International. Au-dessus, une affiche en rouge et blanc proclamait *Bas les pattes en Ukraine* à côté d'une collection de photos montrant des combats de rue entre troupes russes et insurgés ukrainiens masqués. Il en nota une où l'on voyait un homme se servir d'une fronde pour lancer un projectile contre des soldats lourdement armés.

Un des bureaux était vide, et derrière l'autre était assis un homme d'une cinquantaine d'années avec des cheveux d'un noir de jais mais qui se raréfiaient et qu'il avait ramenés en arrière et pommadés à plat sur son crâne. L'homme adressa un hochement de tête au garde, lui signifiant ainsi qu'il n'avait plus besoin de ses services.

— Maxim Boiko? lança Bosch.

— Oui, c'est moi. Vous êtes ici pour Van Nuys ou pour Whittier?

Boiko avait toujours un fort accent malgré toutes les années qu'il avait passées à Los Angeles. Bosch se dit que Van Nuys et Whittier devaient être les endroits où s'étaient produits les braquages les plus récents de la chaîne de magasins. En revenant du désert, Soto lui avait donné les résultats de certaines de ses recherches sur Boiko et son affaire. L'EZBank était maintenant à la tête de trente-huit points d'encaissements de chèques dans les trois comtés de et autour de Los Angeles, plus des deux tiers d'entre eux concentrés au cœur de la mégalopole.

— Ni l'un ni l'autre, lui répondit Bosch. C'est de Westlake que nous voulons parler. 1993. Vous vous rappelez?

— Nom d'un chien! s'écria Boiko. Oui, je me rappelle. J'y étais. Vous avez trouvé fumiers qui me détroussent?

Bosch ne répondit pas. D'un air exagéré, il regarda autour de la petite pièce comme s'il cherchait un endroit où s'asseoir. Il n'y avait que les fauteuils des deux bureaux et Boiko en occupait un.

— Vous auriez un endroit où on pourrait s'asseoir et parler? demanda-t-il.

— Oui, bien sûr, répondit Boiko. Vous me suivez.

Il les fit sortir du bureau et reprendre le couloir. Ils franchirent une porte donnant sur une aire de chargement où Bosch remarqua trois fourgonnettes à flancs

417

blancs avec de la publicité pour les services vingt-quatre heures sur vingt-quatre d'une entreprise de plomberie.

— Nous déguisons nos véhicules de livraison, reprit Boiko. Comme ça, personne ne sait qu'on vient avec liquide, vous voyez ? Et le plombier, il nous paie aussi pour pub gratuite sur les camions.

Bosch acquiesça d'un signe de tête : l'idée était bonne. Il n'avait jamais compris pourquoi les fourgons blindés sont si faciles à repérer, en sont presque à crier « C'est ici qu'est l'argent ! » où qu'ils aillent. Il ne fit pas remarquer à Boiko que si le plombier le payait pour la pub, celle-ci n'était pas gratuite.

Ils traversèrent l'aire de chargement et Boiko leur ouvrit la porte d'un autre bureau équipé d'une table de salle à manger avec quatre chaises.

— S'il vous plaît, asseyez-vous table, dit-il. Voulez-vous café ?

Bosch et Soto déclinèrent son offre. Ils s'assirent, Bosch se présentant et présentant Soto dans les règles. Il avait décidé d'user de la même tactique, ou à peu près, avec Boiko qu'avec Burrows – se servir d'Ana Acevedo pour obtenir des renseignements sur l'incendie du Bonnie Brae. Mais Boiko n'ayant pas de casier judiciaire, sa marge de manœuvre était plus réduite. Il allait devoir se montrer plus subtil. Cela dit, il y avait le renseignement que Gus Braley lui avait donné – à l'époque du hold-up, Boiko était bien plus inquiet que son aventure avec son employée soit découverte que pour le braquage dont il avait été victime. Cela lui donnait un léger avantage. Rien de transcendant, mais c'était déjà quelque chose.

— Nous enquêtons sur le hold-up de 93 et nous espérons que vous pourrez nous aider, lança-t-il pour commencer.

— Bien sûr, répondit Boiko. Nous avons perdu très beaucoup d'argent. Mais vingt et un ans ? Pourquoi vous venez maintenant ?

— Parce que cette affaire a resurgi dans une autre enquête. Quelque chose d'actuel dont je ne peux pas vous parler.

— OK, je vois. Mais je récupère l'argent ?

Bosch ne se rappelait pas qu'il y ait eu la moindre récompense offerte dans cette histoire.

— De quel argent parlez-vous ?

— De l'argent pris par les voleurs.

— Ah ! Comme vous dites, ça remonte à vingt et un ans et si j'étais vous, je n'y compterais pas. Mais on ne sait jamais.

— OK.

— Vous avez quand même été remboursés de vos pertes par les assurances, non ?

— Pas tout. On a pris plongeon. Mais on a appris, pour les assurances. Jamais avoir plus que ce qu'il y a assuré, vous voyez ? Nous n'avons jamais encore ce problème.

— Content de l'apprendre. Et vous, vous avez pas mal réussi aussi. À l'époque, vous aviez deux ou trois magasins, maintenant vous êtes partout.

— Oui, je réussis fort avec la société.

— Félicitations. Votre femme et vos enfants doivent être très fiers de vous.

— Femme, oui. Pas d'enfants. Trop occupé. Travail, travail, travail.

419

— Et voilà. Bon, et comme on ne veut pas vous en tenir éloigné trop longtemps… La raison pour laquelle nous sommes ici est que nous recherchons quelqu'un et qu'on nous a dit que vous pourriez nous aider.

— OK. Qui est-ce?

— Ana Acevedo.

Boiko plissa le front et fit de très mauvais efforts pour avoir l'air perplexe.

— Qui est cette personne? demanda-t-il.

— Vous vous rappelez Ana. Elle travaillait au magasin avec vous. Elle était là le jour du hold-up. Vous avez ouvert le coffre quand les voleurs lui ont collé le flingue sur la tête.

Il acquiesça très vigoureusement.

— Oh, Ana, bien sûr, oui. J'arrivais pas rappeler, très longtemps après. Elle ne travaille plus ici. Plus depuis le moment.

— C'est ça, nous avons appris qu'elle avait arrêté.

— Oui, arrêté. Elle disait trop de stress, des trucs comme ça. Elle croyait que les voleurs reviennent.

— On nous a aussi dit que c'était votre petite amie et on espérait donc que…

— Non, non, non. Elle est pas ma petite amie, dit-il en levant les mains comme pour éviter un coup.

— Oui, bon, peut-être pas maintenant, mais à l'époque… Vous alliez la voir au Bonnie Brae où elle habitait. Vous vous rappelez?

Il reprit la pose amnésie bouche bée et yeux au plafond.

— Non, son petit ami, c'était le type de la sécurité qui nous gardait, dit-il. Ils étaient ensemble, oui.

Bosch se pencha en travers de la table comme pour lui parler sur le ton de la confidence entre hommes.

— Allons, Maxim, dit-il en baissant la voix, c'est dans le dossier. Ana et vous. C'est même pour ça que vous avez ouvert le coffre.

— Non, s'il vous plaît. Sortir ça du dossier. Ce n'est pas une chose vraie. Je suis marié. Ma femme j'aime.

Et de montrer la porte comme si elle se tenait de l'autre côté. Bosch se demanda si la femme à l'accueil, celle qui avait parlé dans une autre langue au téléphone, n'était pas son épouse.

— Écoutez, Max, reprit-il. On n'est pas là pour vous mettre dans l'embarras ou vous causer des ennuis. Alors, calmez-vous un peu. Cela étant, on a bien ce dossier et des témoins qui nous disent que vous rendiez régulièrement visite à Ana au Bonnie Brae. Vous l'avez d'ailleurs reconnu à l'inspecteur Braley à ce moment-là.

— Bon d'accord, dit Boiko dans un murmure. À l'époque, mais pas maintenant.

— OK, à l'époque donc, lui concéda Bosch. Vous voyez que ce n'était pas si difficile. Ça remonte à loin et donc, la belle affaire. Ce sont des choses qui arrivent. Mais vous dites que vous étiez au courant pour l'autre type, le garde.

Boiko hocha la tête en se rendant compte qu'admettre sa liaison maintenant ouvrait la porte à toutes sortes de questions possibles.

— Je ne savais pas, puis j'ai su, dit-il. Et alors, j'ai arrêté.

— Vous avez arrêté d'aller voir Ana au Bonnie Brae? répéta Bosch.

— Oui, ceci est vrai.

— Pourquoi ne lui avez-vous pas demandé de ne plus voir le garde ? Non, parce que c'était vous le patron au magasin, non ? Pourquoi est-ce vous qui avez arrêté ?

— Non, j'avais ma femme, vous voyez. Je voulais beaucoup arrêter. Elle… Ana… c'est elle qui avait tout commencé et c'était une très grosse erreur pour moi.

— Vous voulez dire que c'est elle qui a commencé à vous draguer ?

— Oui, exactement comme vous dites.

Bosch hocha la tête comme s'il comprenait complètement comment Ana avait profité de lui.

— Bon, d'accord, dit-il, combien de fois étiez-vous allé à son appartement avant ?

— Pas beaucoup.

— Où est Ana en ce moment, Maxim ?

Boiko tendit les mains en un geste de quasi-supplication.

— Ceci, je ne sais pas. Je vous dis. Pas depuis qu'elle arrête.

— Vous ne l'avez pas revue depuis ? Nous avons des témoins qui nous…

— Non ! C'est un mensonge. Quel témoin ? C'est le garde qui dit ? Burrows ?

Bosch songea qu'il était un peu curieux qu'il se souvienne encore du nom du gardien avec lequel il avait travaillé vingt ans plus tôt.

— Je ne peux pas vous dire qui est ce témoin, répondit Bosch. Mais vous me dites bien que vous n'avez pas revu Ana depuis cette époque, exact ?

— C'est exact.

— Et au téléphone ? Vous lui avez parlé ? Avez-vous eu le moindre contact avec elle depuis lors ?

— Seulement pour ses impôts.

— Comment ça « pour ses impôts » ?

— Quand elle a demandé un remboursement à l'IRS, elle avait nouvelle adresse et m'a dit de lui envoyer les impôts.

— Vous voulez dire comme un formulaire W-2 ou 1099 ?

— Oui, exactement.

— Et donc, elle avait déménagé après le hold-up et voulait que vous ayez sa nouvelle adresse e-mail ?

— C'est ce qui arrive, oui.

Bosch essaya de ne montrer aucune excitation dans sa voix. Mais c'était difficile : la réponse de Boiko lui redonnait espoir de retrouver Ana Acevedo.

— Vous avez les dossiers de vos employés ici, n'est-ce pas ?

— Bien sûr.

— OK. En avez-vous encore un pour Ana Acevedo ? Une pièce où il y aurait cette adresse ?

— Mais c'est vingt ans avant !

— Je sais, mais c'était une employée et il pourrait encore y avoir un dossier sur elle.

— Oui, bien sûr.

— Où ? Ces dossiers sont-ils dans ce bâtiment ?

— Oui, je pourrais vérifier si vous…

— Oui, je veux que vous vérifiiez. Tout de suite. Nous pouvons attendre.

Boiko se leva et quitta la salle. Bosch consulta sa montre. Il était presque 17 heures. Il avait le sentiment que ces deux ou trois dernières minutes allaient le conduire à quelque chose qui rattraperait toute cette journée.

— Qu'en pensez-vous ? demanda-t-il à Soto.

Elle ourla les lèvres un instant et réfléchit à sa réponse.

— Probablement la même chose que vous, dit-elle enfin. Ces deux types disent que c'était elle qui les draguait. Ça me paraît un peu extraordinaire. Comme si c'était une nymphomane ou qu'elle avait un plan derrière la tête.

Bosch la pointa du doigt : c'était exactement ce qu'il pensait.

— Ajoutez à ça qu'elle disparaît et ça nous donne quoi ? demanda-t-il. Et je ne parle pas que de quitter la ville. Non, elle disparaît.

— Et on a quelqu'un qui se retrouve tout en haut de la liste, dit-elle.

Bosch lui indiqua la porte d'un hochement de tête.

— Dès qu'il revient, il faut lui poser des questions sur ce jour-là. Sur les suspects et leur identification en tant que Blancs. Si ça tient toujours la route, il faut qu'on mette le nez dans sa vie et qu'on trouve où tout ça se recoupe. Le « nœud » de l'affaire, comme vous dites.

Avant qu'elle ait eu le temps de lui répondre, la porte s'ouvrit et Boiko revint dans la pièce, une feuille de papier à la main.

— J'ai une adresse pour vous, lança-t-il fièrement.

Il posa sa feuille de papier sur la table entre Bosch et Soto et regagna sa chaise. Bosch se pencha pour regarder la feuille. C'était la photocopie d'un formulaire W-2 de l'Internal Revenue Service pour ses gains et déductions de l'année 1993. La pièce avait été établie au nom d'Ana Maria Acevedo et mentionnait une adresse à Calexico, Californie.

— Calexico ? dit-il. Qu'est-ce qu'il y a à Calexico ?

— C'est là qu'elle a déménagé, dit Boiko en énonçant très serviablement l'évidence.

Soto prit son sac par terre et en sortit sa tablette numérique. Bosch regarda Boiko.

— Vous rappelez-vous l'avoir entendue en parler ? lui demanda-t-il.

— Non, je me rappelle pas.

— Et sa famille ? Avait-elle de la famille là-bas ?

— Non, elle est née ici. Elle m'a dit. Et elle avait de la famille au Mexique.

— Vous vous rappelez où ?

— Non, je pense pas…

— Harry, lança Soto en l'interrompant, regardez ça.

Elle lui passa la tablette, il regarda. Soto venait d'entrer l'adresse notée dans le formulaire W-2 dans Google Street View, il regarda une photo de l'endroit où le document de l'IRS avait été envoyé au début de 1994. De style Mission espagnole, le bâtiment était imposant et ressemblait à une école, mais lire de plus près un panneau apposé près de l'allée dallée de devant lança Bosch sur tout autre chose.

LES SŒURS DE LA PROMESSE SACRÉE
Couvent établi en 1909
Archidiocèse de San Diego

Tous les faits s'ordonnèrent dans sa tête. Le braquage de l'EZBank et l'incendie du Bonnie Brae s'étaient produits en octobre 1993. Six mois plus tard, quand elle avait déclaré ses revenus de l'année 93, Ana Acevedo semblait vivre dans un couvent à la frontière entre le Mexique et la Californie.

La raison qui l'avait poussée à y aller lui devenait évidente. Rédemption, salut, refuge étaient les premiers mots qui venaient à l'esprit.

Chapitre 34

L'élan était maintenant trop fort pour qu'ils s'arrêtent. Après avoir fait le plein et acheté de quoi manger à la supérette, ils firent les trois cent cinquante kilomètres le soir même. Bosch prit vers l'est par l'autoroute 10, puis vers le sud par la State Road[1] 86 à partir d'Indio. Cet itinéraire les fit longer la Salton Sea après Borrego Springs. Grands espaces désertiques avec les Chocolate Mountains au loin à l'est.

— Vous êtes déjà passé par là? lui demanda Soto
Oui, il y a longtemps, répondit-il.
— Pour une affaire?
Comme par hasard, c'était à ça qu'il pensait quand elle lui avait posé la question.
— En quelque sorte. Je cherchais mon coéquipier.
— Votre coéquipier? Qu'est-ce qui s'était passé?
— C'est une longue histoire. En fait, ça pourrait remplir tout un livre. Il nous a largués et... et il n'est jamais revenu.
— Vous voulez dire qu'il a disparu?

---

1. Équivalent de nos nationales.

— Non, il a été tué, dit-il en lui jetant un bref regard. Vous vous êtes renseignée sur moi quand on nous a mis ensemble, n'est-ce pas ?

— Pas vraiment, non. On m'a juste dit que je serais avec vous.

— Bon alors, juste pour que vous le sachiez : j'ai perdu deux coéquipiers. Un troisième s'est fait tirer dessus, mais en a réchappé, et j'en ai encore eu un qui, lui, s'est suicidé, mais bien après que nous avons fait équipe.

La voiture en fut soudain remplie d'un grand silence pendant plusieurs kilomètres, Soto finissant par retourner à l'écran de sa tablette au lieu de se laisser envahir par la teinte rose de l'air du désert.

— C'est étrange, là-bas, reprit Bosch au bout d'un moment. Il y a une ville de chaque côté de la frontière, Calexico de notre côté et Mexicali du leur. Pas facile de comprendre ce qui s'y passe. Je me rappelle encore l'époque où j'y suis descendu… c'était même probablement avant l'histoire avec mon coéquipier, enfin, je crois… Je me suis déclaré aux flics du coin comme on est censé le faire et je n'ai eu droit à aucune aide de leur part. Mais dès que j'ai traversé la frontière, y a eu un type… un enquêteur… et c'était comme si c'était le seul mec qui n'était pas corrompu et qui voulait arriver à des résultats… des deux côtés de la frontière.

Soto ne réagit pas. Il se dit qu'elle devait encore calculer le nombre de ses coéquipiers qui avaient trépassé.

— Bref, c'est bizarre là-bas, reprit-il. Faites très attention.

— C'est entendu, dit-elle enfin. On se déclare aux autorités locales ?

428

— Je n'en vois pas le besoin, répondit-il en hochant la tête.

— Ça me va.

— Qu'est-ce que vous avez trouvé sur ce truc ?

— Pas des masses de choses. Il n'y a pas de réseau… ni Wi-Fi ni cellulaire. Mais tout à l'heure, quand on était encore près de la ville, j'ai lancé une recherche sur Les Sœurs de la Promesse Sacrée et récolté deux ou trois renseignements. Elles ont des couvents en Californie, dans l'Arizona et au Texas. Il y en a cinq à la frontière et elles en ont deux de plus au Mexique. À Oaxaca et à Guerrero.

— Qu'est-ce qui les motive ? Le catéchisme et autre ? Les baptêmes ?

— Y a ça, mais c'est un peu plus raide. Elles prononcent leurs vœux, vous savez ? Tous. Vœu de pauvreté, de chasteté, d'obéissance et tout le reste. La promesse sacrée est celle de la vie éternelle au paradis en échange de toutes les souffrances et de tous les sacrifices sur cette terre. Elles partent en mission et répandent la parole du Seigneur dans des coins plus que dangereux. Dans les territoires des cartels, s'entend, dans les champs de pavots du Montana de Guerrero. Certaines n'en reviennent pas, Harry. Dans chaque couvent, il y a un mur de la mémoire où sont répertoriées toutes celles qu'elles ont perdues. Ça me rappelle ceux qu'on a dans nos commissariats.

— On penserait plutôt que les cartels les laissent tranquilles.

— Apparemment non. Personne n'est à l'abri là-bas.

La seule nonne dont Bosch se souvenait était celle qui lui avait annoncé que sa mère était morte. Il avait onze ans à l'époque et c'était la mère de tutelle volontaire du centre où les autorités du comté l'avaient placé après que l'État de Californie avait retiré l'autorité parentale à sa mère. Il n'était censé y rester que de manière temporaire, mais ce jour-là, tout avait basculé dans sa vie. D'une manière ou d'une autre, toutes les années qui avaient suivi l'avaient vu associer l'idée et l'image des nonnes avec la mort.

— Qu'est-ce qu'on va dire à Ana ? lui demanda Soto. Enfin, je veux dire… si c'est bien là qu'elle est après toutes ces années.

— Qu'elle soit sœur, ou même la mère supérieure n'a aucune importance. Elle fait partie des suspects et c'est comme ça qu'il faudra la traiter. Ne pas oublier qu'il y a deux personnes qui sont directement responsables d'avoir balancé un engin incendiaire dans la colonne du vide-ordures. Que l'un ou l'autre soit le pape en personne ne me ferait ni chaud ni froid et nous l'arrêterions de la même façon. Ana Acevedo est notre lien entre ces deux bonshommes. Il se peut qu'elle n'ait rien su de ce qu'ils allaient faire… et je pense que c'est le cas. C'est peut-être pour ça qu'elle a terminé dans un couvent.

— C'est juste.

Ils roulèrent en silence après ça, Bosch ne cessant de repenser à sa nonne et à la piscine intérieure qu'il y avait à MacLaren Hall. Dès qu'il avait appris la nouvelle, il s'était détaché de la nonne et avait plongé au fond du bassin. Et y avait hurlé à s'en faire exploser les poumons, sans que le moindre son ne fende la surface de l'eau.

Ils arrivèrent à Calexico un peu après 21 heures. Soto avait entré l'adresse dans l'application GPS de son portable et dirigea Bosch vers les quartiers ouest de la ville. Le couvent se trouvait dans une partie assez largement résidentielle de Nosotros Street. Il se gara le long du trottoir juste devant le bâtiment et ouvrit sa portière.

— Prenez la photo d'Ana avec vous, dit-il. Au cas où.

— Compris.

L'obscurité de cette soirée était transpercée par les stridulations d'une cigale perchée quelque part dans un des arbres qui bordaient la pelouse de devant.

— Je déteste ces bestioles, dit Soto.

— Pourquoi ?

— Je ne sais pas. Elles annoncent toujours quelque chose de mauvais dans la Bible et au cinéma.

— Non, c'est des criquets que vous parlez. Ça, c'est une cigale.

Ça change rien. C'est toujours de mauvaises nouvelles que ça annonce. Attendez voir.

Le portail n'était pas fermé à clé. Ils le franchirent et gagnèrent la porte. Il leur sembla que tout était plongé dans le noir lorsqu'ils regardèrent par une fenêtre de côté. Il y avait un bouton de sonnette qui brillait fort, Bosch lui donna une bonne secousse.

— Qu'est-ce qui se passe si elle a fait vœu de silence et ne peut pas répondre à nos questions ? demanda-t-il tandis qu'ils attendaient.

— Je n'ai rien vu sur des vœux de silence dans tout ce que j'ai lu, répondit-elle.

— Je plaisantais. Y a quelqu'un qui vient.

Il vit une ombre s'approcher derrière la vitre. Une femme étonnamment jeune en tenue de nonne leur ouvrit la porte, mais de trente centimètres seulement.

— Oui ? Que désirez-vous ? demanda-t-elle.

— Nous sommes désolés de vous déranger si tard, ma sœur, lança Bosch. Nous venons de Los Angeles où nous travaillons dans la police.

Il lui montra son badge, Soto l'imitant aussitôt.

— Nous cherchons une femme qui pourrait être ici, dans ce couvent, enchaîna-t-il. Nous avons besoin de lui parler.

La jeune femme parut perplexe.

— Vous voulez dire aujourd'hui ? Aucune femme n'est entrée ici…

— En fait, cela remonte à une vingtaine d'années.

La nonne le jaugea longuement, Bosch se disant qu'elle devait avoir trois ans lorsque Ana Acevedo était venue au couvent… si c'était bien là qu'elle avait fini.

— Je ne suis pas très sûre de bien comprendre, dit la nonne.

Bosch hocha la tête et essaya de lui sourire d'un air réconfortant.

— Je suis désolé, dit-il. C'est effectivement un peu déroutant. Nous avons besoin de parler à une femme de quelque chose qui s'est produit à Los Angeles il y a longtemps. Nous sommes inspecteurs de police spécialisés dans les *cold cases* et la dernière adresse connue que nous avons pour elle est celle-ci. Elle a fait suivre du courrier ici en 1994. Elle s'appelle Ana Maria Acevedo. Connaissez-vous cette personne ? Se trouve-t-elle ici ?

À sa réaction, il vit clairement que ce nom ne lui disait rien.

— Je sais que c'était bien avant que vous n'arriviez ici, mais peut-être y a-t-il quelqu'un d'autre qui…

— Tenez, c'est elle, dit Soto en sortant la photo du dernier permis de conduire d'Ana.

La nonne se pencha pour la regarder dans la faible lumière d'un plafonnier.

— On dirait sœur Esi, dit-elle, mais elle n'est pas ici.

Bosch et Soto ne purent s'empêcher de changer d'attitude et de se regarder : Ana Acevedo avait pris le nom de la femme adorée qui avait trouvé la mort en essayant de sauver les enfants de l'incendie.

— Vous êtes sûre ? insista Bosch.

— En fait, non, mais elle lui ressemble, répondit la nonne.

— C'est son nom complet ? demanda Soto. Sœur Esi ?

— Non, c'est Esther, lui confirma la nonne. Sœur Esther Gonzalez, mais nous ne sommes pas toujours aussi formalistes ici.

— Comment vous appelez-vous ? lui demanda Bosch.

— Sœur Theresa.

Bosch lui demanda de regarder à nouveau la photo et de lui confirmer son identification. Elle le fit en hochant la tête.

— Elle est évidemment plus vieille aujourd'hui, reprit-elle. C'est sœur Geraldine qui est ici depuis le plus longtemps et elle, elle saurait sûrement.

— Pouvons-nous lui parler ? Ça pourrait être d'une importance capitale.

— Si vous voulez bien m'attendre ici… Je vais voir si elle est toujours debout.

— Pas de problème. Mais avant que vous ne partiez, pouvez-vous me dire où est allée sœur Esther ? Comme vous nous avez dit qu'elle n'est pas ici…

— Laissez-moi d'abord voir si sœur Geraldine est debout. Je ne suis vraiment pas celle qui peut parler au nom du couvent. Je peux emporter la photo ?

Soto la lui tendit et sœur Theresa ferma la porte derrière elle. Bosch et Soto se regardèrent. Tout commençait à se mettre en place.

— Elle a pris le nom d'Esther, dit Soto. Si ça n'est pas un signe de mauvaise conscience, je ne sais pas ce qui peut l'être.

Bosch se contenta d'acquiescer et tenta de contenir son excitation. Sœur Esther n'était pas dans ce couvent. Même si c'était bien Ana Maria Acevedo, il leur restait quand même à la trouver et à espérer qu'elle puisse les conduire aux individus qui avaient déclenché l'incendie.

Cinq minutes s'écoulèrent avant que la porte ne se rouvre. La jeune nonne rendit la photo à Soto et leur annonça que sœur Geraldine voulait leur parler.

Ils furent conduits à l'intérieur du bâtiment et longèrent un couloir. Sur un côté se trouvait le mémorial des nonnes qu'elles avaient perdues. Il y avait là neuf noms avec les photos. Toutes étaient en habit de nonne et avaient le même air.

Ils arrivèrent dans un salon peu meublé avec une vieille télé dans un coin. Une autre nonne les y attendait. La soixantaine, elle portait des lunettes à monture invisible devant des yeux au regard perçant et qui avaient dû voir des choses comparables à celles qu'il avait vues lui aussi.

— Inspecteurs, dit-elle, si vous voulez bien vous asseoir... Je m'appelle sœur Geraldine Turner, mais ici on m'appelle sœur G. Pour moi, la femme de la photo que vous avez donnée à sœur Theresa est bien notre sœur Esther. Elle est en danger? Qu'est-ce qui se passe?

Bosch s'assit en face de la nonne, sur un banc muni de coussins installé devant une table basse. Soto prit place à côté de lui.

— Sœur Geraldine, dit Bosch, nous n'avons aucune nouvelle de sœur Esther. Nous la recherchons parce que nous avons besoin de son aide dans une affaire sur laquelle nous travaillons.

Sœur G mit la main sur sa poitrine comme pour y apaiser les battements de son cœur.

— Dieu soit loué, dit-elle. Je craignais que le pire ne soit arrivé.

— Où est sœur Esther, exactement?

— Elle est en mission au Mexique, à Estado de Guerrero. Elle est montée au village d'Ayutla, où on nous a rapporté que les narcos et les *vigilantes* se font la guerre. Cela fait maintenant plus d'une semaine que nous n'avons plus de ses nouvelles.

— Pourquoi est-elle partie là-bas?

— Nous avons toutes des missions à accomplir, inspecteur. Nous apportons des livres, des médicaments et la parole de Dieu aux enfants. C'est notre vocation.

— Quand sœur Esther était-elle censée donner de ses nouvelles ou revenir? Est-elle en retard?

— Non, elle n'est pas en retard. En fait, elle ne doit revenir que dans quinze jours. Mais nous sommes tenues de contacter le centre toutes les semaines si c'est possible. Et le centre, c'est ici, inspecteur. La dernière fois que nous avons eu un contact avec sœur Esther remonte à dix jours.

Il hocha la tête. Sœur G, elle, fit le signe de croix en priant rapidement pour le salut de sœur Esther.

— Étiez-vous déjà ici lorsque sœur Esther est venue au couvent il y a vingt ans de ça? demanda Soto.

— Oui. Je crois être la seule ici à avoir été au couvent à cette époque. Beaucoup d'entre nous ont rejoint le Seigneur.

— Vous rappelez-vous les circonstances dans lesquelles elle est arrivée?

— Cela remonte à loin, mais je me rappelle qu'elle était de Los Angeles… Je m'en souviens parce que c'était comme si on recevait un ange de la Cité des Anges.

— Comment ça? demanda Bosch.

— Eh bien, à ce moment-là on était vraiment dans le besoin. On avait un emprunt et on était très en retard pour le remboursement. En fait même, on était à deux doigts de perdre ce merveilleux endroit que nous appelons notre centre, et c'est là qu'elle est arrivée. Et elle a tout remboursé. Et nous a dit qu'elle voulait se joindre à nous. Nous l'avons prise sous notre aile et l'avons amenée à prononcer ses vœux.

Bosch hocha la tête.

— Voulez-vous voir son travail? reprit sœur G.

— Que voulez-vous dire?

— Nous gardons des témoignages vidéo de nos missions. Ça nous aide à lever des fonds. Je crois bien que nous avons sa dernière mission dans le lecteur de DVD. Elle est allée dans une école du Chiapas. Avez-vous entendu parler des *cinturones de miseria*?

Bosch regarda Soto pour qu'elle lui traduise.

— Le *barrio*, dit-elle. Les bas quartiers.

— Il n'y a pas pire misère qu'au Chiapas, expliqua la nonne.

Elle prit une télécommande sur la table près de sa chaise et alluma la télé et le lecteur de DVD. Bientôt, ils virent deux nonnes tout en blanc servir de la nourriture à des enfants dans une salle de classe misérable. Les enfants portaient des habits sales et beaucoup d'entre eux avaient le ventre gonflé. Bosch n'eut pas à demander quelle nonne était sœur Esther. Il la reconnut des photos d'Ana Acevedo.

Sœur G mit en avance rapide et reprit la lecture du DVD à un endroit où les deux nonnes faisaient la classe. Sœur Esther lisait un passage dans une bible en cuir avec un motif en or sur la couverture. Les enfants, âgés de six à douze-treize ans environ, l'écoutaient complètement transportés.

Sœur G mit à nouveau en avance rapide et reprit la lecture au moment où les deux nonnes quittaient le village où il n'y avait apparemment ni routes pavées ni poteaux électriques. Elles s'apprêtaient à monter dans un car certes très coloré, mais vieux. La destination indiquée sur le pare-brise était Cristobal de las Casas. Bosch n'avait jamais entendu parler de cet endroit.

Un jeune garçon d'environ huit ans ne voulait pas que sœur Esther s'en aille. Il s'accrochait à sa tenue blanche en pleurant. Elle lui caressait doucement la nuque pour essayer de le calmer.

Sœur G éteignit le poste de télévision.

— Voilà, dit-elle. C'est sœur Esther.

— Merci de nous avoir montré ça, dit Bosch.

Il se demanda si, devinant la vraie raison pour laquelle ils venaient voir sœur Esther, elle ne leur avait pas montré cette vidéo pour la leur rendre sympathique. Soto se préparait à dire ou demander quelque chose, mais Bosch lui posa la main sur le bras pour l'en empêcher. Ils avaient enfin ce dont ils avaient besoin. Il craignait que poser trop de questions ne fasse naître des soupçons sur sœur Esther – c'était peut-être déjà le cas – et que cela ne lui soit rapporté. Il n'avait aucune envie de l'effrayer avant de pouvoir lui parler lui-même.

— Bien, sœur Geraldine, dit-il. Si cela ne vous gêne pas, nous reprendrons contact avec vous un peu plus tard, dès que sœur Esther sera revenue sans encombre. Nous reviendrons lui parler à ce moment-là. Nous sommes désolés de vous avoir dérangée comme ça et vous remercions du temps que vous nous avez accordé.

Il commençait à se lever lorsqu'elle lui demanda :

— Vous pourriez me dire de quoi il s'agit?

— Bien sûr, répondit-il aimablement. Je ne sais pas si sœur Theresa vous l'a dit, mais nous travaillons dans une brigade spécialisée dans les *cold cases* et nous essayons de résoudre de vieilles affaires, d'anciens crimes. Et sœur Esther... à l'époque où elle n'était encore qu'Ana Acevedo... a été témoin d'un crime que nous étudions à nouveau. Nous aimerions lui parler pour voir si elle se rappelle quelque chose qu'elle n'aurait peut-être pas rapporté à la police à ce moment-là. Vous seriez surprise de voir tout ce qui peut s'imprimer dans la mémoire et a tendance à refaire surface, le temps aidant.

La nonne consulta sa montre et le regarda d'un air méfiant.

— J'en suis sûre, finit-elle par dire. Si vous voulez bien me laisser votre carte, je demanderai à sœur Esther de vous appeler dès qu'elle reviendra, si Dieu le veut.

— Ne vous inquiétez pas pour ça, sœur Geraldine. Je suis sûr que nous nous reverrons.

*

Il était plus de 2 heures du matin lorsqu'il arriva devant sa porte. Les lumières étaient allumées, mais tout était calme. La porte de la chambre de sa fille était fermée. Il y avait longtemps qu'elle s'était endormie. Il lui avait parlé au téléphone pendant le trajet de retour de Calexico.

Il était encore très tendu malgré la longue journée qu'il avait eue, les trois quarts passés en voiture. Il gagna la terrasse de derrière, se tint debout à la rambarde pour regarder la ville et penser au pas de géant qu'ils venaient de faire dans le dossier du Bonnie Brae. Le lendemain matin, il mettrait le capitaine Crowder au courant de ces derniers développements, après quoi ils devraient décider s'il fallait descendre au Mexique pour essayer d'y retrouver Ana Acevedo, alias sœur Esther Gonzalez, en plein dans les montagnes de Guerrero contrôlées par les cartels, ou se contenter d'attendre son retour en territoire américain. L'une et l'autre de ces solutions présentant des risques, il laisserait ce choix au capitaine.

Il se promit d'essayer de voir si Ana Acevedo avait pris le nom de sœur Esther Gonzalez en toute légalité et, si tel était le cas, pourquoi ce changement n'était pas apparu lorsque Soto déployait tous ses efforts pour la localiser. Il pensait aussi qu'elle était passée au Mexique avec un passeport en cours de validité. Auquel cas il devait y avoir une trace de ce changement d'identité quelque part.

Comme si penser au travail de Soto avait pu la faire surgir, le portable de Bosch bourdonna. C'était bien son nom qui s'affichait sur l'écran.

— Lucy ?

— Harry... vous dormiez ?

— Non, pas encore. Où êtes-vous ?

Il l'avait déposée à sa voiture garée dans les sous-sols du PAB.

— À la brigade. J'y avais laissé mes clés.

— Et... ? lui demanda-t-il, pas très sûr qu'elle lui dise la vérité.

— Je vérifiais des trucs avant de rentrer... Et j'ai ressorti l'article de *La Opiníon* sur l'affaire Merced pour voir ce que ça donnait.

— OK.

— Pas de problème avec l'article. Il tient une bonne place et on ne m'a pas fait dire ce que je n'ai pas dit. Il y est mentionné qu'on a retrouvé l'arme du crime. Bref, je suis passée aux commentaires. Vous voyez de quoi je parle ?

— Pas vraiment... en ligne ou pas, je ne lis pas beaucoup les journaux. Mais continuez.

— Eh bien, en ligne, les lecteurs peuvent faire des commentaires sur n'importe quel article publié sur le site. Et donc, il y avait des commentaires, dont un de notre correspondante anonyme, j'en suis sûre. La femme, vous savez ? Elle ne lâche pas et je crois qu'il faut lui parler.

— Qu'est-ce qu'elle a écrit ?

— C'était en espagnol, mais en gros elle dit que les flics sont des menteurs, qu'ils savent qui a fait le coup parce qu'on le leur a dit et que tout ça n'est qu'une arnaque pour protéger le maire et le type qui est vraiment à la manœuvre derrière lui.

Bosch réfléchit un instant.

— Et pour nous, c'est donc toujours de Zeyas qu'elle parle, c'est ça ?

— Voilà.

— Et le type aux commandes ? Broussard ?

— J'imagine.

— Elle n'a pas donné son nom, hein ?

— Non, et on peut entrer tous les noms et mots qu'on veut. Elle, elle a mis *Lo sé*. « Je le sais. »

— C'est quelque chose qu'on peut remonter ?

— Probablement avec un mandat du tribunal. Je doute que le journal nous aide sans cette pièce. J'allais juste essayer de la rappeler, jusqu'à ce qu'elle nous réponde. Après, on organise une rencontre et…

— Non, arrêtons de l'appeler à tout bout de champ. Si on lui fout la frousse, elle jettera son portable. Elle a sûrement une raison de vouloir garder l'anonymat.

— Et donc… ?

— Test Ping.

— D'accord.

— Rentrez chez vous, Lucy. Dormez un peu. On organisera ça demain matin. Je connais un juge qui nous signera le mandat.

— D'accord, Harry.

— Du beau boulot, tout ça. Ça commence à devenir difficile de vous suivre.

— Merci, Harry.

Bosch mit fin à la conversation. Il n'était pas très sûr que ce qu'il venait dire soit vraiment un compliment.

Chapitre 35

Ce jeudi matin-là, enfin il arriva au bureau avant elle. Le jour n'était pas encore levé qu'il s'était déjà acheté un café dans un Starbucks ouvert vingt-quatre heures sur vingt-quatre. Il trouva la feuille des appels anonymes sur le bureau de Soto et s'attaqua aussitôt à la rédaction d'une demande de mandat qui leur permettrait de localiser le portable utilisé par l'anonyme qui ne cessait de se plaindre que la police étouffe l'affaire d'Orlando Merced.

L'arrivée du téléphone portable avait déclenché une véritable révolution dans l'application de la loi telle qu'on la pratiquait depuis deux décennies. Le Communications Assistance for Law Enforcement Act[1] de 1994 avait été revu et son champ d'application étendu presque tous les ans pour s'adapter à un environnement électronique en perpétuelle mutation et aux multiples façons dont en profitaient les criminels. La loi exigeait maintenant de tous les fabricants et fournisseurs d'accès qu'ils intègrent des

---

1. La loi d'assistance aux forces de l'ordre dans le domaine des communications.

mécanismes de surveillance dans tous leurs appareils et systèmes d'exploitation. C'était là que le test ping entrait en jeu. Un jetable ou un portable non déclaré donnait peut-être l'impression d'être l'instrument idéal pour des appels anonymes légaux ou illégaux, mais l'appareil lui-même n'en restait pas moins traçable et localisable par sa connexion constante avec les tours relais et le réseau cellulaire. Avec un mandat, l'unité technique du LAPD était capable d'envoyer des impulsions électroniques, ou « pings », au téléphone inconnu et d'ainsi découvrir où il se trouvait à cinquante mètres près par croisement des latitudes et longitudes. Et cette unité travaillait vite. Dès que l'ordre de test ping était signé, toute l'opération se mettait en branle en moins de deux heures.

C'était pour cela que Bosch était arrivé tôt. Le plan était de faire atterrir la demande de mandat sur le bureau du juge Shirma Barthlett avant qu'elle ait le temps de lancer l'audience du jour.

Le test ping n'avait rien de nouveau pour Bosch. C'était devenu un outil très utile pour retrouver des suspects dans des meurtres non résolus. Car il était souvent plus difficile de les localiser que de les identifier après bien des années. Le travail commençait par la consultation d'une base de données où tous les numéros de portables étaient consignés avec leurs fournisseurs d'accès. En vertu du CALEA, même les fournisseurs d'accès de jetables devaient y figurer. Il lui fallut donc moins de cinq minutes pour retrouver celui du portable utilisé par la correspondante anonyme. Il s'empara ensuite d'un modèle de demande de mandat pour en rédiger un à l'ordinateur.

Dès qu'il l'eut imprimée, il fut prêt à y aller. Il commença par appeler l'unité technique pour avertir le sergent de service qu'il allait recevoir un ordre de test ping prioritaire un peu plus tard dans la matinée. Les enquêtes portant sur des meurtres avaient toujours la priorité, même sur les affaires de drogue qui encombraient le marché. Le jetable était en effet l'outil préféré des dealers du monde entier.

L'ordre du jour était maintenant de faire un crochet par le Starbucks le plus proche afin d'y prendre un gobelet de café et une pâtisserie à apporter au juge avec la demande. Bosch écrivit donc un petit mot à Soto et le posa sur son bureau – et faillit lui rentrer dedans alors qu'il sortait de la salle.

— Harry, dit-elle, vous êtes bien matinal.

— Oui, je voulais enclencher le test ping aussi vite que possible. Je vous ai laissé un mot. Je vais aller voir mon juge et j'espère que nous pourrons démarrer avant le déjeuner.

— Génial.

— Il faudrait réfléchir à ce qu'on va raconter au capitaine pour Acevedo et le Bonnie Brae. Je me disais qu'on pourrait aller lui parler pendant que les techniciens font le nécessaire, dit-il en lui montrant la demande qu'il venait de signer.

— Parfait, dit-elle, pas de problème.

— Ça va, Lucy ?

Elle avait l'air fatiguée et pas tout à fait là, comme si les longues heures de travail qu'elle avait accumulées la semaine précédente la rattrapaient enfin.

— Oui, ça va. J'ai juste besoin d'un café.

— J'allais prendre quelque chose au Starbucks du coin pour graisser un peu la patte du juge. Vous voulez venir avec moi ?

— Non, ça ira. Je vais juste ranger mes affaires et descendre à l'étage.

— Au distributeur ? Vous êtes sûre ?

— Oui, oui, allez-y. Décrochez-nous ce mandat.

— OK, je reviens tout de suite.

*

Avec deux cafés, un latte et un ordinaire, posés sur un plateau maintenant les gobelets en place et les empêchant de se renverser, Bosch entra dans la cabine d'ascenseur du tribunal pleine de monde. Ne sachant pas trop comment le juge prenait son café, il lui apportait aussi une tranche de cake à la banane et un muffin aux myrtilles dans un sac. Ce serait à elle de choisir.

Le juge Barthlett officiait au « Department 111 » ainsi que, longue tradition oblige, on appelait cette chambre. La salle était vide à l'exception de son assistante qui se tenait dans son réduit à droite du siège du magistrat. La tête baissée, elle travaillait l'emploi du temps du matin et ne remarqua pas Bosch qui s'approchait.

— Meme ? lança-t-il.

Elle en bondit presque de son fauteuil.

— Je m'excuse, dit-il, je ne voulais pas vous faire peur. Je me demandais si je ne pourrais pas entrer voir le juge un tout petit instant. Je lui ai apporté un café, ou un latte.

— Hmm, lui renvoya-t-elle. Elle boit du thé et l'infuse elle-même.

— Oh.

— Mais moi, un petit latte…

— Bien sûr.

Il dégagea le gobelet de son port d'ancrage et le lui posa sur son bureau.

— Vous pensez qu'elle préférera un muffin ou une part de cake à la banane?

— Elle suit un régime.

Sans un mot, il posa son sac sur le bureau.

— Bon, laissez-moi lui demander si elle peut vous voir, dit Meme.

— Merci.

*

Ce fut un officier de l'unité technique du nom de Marshall Flowers qui fut assigné au test ping demandé par Bosch, son travail consistant à entrer en contact avec le fournisseur d'accès du portable et à lancer l'opération. Ce service était à la charge de la police et l'unité avait un budget pour ça. En conséquence de quoi l'envoi de l'impulsion au portable ne se faisait que de façon intermittente, en général deux fois par heure, jusqu'à ce qu'il soit déterminé que l'appareil était en mouvement, et qu'il faille le suivre à intervalles plus courts.

Flowers informa Bosch que les résultats pouvant commencer à arriver dans moins de deux heures, il ferait mieux de rejoindre son bureau pour attendre. Dès qu'elles seraient établies, les coordonnées de l'appareil lui seraient envoyées par e-mail, un lien avec Google Maps lui permettant de voir où il se trouvait. Bosch lui avait donné l'adresse mail de Soto, celle-ci étant nettement plus habile que lui question Google Maps. En plus de quoi, il avait bien l'intention de prendre le volant lorsque le moment serait venu de suivre le portable.

Il reprit le chemin de la salle des inspecteurs et y trouva Soto à son bureau. Elle l'informa que le capitaine Crowder voulait les voir dès qu'il serait revenu. Arrivés à son bureau, ils découvrirent que le lieutenant Samuels les y attendait lui aussi.

— Bien, dit celui-ci, voyons voir. Ça fait deux jours que vous vous baladez dans tout l'État. Faut nous montrer ce que ça nous vaut.

Il était clair que, grand copain de Crowder, Samuels venait de prendre les commandes. Qu'il ouvre ainsi les débats disait on ne peut mieux que Crowder lui laissait superviser l'équipe Bosch/Soto parce qu'il en avait assez d'attendre leurs rapports.

En se rendant au bureau de Crowder, Bosch avait divisé les tâches : Soto parlerait de l'affaire Bonnie Brae, lui s'occupant des derniers développements dans le dossier Merced.

Le capitaine Crowder déclara qu'il voulait commencer par Bonnie Brae – c'était quand même l'affaire la plus importante.

— C'est donc à moi d'y aller, dit Soto. Nous pensons avoir identifié une complice du hold-up de l'EZBank qui s'est déroulé presque en même temps que l'incendie. Comme vous le savez depuis notre dernier point, notre hypothèse est que cet incendie a été déclenché pour faire diversion au braquage. Il ne nous reste plus maintenant qu'à la retrouver.

— C'est ça que vous faisiez hier ? Vous la cherchiez jusqu'en enfer ? demanda Samuels.

— Une partie de la journée seulement, lieutenant. Nous avons déterminé qu'elle est hors du pays et nous attendrons son retour.

Ni Samuels ni Crowder ne réagissant, Bosch s'en mêla.

— À moins, capitaine, que vous ne vouliez autoriser un voyage à Acapulco, dit-il. Nous pensons en effet qu'elle se trouve quelque part dans l'État de Guerrero. Dans les montagnes. Nous pourrions prendre l'avion jusqu'à Acapulco, louer une Jeep et nous attacher un guide.

Rien qu'à voir sa tête, Bosch comprit que Crowder n'avait aucune envie d'envoyer une équipe d'inspecteurs à Acapulco, même s'ils n'avaient pour destination finale que la dangereuse région montagneuse de Guerrero. La seule idée d'inclure cette dépense dans le rapport de budget qui monterait au dixième étage lui donnait des sueurs froides.

— Elle doit rentrer bientôt ? demanda Samuels.

— D'ici à quinze jours, répondit Soto.

— Alors, je pense qu'on peut attendre, dit Crowder. Ce n'est pas le travail qui va manquer jusque-là. Et justement, passons donc à l'affaire Merced. Où en est-on ?

Ce fut à Bosch d'attaquer.

— On a mis quelque chose en route aujourd'hui même, dit-il. Il y a quelqu'un dans la nature qui, nous le pensons, a des renseignements. Cette personne, une femme, n'arrête pas d'appeler en anonyme – enfin... c'est ce qu'elle croit – et elle a laissé un commentaire sur l'article paru hier dans *La Opinión*. Nous avons obtenu un mandat de test ping il y a à peu près une heure et nous espérons trouver de quoi il est question aujourd'hui et lui parler en face à face.

— Que pensez-vous qu'elle sache ? demanda Crowder.

— Eh bien, elle semble croire que l'ancien maire sait qui est derrière le coup de feu et elle pense qu'on étouffe l'affaire, répondit Bosch.

— C'est d'Armando Zeyas que vous parlez? Cette femme est folle. Ne me dites pas que vous en êtes réduits à traquer des cinglées!

— Elle n'en démord pas. Il y assez de choses dans ce qu'elle dit pour qu'on ait besoin de la trouver et de lui parler. Ce sera probablement un coup d'épée dans l'eau, mais des fois ça paie.

— Un coup d'épée dans l'eau? répéta Samuels. Vous nous dites donc, et après plus d'une semaine passée sur cette affaire, que tout ce qu'il vous reste, c'est ça? Des coups d'épée dans l'eau? Alors que c'est sans doute une foldingue qui essaie d'accuser des gens pour récolter le fric d'une récompense? Qui pensez-vous abuser avec ça, Bosch?

— Nous tenons d'autres pistes et resserrons nos filets sur un suspect, lui renvoya calmement celui-ci. Mais l'enquête exige maintenant que nous identifiions et parlions à cette femme. C'est ce que nous faisons...

— Vous gaspillez des ressources, voilà ce que vous faites, l'interrompit Samuels. Qui est donc ce suspect dont vous nous parlez pour la première fois?

— Willman, le propriétaire de l'arme du crime. C'est dans les rapports.

— Votre rapport déclare qu'il est mort.

— Il l'est, mais nous pensons quand même que c'est lui qui a tiré, le contra Bosch.

— Et pourquoi a-t-il tiré? Pour le compte de qui?

— C'est à ça que nous travaillons. Les armes à feu que nous avons récupérées chez lui sont liées à d'autres meurtres. À San Diego et à Las Vegas. Tout semble dire que ce type était un tueur à gages.

— Bon, alors qui l'a engagé pour tirer à Mariachi Plaza? demanda Crowder.

— Nous y travaillons, répondit Bosch. Nous renouons tous les fils et cette femme en est un.

Samuels n'en fut pas apaisé. Il hocha la tête d'un air dédaigneux.

— Vous avez jusqu'à la fin du service de jour de vendredi, dit-il. Vous me donnez quelque chose qui se tient dans cette affaire ou j'y colle une équipe qui obtiendra des résultats, elle.

— Très bien, dit Bosch. C'est vous qui décidez.

— Et comment que c'est moi qui décide! s'écria Samuels. Vous pouvez filer maintenant, tous les deux.

Bosch et Soto regagnèrent leur box sans rien dire, Bosch s'apercevant qu'il serrait si fort les dents que ses mâchoires commençaient à lui faire mal. Il essaya de se calmer, mais pas moyen. Ce qu'il voulait, c'était faire demi-tour, rejoindre le bureau du capitaine et jeter Samuels par la fenêtre à côté de la porte. Ce type n'était pas inspecteur. Il n'avait jamais travaillé sur la moindre affaire. C'était un administratif pour qui la meilleure façon de motiver les gens était de ridiculiser leurs efforts et de ne montrer aucune patience lorsque la solution devenait difficile. C'était le genre même de bureaucrate qu'il ne regretterait pas une seconde lorsqu'il rendrait son tablier.

Enfin de retour à son bureau, il s'assit, posa les mains à plat sur son sous-main et se mit à tambouriner dessus du bout des doigts en espérant que, Dieu sait comment, cela dissipe un peu la mauvaise énergie qu'il avait en lui.

— Je croyais que vous ne vouliez pas leur dire tout de suite pour les armes à feu, lui lança Soto dans son dos.

— Il fallait que je leur donne quelque chose, répondit-il sans se retourner. Rien que pour pouvoir sortir de là.

Il jeta un coup d'œil au bureau du capitaine. Samuels s'y trouvait encore et parlait à Crowder en agitant les mains.

— Hé, Harry ! s'écria Soto. On a le premier ping de l'unité des techniciens !

Bosch pivota dans son fauteuil et se fit rouler jusqu'au bureau de Soto. Celle-ci venait de cliquer sur le lien fourni dans le mail de Marshall Flowers. Dès qu'ils furent sur la page de Google Maps, Bosch s'aperçut que l'adresse se trouvait dans Mulholland Drive, entre Laurel Canyon et le col de Cahuenga.

— Passez sur Street View, ordonna-t-il à Soto.

Soto cliquant sur l'onglet approprié avec sa souris, l'écran montra vite une photo de l'endroit d'où émanait le premier ping à avoir touché le portable de la correspondante anonyme. L'image était celle d'une route avec une glissière de sécurité et, plus loin, une vue grand angle de toute la ville en dessous.

— Y a rien, dit Soto.

Elle allait bidouiller l'image avec sa souris lorsqu'il posa la main sur son bras.

— Attendez, dit-il. C'est la maison de Broussard.

— Quoi ?! Mais il n'y a pas de maison ! Comment le savez-vous ?

— J'y suis allé. Je suis passé devant en voiture. C'est sa maison. Faut descendre l'allée qui part de Mulholland

Drive. La maison est en dessous et on ne la voit pas de la route.

— Aïe aïe aïe ! Ça veut dire que le portable est dans sa maison. Les appels anonymes proviennent de... C'est sa femme ! Elle essaie de le dénoncer, et depuis le début !

Chapitre 36

Ils décidèrent qu'il était trop difficile de se rendre directement chez les Broussard. Il n'y avait aucun moyen de savoir s'il serait chez lui, et même s'il n'y était pas, la présence de caméras de surveillance à l'extérieur de la maison laissait penser qu'il y en avait peut-être aussi à l'intérieur afin de suivre ce qui s'y passait, et d'espionner sa femme. Soto et Bosch préférèrent surveiller la maison en s'installant au belvédère, une rue plus loin. L'idée était d'y attendre que Maria Broussard parte de chez elle pour ensuite choisir le meilleur moment pour l'aborder, l'interroger sur ses appels anonymes et lui demander ce qu'elle savait sur le coup de feu dont Merced avait été victime.

Ils se partagèrent la tâche, l'un restant dans la voiture pendant que l'autre s'installait sur un des bancs du belvédère. Cela leur donnerait deux angles de vue, un sur l'avant et l'autre sur l'arrière de la propriété sise quelque cinquante mètres plus loin. Pour ne pas succomber à l'ennui, ils changeraient de place toutes les demi-heures en prenant soin de s'arrêter assez longtemps pendant l'échange pour discuter de l'affaire ou de tout ce qui leur venait à l'esprit.

Ce fut lors d'un de ces échanges qu'il raconta à Soto une des surveillances qu'il avait dû mener à Mulholland Drive. L'affaire remontait à presque vingt ans et, assigné à la brigade des inspecteurs de la division d'Hollywood, l'avait vu faire équipe avec Jerry Edgar. Et Jerry Edgar était un monsieur qui aimait tellement s'habiller avec élégance qu'il se faisait faire des costumes sur mesure et portait des mocassins à glands. Ils surveillaient donc une maison sans trop savoir si leur suspect – soupçonné de meurtres et de viols en série – s'y trouvait. Il faisait un froid hivernal, mais ils étouffaient dans la voiture parce qu'ils avaient remonté les vitres. Ils avaient même fini par se débarrasser de leurs vestes. Une heure passant, ils s'étaient retrouvés dans le noir complet et il n'y avait toujours aucune lumière à aucune des fenêtres de la maison. Frustré, Bosch avait déclaré qu'il allait descendre à flanc de colline pour essayer de voir s'il n'y avait pas un quelconque signe de vie à l'arrière de la maison. Edgar l'avait pressé de n'en rien faire. Il l'avait averti que, dans le noir, il pourrait facilement glisser et tomber, peut-être même se blesser, sans parler de salir ses vêtements. Bosch lui avait dit de ne pas se faire de souci et avait tendu la main par-dessus le dossier de son siège pour prendre sa veste.

Et, bien sûr, il était tombé et avait dévalé la pente, sans se faire mal à l'exception de deux ou trois égratignures et bleus sans gravité. Mais il s'était couvert de boue et avait déchiré la couture entre l'épaule et la manche de sa veste. Il avait aussi déterminé que la maison était vide.

La surveillance s'avérant être un échec, Bosch et Edgar étaient revenus au commissariat d'Hollywood et là, à la lumière impitoyable des néons de la salle des inspecteurs, il était apparu que la veste déchirée et pleine de boue que portait Bosch était en fait celle d'Edgar.

Soto éclata si fort de rire qu'elle n'entendit pas Bosch lui lancer : « Voiture ! »

Il dut l'attraper par le bras et le lui répéter.

— Y a une voiture qui sort, dit-il en la poussant vers la Ford. Allons-y !

— Vous voyez si c'est la sienne ?

— J'arrive pas à voir le conducteur. Mais c'est une voiture de femme.

— Non ! C'est vrai, ça ? Et en quoi ce serait une « voiture de femme » ?

— Je ne sais pas. Je ne vois tout simplement pas un mec conduire un truc pareil.

Ils sautèrent dans la Ford, Bosch démarrant aussitôt. La voiture partie de chez Broussard venait vers eux. Bosch attendit qu'elle soit passée devant la sortie du parking du belvédère et se mit à la suivre dans Mulholland Drive. C'était une Mercedes, un Coupé couleur argent. Les vitres teintées ne permettaient pas de voir qui tenait le volant, sans même parler de savoir si c'était une femme. Bosch se rendit compte que son petit commentaire sur la voiture était peut-être sexiste, mais son instinct lui disait que c'était une femme qui conduisait. Que ce soit ou ne soit pas à cause du modèle de la voiture, il allait devoir s'y fier.

— C'est forcément elle, dit-il.

— Vaut mieux l'espérer.

Ils n'eurent pas plus de chance côté confirmation lorsque Soto appela le centre des communications et demanda à une opératrice de lui passer la plaque à l'ordinateur central. Le véhicule appartenait à la société Broussard Concrete Design et pouvait donc être piloté par monsieur ou par madame.

Bosch lui laissa prendre de l'avance et le suivit dans Mulholland Drive, direction ouest. Au feu de Laurel Canyon, la Mercedes alla tout droit, Bosch commençant alors à nourrir toutes sortes d'idées paranoïaques comme quoi le chauffeur était en train de tenter de les semer. Et s'ils avaient été repérés dans le parking, quelqu'un prenant alors la voiture pour aller faire un tour le long de la crête de la montagne, histoire de les éloigner de leur poste de surveillance ?

Mais la Mercedes finit par tourner à droite et redescendre vers la ville par Coldwater Canyon Boulevard. Elle semblait se diriger vers Sherman Oaks ou Van Nuys lorsqu'elle vira brusquement juste avant Ventura Boulevard pour entrer dans le parking d'un supermarché Gelson. Bosch la rattrapa sans tarder et y entra à son tour. L'œil toujours sur la voiture, il se gara une allée plus loin.

Lorsque la portière côté conducteur s'ouvrit enfin, ce fut effectivement une femme qui descendit du véhicule. Petite, elle portait un pantalon argent et une veste trois quarts par-dessus un chemisier clair. Elle était blonde et Bosch, qui s'attendait à une brune, en fut tout troublé.

— C'est elle ? s'écria-t-il. Elle est blonde. Elle n'avait pas les cheveux bruns sur la photo pour l'élection du maire ?

— Si, lui confirma Soto. Elle avait aussi les cheveux bruns sur son permis de conduire d'il y a trois ans.

— On entre, dit-il en ouvrant sa portière.

Ils la suivirent et la regardèrent prendre un Caddie et s'engager dans la première allée du magasin. De grand standing, les supermarchés Gelson attirent des clients pour qui la qualité prime sur le prix. Bosch s'aperçut que, au fur et à mesure qu'elle avançait, elle remplissait son chariot sans jamais regarder les étiquettes. Cela le conforta dans l'idée qu'ils suivaient bien Maria Broussard, mais ces cheveux blonds le déroutaient sans qu'il sache trop pourquoi.

— Elle s'est fait teindre, lui chuchota Soto alors que, mine de rien, ils se rapprochaient d'elle au rayon des légumes.

— Comment le savez-vous ? lui chuchota-t-il en retour.

Elle lui montra son portable. L'écran affichait une photo de Charles et Maria Broussard qu'elle avait trouvée sur Google. On les y voyait s'enlacer pour l'appareil et Maria avait bien les cheveux bruns.

D'un coup de pouce, Soto passa ensuite à l'image suivante, l'écran montrant alors la même femme avec des cheveux blonds.

— Elle se les est teints, dit-elle. Et à en juger par les dates, je dirais à un moment ou à un autre de l'année passée.

— OK, dit-il. Allons lui parler.

Ils s'approchèrent d'elle de part et d'autre d'un étal de bananes.

— Madame Broussard ? lança Bosch.

La femme leva les yeux des quelques bananes qu'elle envisageait d'acheter et lui sourit sans difficulté. Mais son sourire se figea lorsqu'elle s'aperçut que son visage lui était inconnu. Et se brisa entièrement lorsqu'elle découvrit le badge qu'il lui présentait.

— Oui ? dit-elle. De quoi s'agit-il ? Il y a un problème ?

— Nous voulons vous parler de votre mari et des appels téléphoniques que vous nous passez.

— Je ne comprends pas ce que vous voulez dire. Mon mari va très bien. J'étais encore avec lui à la maison il y a à peine un quart d'heure.

— C'est des appels anonymes passés à la police depuis chez vous que nous parlons, lui précisa Soto.

Maria Broussard pivota sur les talons, sans se rendre compte que celle-ci se tenait derrière elle.

— C'est complètement fou ! dit-elle, la voix étranglée par la panique. Anonyme ou pas, je n'ai jamais passé le moindre coup de fil à la police ! Et ce serait à quel sujet ?

Bosch scruta son visage un instant pour lire dans ses pensées. Il y avait quelque chose qui clochait.

— Au sujet du coup de feu dont Orlando Merced a été victime.

Il vit un éclair briller dans ses yeux. Comme si elle reconnaissait quelque chose – nom ou autre, pas moyen d'en être sûr.

— Laissez-moi tranquille, dit-elle.

Elle sortit son portefeuille de son Caddie, passa entre Bosch et Soto et s'éloigna. En courant aussi vite que lui permettaient ses hauts talons.

Soto s'élança après elle.

— Madame Broussard ! cria Bosch en attrapant Soto par le bras. Attendez. Il y a une erreur. Elle…

Il ne termina pas sa phrase. Il sortit son portable et consulta la liste de ses derniers appels. Il appela le numéro dont il s'était servi pour contacter l'unité technique, puis il demanda qu'on lui passe Marshall Flowers et se dirigea vers la sortie du magasin.

— Allons-y, dit-il à Soto.

— Où ça? demanda-t-elle. Qu'est-ce qu'on fait?

Flowers prit la communication.

— Marshall, dit Bosch, j'ai besoin que vous me lanciez un deuxième ping sur le portable.

Marshall parut un peu perdu.

— Que voulez-vous dire? demanda-t-il.

— Vite, un ping sur l'appareil. Tout de suite.

— On l'a touché il y a vingt minutes. L'appareil n'a pas bougé de toute la matinée, inspecteur.

— Recommencez et rappelez-moi. Immédiatement.

Il raccrocha avant que Flowers ait pu protester. Ils sortirent du magasin, Bosch voyant Maria Broussard regagner sa voiture à grands pas. Elle était au téléphone.

— On a merdé, dit-il.

Il commença par marcher, puis se mit à courir vers la Ford. Soto le suivit et, une fois à la voiture, l'appela par-dessus le toit.

— Harry, mais qu'est-ce que vous racontez?

— La femme que j'ai vue avait les cheveux bruns. Montez.

*

Bosch prit Ventura Boulevard et écrasa le champignon. Il n'allait pas rejoindre la maison des Broussard de la même façon qu'avant. Ça demanderait trop de temps et il ne pensait pas que ce soit la meilleure manière de s'en approcher. Il éteignit les clignotants rouges au niveau du pare-brise, mais se réserva l'usage de la sirène pour les croisements, lorsque cela lui serait nécessaire.

— Quelle femme, Harry ? voulut savoir Soto. Dites-moi ce qui se passe.

— Une seconde, aboya-t-il en guise de réponse.

Il avait sorti son portable et rappelé Flowers. Il attendit que la sonnerie « occupé » s'arrête et qu'enfin on lui réponde.

— Alors, Flowers, vous me dites ? lança-t-il.

— On vient de le ravoir. Aucun changement, inspecteur. Les coordonnées sont toujours les mêmes.

Bosch raccrocha et laissa tomber son portable dans la console centrale. Il s'en voulait. Il regarda Soto, mais juste un instant. Il faisait maintenant du 90 dans un Ventura Boulevard encombré et avait besoin de garder les yeux sur la route.

— J'aurais dû dire : « J'ai merdé, moi » tout à l'heure, dit-il. Ce n'est pas vous, Lucy. C'est moi.

— Harry, mais qu'est-ce qu'il y a, bon sang ? De quoi parlez-vous ?

— L'autre soir, je suis allé à ce belvédère, dans Mulholland Drive. Je surveillais la maison des Broussard.

— Pourquoi ?

— Je ne sais pas. Je devais vouloir jauger le bonhomme, je crois. Je pensais pouvoir l'apercevoir.

— Bon, et qu'est-ce qui s'est passé ?

— Il ne s'est rien passé. Mais c'était allumé et j'ai pu voir dans la maison. J'avais mes jumelles et j'ai vu une femme dans la cuisine. Elle vidait le lave-vaisselle. Et elle avait les cheveux bruns, pas blonds. Je ne... Je ne me le suis rappelé que tout à l'heure, au magasin.

— Je ne... qui c'était ?

— La bonne. Ce n'est pas la femme de Broussard qui nous appelle, c'est la bonne, et maintenant, Broussard est au courant. Sa femme vient juste de l'appeler.

Soto ne répondit pas tout de suite. Elle suivait ce qu'il lui disait et arriva à la même conclusion que lui :

— Merde, dit-elle.

— Exactement. Accrochez-vous et regardez à droite.

Il enclencha la sirène en arrivant au feu de Laurel Canyon Boulevard et regarda à gauche pendant que Soto regardait à droite.

— C'est libre ! cria-t-elle.

Il ne vérifia même pas – il avait confiance en elle. Il vit que c'était bon à gauche et traversa le croisement en trombe sans dommage.

— Bien, dit-il, vous avez votre iPad ?

— Oui, dans mon sac. Qu'est-ce qu'il vous faut ?

— Une carte où l'on voie la maison des Broussard. Elle sortit la tablette de son sac.

— Qu'est-ce que je cherche ?

— Tout en haut de Mulholland Drive. Une vraie forteresse, avec une voûte en béton. Et tout en bas, il y a une piscine.

— Exact, je l'ai vue aujourd'hui.

— On doit avoir moyen d'accéder à la baraque par le bas. Ce qu'il faut trouver, c'est l'entrée du type qui s'occupe de la piscine. C'est quoi, la rue en bas ?

— Je vois ça.

462

Elle se mit au travail, Bosch se concentrant sur la conduite. Ventura Boulevard est une route à quatre voies. Il avait de la place pour manœuvrer et garder sa vitesse.

— Ça y est ! lança Soto. C'est Vineland Avenue. On pourra remonter.

Vingt secondes plus tard, ils y étaient. Bosch prit à droite et ils se retrouvèrent dans une rue à deux voies fortement en pente qui traversait un quartier résidentiel. Les virages serrés et les voitures garées le long du trottoir la rendant étroite et dangereuse, il ralentit. Coup de chance, il y avait peu de véhicules en mouvement à éviter.

— Bon, je tourne où après ?

— À droite, dans Wrightwood Drive. Puis à gauche, dans Wrightwood Lane. Ça nous amènera juste en dessous de la maison. C'est là qu'est l'accès, forcément.

Bosch prit le premier embranchement et, presque aussitôt, le second.

— Là, dit-elle.

— Pigé.

Ils roulaient maintenant parallèlement à Mulholland Drive. Bosch se pencha en avant pour regarder en haut à travers le pare-brise. L'angle n'était pas bon.

— Regardez là-haut, ordonna-t-il à Soto. Vous voyez la maison ?

Elle baissa sa vitre et se pencha dehors pour regarder.

— Non, ne… Attendez… Oui, on y arrive. Tout droit en haut !

Il y avait de la panique dans sa voix. Elle ne voulait pas s'être trompée en indiquant ce chemin. Bosch se gara dans un grand passage en béton taillé dans le flanc de la montagne entre deux résidences. Il était fermé par un portail en fer, derrière lequel il vit trois poubelles de la ville adossées au mur. Bleue pour les recyclables, verte pour les déchets du jardin et noire pour les ordures... façon L.A. Plus loin, l'espace se perdait dans le noir. Le portail était fermé par une chaîne. Scellé juste au-dessus sur le mur en béton se trouvait un logement à caméra de surveillance identique à ceux que Bosch avait vus sur la maison des Broussard, côté Mulholland Drive.

— C'est bien là, dit-il. La chaîne est fermée au cadenas de l'autre côté. Il doit y avoir une entrée par l'arrière.

— Qu'est-ce qu'on fait ? demanda-t-elle.

— Je peux casser cette chaîne avec le démonte-pneu.

— Il y a une caméra.

— Faudra seulement espérer que Broussard n'est pas en train de regarder. Allons-y.

Il récupéra le démonte-pneu dans le coffre de la voiture, s'approcha vite du portail et glissa l'outil allongé dans un des maillons de la chaîne. Il allait se mettre à le tourner pour exercer une pression sur la chaîne lorsqu'il regarda Soto. Elle était clairement en territoire inconnu.

— Il s'agit d'un cas de force majeure, lui expliqua-t-il. Il faut absolument que nous entrions.

Ainsi posait-il les bases juridiques de ce bris de clôture pour entrer dans la propriété d'un suspect dans une enquête pour meurtre. C'était la menace d'un danger immédiat encouru par un individu qui créait le cas de force majeure leur permettant d'agir et d'entrer sans mandat signé par un juge.

— Exact, dit-elle. Bien sûr. Danger immédiat. Notre témoin se trouve dans la maison et nous avons de fortes raisons de croire que le suspect est au courant.

Il acquiesça d'un signe de tête.

— OK, dit-il. Tenez-vous prête.

— À quoi ?

— À tout.

Chapitre 37

La chaîne ne fut pas un obstacle. Bosch en ouvrit facilement un des maillons et ils furent dans la place. Ils contournèrent les poubelles et traversèrent un espace de stockage jusqu'à une porte en acier au fond. Bosch en saisit la poignée, la porte n'était pas fermée à clé.

— Prête ? murmura-t-il à Soto en se tournant vers elle.

— Prête.

Il sortit son arme de son étui et la tint, canon pointé vers le bas, contre sa cuisse, Soto faisant pareil avec la sienne. Puis Bosch ouvrit la porte et ils se retrouvèrent au bord de la piscine en forme de haricot qu'il avait aperçue du belvédère voisin. Il n'y avait personne, mais il aperçut un verre avec des glaçons sur une table à côté d'une chaise longue. Il y avait aussi un cendrier avec un paquet de cigarettes et un briquet jetable.

Aucune porte ne permettait d'entrer dans la maison à ce niveau. Un escalier en béton les conduisit au premier de trois balcons superposés à flanc de colline. Il leva les yeux et n'y vit personne. Il leva son arme pour montrer l'escalier à Soto et ils se mirent en route.

Une table avec un parasol était installée au premier balcon, devant une rangée de portes-fenêtres, un deuxième escalier donnant accès au niveau supérieur. Les rideaux étant ouverts derrière les portes, il aperçut une grande chambre à coucher qui semblait vide. Il suivit la rangée de portes en vérifiant les poignées jusqu'à ce qu'il en trouve une qui n'était pas fermée à clé. Il l'ouvrit en s'attendant à moitié à entendre une alarme.

Mais non, aucune alarme ne se déclencha. Seuls des bruits de voix montant de l'intérieur de la maison se firent entendre.

Il entra, Soto derrière lui. Au fur et à mesure qu'ils traversaient la pièce, les voix se faisaient plus fortes, l'une d'elles en colère. Mais les paroles n'étaient pas claires. Le style béton brut de l'extérieur se poursuivant à l'intérieur, les murs créaient des échos qui s'entrechoquaient et rendaient les mots indistincts. La seule chose qu'il comprit, c'était qu'un homme criait sur une femme qui avait bien du mal à en placer une pour se défendre.

Ils traversèrent vite la chambre et prirent un couloir qui les conduisit à une autre chambre, puis à un ascenseur et à un escalier. Les voix venant d'au-dessus d'eux, Bosch continua de monter, Soto le suivant de près.

L'escalier menait au niveau intermédiaire de la maison. Ils y découvrirent un couloir sur lequel donnaient trois portes. Les voix venant d'une pièce dont la porte était ouverte, les paroles devinrent plus claires.

— QU'EST-CE QUE TU LEUR AS DIT ? tonna la voix de l'homme.

— J'ai pas dit…, répondit la femme. Je ne…

Il y eut un bruit de chair frappant la chair. Plus une gifle qu'un coup de poing. Bosch accéléra l'allure et entra dans la pièce, son arme maintenant levée et ouvrant la voie.

Une femme aux cheveux bruns se protégeait le visage d'une main et de l'autre s'accrochait à un bureau pour se relever. Elle ne portait pas d'uniforme, mais avait un tablier noué autour de la taille. Le dos à la porte, un homme se tenait au-dessus d'elle et la menaçait. Il faisait au moins deux fois sa taille. Des bretelles se croisaient dans son dos imposant. Broussard. La femme se redressait lorsqu'il leva la main droite pour la frapper à nouveau. Bosch vit qu'il y tenait quelque chose de noir dans sa main.

— Je vous en supplie ! dit la femme.
— TU ME DIS ! aboya-t-il.
— Police ! hurla Bosch. Arrêtez !

Soudain, deux coups de feu partirent en écho dans toutes les directions. Les balles touchèrent Broussard juste au-dessus du Y de ses bretelles. L'espace d'un instant, il tendit son dos contre l'impact. Mais bientôt, son bras retombant comme un poids mort, il s'effondra en un tas informe sur le plancher. Bosch sut tout de suite qu'il avait la colonne vertébrale brisée – c'était toute son infrastructure corporelle qui s'était écroulée en un instant. L'objet qu'il avait à la main était tombé par terre à côté de lui. Une agrafeuse qu'il avait prise sur son bureau tellement il enrageait.

Bosch baissa les yeux sur son arme en se demandant s'il avait tiré. Puis il se tourna vers Soto, qui tenait la sienne à deux mains, le doigt sur la détente. Elle avait tiré.

Bosch concentra de nouveau son attention sur le bureau contre lequel se pressait la femme. En regardant

Broussard, elle avait porté ses mains à son visage et poussé un cri qui, bas et profond dans sa gorge au début, s'était ensuite transformé en un hurlement suraigu.

— Neutralisez-la et tenez-vous prête pour l'épouse, dit-il à Soto. Elle va arriver d'une minute à l'autre.

— Compris.

Il fit un pas en avant et s'accroupit à côté de Broussard. Celui-ci avait les yeux ouverts, et ils bougeaient. Bosch rengaina son arme et se pencha.

— Broussard, dit-il, écoutez-moi. Il ne vous reste pas beaucoup de temps. Vous ne vous en sortirez pas. Vous voulez me faire une dernière déclaration ? Quelque chose que vous voudriez me dire ?

Broussard ouvrit la bouche, mais ne dit rien. Il cligna des paupières, rien de plus. Bosch attendit un instant, et réessaya.

— Vous avez engagé Willman pour abattre Merced, n'est-ce pas ? Et après, vous l'avez tué. Reconnaissez-le, Broussard. La fin est là. Libérez votre conscience et partez en paix.

La bouche de Broussard se mettant à remuer, Bosch entendit l'air sortir de ses poumons. Ceux-ci commençaient à se fermer. Bosch se pencha plus près et entendit un murmure.

— Allez vous faire foutre.

Bosch se redressa, le regarda et essaya une fois encore.

— Zeyas savait, n'est-ce pas ? C'est votre bonne qui le lui a dit. Elle pensait décrocher la récompense. Mais Zeyas s'est servi de l'info pour vous faire chanter. Remuez juste la tête si j'ai tout bon.

À voir le visage de Broussard, on aurait pu croire qu'un sourire s'y dessinait. Puis Broussard se remit à chuchoter. Bosch se pencha tout près et colla l'oreille aux lèvres du mourant.

— T'as que dalle. Tu…

Bosch attendit sans bouger, mais plus rien ne vint. Il tourna enfin la tête pour regarder Broussard et vit que ses yeux ne bougeaient plus. Broussard était mort.

Bosch se releva. Il regarda autour de lui et vit les photos accrochées au mur montrant Broussard en compagnie de divers politiciens et célébrités. Il comprit qu'il se trouvait dans son bureau personnel. Il gagna le secrétaire pour voir ce qu'il contenait. Il vit un iPhone sur un tas de paperasse, sortit un gant en caoutchouc d'une de ses poches de veste et l'enfila.

Le portable n'étant pas protégé par un mot de passe, il consulta la liste de ses derniers appels et vit que Broussard en avait reçu un d'un correspondant simplement identifié « Maria » juste un quart d'heure avant. Comme il l'avait deviné, la femme de Broussard lui avait passé un coup de fil après sa rencontre avec les flics au supermarché. C'était leur erreur qui avait tout déclenché. Broussard avait alors affronté la bonne pour essayer de trouver ce qu'elle savait et à qui elle avait parlé.

Et Soto et lui avaient fait le reste. L'attention erronée qu'ils avaient portée à l'épouse au lieu de se concentrer sur la bonne leur avait coûté la possibilité d'arrêter Broussard et, qui sait, de lui sortir des aveux qui auraient révélé l'implication de Zeyas.

Bosch posa le portable sur le bureau, sortit de la pièce à reculons et ferma la porte. Il savait qu'il allait devoir signaler le tir, mais il voulait attendre.

— Lucy ? lança-t-il.

— Oui, je suis là.

Sa voix lui arrivait d'une des autres pièces du niveau intermédiaire. Il ouvrit une porte donnant sur une salle de bains, puis une autre qui permettait d'accéder à un home cinéma équipé de deux rangées de sièges rembourrés. Soto, qui se tenait debout devant la bonne assise dans la première rangée, fit un pas de côté et signala à Bosch de passer dans le couloir.

— Alicia, dit-elle, ne bougez pas d'ici. Je serai dans le couloir.

Puis elle ferma la porte de façon à pouvoir parler en privé et regarda Bosch d'un air inquiet.

— Il est mort ? demanda-t-elle.

Bosch acquiesçant d'un hochement de tête, elle devint toute pâle.

— Ne vous inquiétez pas, dit-il. Le tir était réglo. Il allait la frapper. Vous avez fait ce qu'il fallait, Lucia. Ça va ?

— Qu'est-ce que c'était ? Qu'est-ce qu'il avait dans la main ?

— Une agrafeuse.

— Une agrafeuse ? Ah mon…

— Ce que c'était n'a aucune importance. Il allait la frapper et il aurait pu la tuer avec. Ça va aller, Lucia ?

— Je crois. C'est juste que c'est arrivé si vite… Pas comme la dernière fois.

— Écoutez, ça va aller. Et la bonne ? Dans quel état est-elle ?

— Elle s'appelle Alicia Navarro. Elle reconnaît être notre correspondante anonyme. Elle dit que Broussard a reçu un appel… très probablement de sa femme, nous le savons… et qu'il a pété un câble, qu'il s'est mis à la bousculer et à la gifler en exigeant de savoir à qui elle avait parlé.

— A-t-elle dit qu'elle craignait pour sa vie ?

— Absolument.

— Bien. Lui avez-vous posé des questions sur le maire, sur Zeyas ?

— J'y arrivais. Mais elle m'a affirmé ne lui avoir jamais parlé et ne l'avoir jamais rencontré. Elle dit que c'était Spivak. Il y a dix ans, elle lui a parlé de la récompense. À l'entendre, elle était dans la maison et avait entendu Broussard et son ami Willman parler du coup de feu de Mariachi Plaza. C'est comme ça qu'elle a su que c'était lui. Elle n'a donc pas compris quand Zeyas a lancé la récompense et a essayé de l'appeler, lui, au lieu de la police. Mais Dieu sait comment l'appel est arrivé à Spivak. Il aurait pris le renseignement, mais il n'y a jamais eu de récompense. Et après, Spivak l'a menacée. Il l'a avertie qu'elle serait en danger si jamais elle parlait. Que si jamais elle disait un seul mot, il ferait expulser toute sa famille.

— Ah, l'ordure ! s'écria Bosch. Il a donc gardé ça pour lui parce que ça ne payait pas que les flics résolvent l'affaire. Il fallait que Merced soit la victime parfaite. Qu'il soit paralysé par un projectile tiré dans une partie de la ville dont tout le monde se fout. Ça n'aurait pas marché si nous avions résolu l'affaire.

— Et pas seulement ça, il y avait aussi le fric. Spivak savait qu'il pourrait faire payer Broussard jusqu'à plus soif.

— Pour chaque élection, probablement chaque année.

— Bon, mais… qu'est-ce qu'on fait de tout ça ?

472

— Vous enregistrez sa déclaration. Nous…

— Je l'ai déjà. J'ai tout enregistré avec mon portable. Depuis qu'on est arrivés ici.

Elle glissa la main dans la poche de devant de son sac et en sortit l'appareil.

— Vous avez aussi le tir?

— Oui.

Il n'était pas trop sûr de savoir si c'était une bonne ou une mauvaise chose. Il allait devoir y réfléchir, mais il y avait des problèmes plus urgents à résoudre pour l'instant. Il venait juste d'entendre une porte se fermer à l'étage supérieur. Quelqu'un en hauts talons traversait une pièce au-dessus d'eux. Soto levant les yeux vers le plafond, Bosch lui chuchota :

— Retournez avec Alicia. Je vais monter voir Maria. Dès qu'elle sera en sécurité, il faudra appeler les gars des tirs.

— D'accord.

— Il faudra que vous restiez avec eux. Moi, je pars dès que je peux.

— Où?

Il n'avait pas eu le temps de répondre que quelqu'un appelait en haut :

— Brouss? Tu es là? Alicia?

Bosch se détourna de Soto et commença à monter les marches. Avant même qu'il arrive en haut, Maria Broussard apparut sur le palier, le vit, et hurla.

— Qu'est-ce que vous faites ici? Où est mon mari?

Il gravit les dernières marches à toute allure en levant les mains en un geste d'apaisement. Puis il les lui posa sur les épaules et tenta de l'éloigner de l'escalier. Elle se débattit.

— Ne me touchez pas ! Où est Charles ? Brouss, qu'est-ce qu'ils t'ont fait ?

Bosch parvint à la maîtriser en la coinçant contre le mur lorsqu'elle essaya de passer devant lui pour gagner l'escalier. Il s'appuya contre elle et envisagea de la menotter, ne serait-ce que pour la contrôler, mais finit par renoncer à cette idée.

— Madame Broussard, dit-il, il faut vous calmer.

— Non, je ne vais pas me calmer ! Pas avant d'avoir vu mon mari ! Brouss !

Elle essaya encore une fois de passer devant lui, mais il l'avait bien serrée contre le mur. Il prit une grande inspiration, puis lui murmura à l'oreille :

— Je suis désolé, madame Broussard, mais votre mari est mort.

Pour la deuxième fois en dix minutes, un cri à crever les tympans partit en écho dans toute la maison.

Bosch sentit Maria Broussard commencer à s'affaisser. Il s'écarta du mur et la porta à moitié jusqu'au divan de la salle de séjour. Dès qu'elle fut assise et en sécurité, il sortit son portable pour passer ses appels.

Chapitre 38

Le comité exploratoire pour l'élection de Zeyas au poste de gouverneur avait commencé à ouvrir des bureaux dans Olvera Street, près de l'Avila Adobe, la plus ancienne résidence de Los Angeles. On avait opté pour la métaphore la plus facile – celle qui consiste à lancer la campagne à l'endroit même où la ville a été fondée. Un autre début – pas seulement pour Los Angeles, mais pour toute la Californie – se mettait en place. Le quartier général se transformait en véritable ruche au fur et à mesure qu'on y installait des bureaux et des batteries de téléphones. Des volontaires travaillant pour l'homme qui allait devenir gouverneur allaient et venaient dans la suite de trois pièces, sous la direction d'un chef d'équipe femme avec un crayon derrière l'oreille. Bosch entra dans la pièce principale et demanda à la dame au crayon si Connor Spivak était dans les parages. Elle regarda un moment Bosch et les deux hommes qui l'accompagnaient, puis elle décida de ne pas leur demander ce qui les amenait.

— Connor ! cria-t-elle. Vous avez de la visite !

— Je suis au fond, lui répondit le patron de la campagne.

La chef d'équipe ôta son crayon de derrière son oreille et s'en servit pour leur montrer une des portes tout au bout de la grande salle. Bosch s'y dirigea et entra dans une pièce plus petite avec un bureau déjà installé, Spivak confortablement assis derrière. Sur le mur du fond se trouvait une copie de l'affiche *Tout le monde compte ou personne* que Bosch avait fait disparaître du Beverly Hilton un peu plus tôt dans la semaine. Le dernier homme qu'il avait derrière lui referma la porte.

— Inspecteur Bosch ! s'écria Spivak. Quelle surprise !

— Vraiment ? lui renvoya Bosch.

— Oh oui, et agréable. Qui donc m'amenez-vous ? Deux de nos fins limiers ?

Bosch se tourna à droite, puis à gauche, pour lui présenter les inspecteurs Rodriguez et Rojas.

— Il se peut que vous vous souveniez d'eux, reprit-il. Ce sont les premiers à avoir enquêté sur l'affaire Merced.

— Mais oui, il me semble bien. Avez-vous donc de nouveaux développements dont je pourrais faire profiter le maire ?

Bosch acquiesça d'un hochement de tête.

— Le dernier développement est qu'il va devoir trouver d'autres sources de financement pour sa campagne.

Spivak parut perplexe.

— Vraiment ? dit-il. Et pourquoi ça ?

— Parce que Charles Broussard vient de signer son dernier chèque.

La perplexité de Spivak se fit scepticisme.

— Je ne suis pas très sûr de comprendre ce que vous voulez dire par là, mais...

— Ce que je veux dire, c'est qu'il est mort.

Il marqua une pause pour voir sa réaction, mais Spivak réussit à garder un visage sans expression. Alors Bosch lui asséna la nouvelle suivante, et celle-là, c'était garanti, allait changer ça.

— Et en plus d'autres sources financières, dit-il, il va aussi falloir qu'il se trouve un nouveau chef de campagne. Parce que vous êtes en état d'arrestation, Spivak. Pour complicité de meurtre.

Spivak éclata de rire, puis s'arrêta net.

— Elle est bien bonne, inspecteur, dit-il.

Mais Bosch ne riait pas.

— Levez-vous, s'il vous plaît, dit-il.

— Mais c'est quoi, ces conneries ? Vous rigolez ?

— À mort que je rigole. Debout.

— C'est pas possible. Et vous m'arrêtez en vous fondant sur quoi ?

— Sur le fait qu'il y a dix ans de ça, une employée de Charles Broussard vous a dit l'avoir entendu, lui et un certain David Willman, discuter du tir dont a été victime Orlando Merced, tir effectué par Willman sur la demande de Broussard, lui répondit Bosch en lui montrant les hommes debout à côté de lui. Et vous, plutôt que de passer ce renseignement aux inspecteurs qui enquêtaient sur l'affaire, vous l'avez gardé pour vous et vous en êtes servi pour forcer Broussard à contribuer lourdement et de façon répétée aux campagnes électorales d'Armando Zeyas.

Spivak rit encore une fois très fort, mais avec une pointe de nervosité.

— C'est complètement barré, ce truc. Dingue, dit-il. Mais même si c'était vrai, il n'y a aucune complicité là-dedans. Je ne suis pas avocat, mais je le sais. Ça fera rire tout le monde au tribunal.

— Peut-être, répondit Bosch, si c'était à l'affaire Merced que je me référais. Mais ce n'est pas de ça que je vous parle. Vous aviez des renseignements qui auraient pu amener à l'arrestation de Broussard et de Willman. Si cette arrestation avait eu lieu à ce moment-là, Willman n'aurait pas été libre, et donc pas en mesure de tuer une femme au foyer de trente-huit ans à San Diego, sept mois après le tir sur Merced. Vous avez donc facilité ce meurtre sur contrat et pour ça, je vous arrête pour complicité d'assassinat. Et maintenant debout, et je ne vous le demanderai pas deux fois.

Bosch contourna le bureau dans un sens pendant que Rodriguez le faisait dans l'autre. Spivak se leva tout de suite en levant les mains en l'air comme s'il pouvait repousser le problème. Les deux inspecteurs lui prirent chacun un bras et les lui ramenèrent dans le dos. Bosch fit signe à Rodriguez qui menotta Spivak tandis que Rojas sortait une carte de sa poche de veste et commençait à lui lire ses droits constitutionnels.

— Comprenez-vous ces droits tels que je viens de vous les lire ? lui demanda Rojas en guise de conclusion.

Spivak ne répondit pas. Il donnait l'impression d'avoir sombré dans une profonde rêverie alors même qu'il considérait la situation dans laquelle il se trouvait.

— Les comprenez-vous ? aboya Rojas.

— Oui, je les comprends. Écoutez, Bosch… Allons, quoi ! On peut arriver à un accord, non ?

— Je ne sais pas, moi. Vous croyez ?

— Non, parce que, ce n'est pas moi que vous voulez vraiment, si ?

— Je ne sais pas. Vous me semblez faire parfaitement l'affaire. Broussard est mort, Willman est mort, ça ne nous laisse que vous.

Spivak embrassa la pièce du regard, puis passa et repassa de Bosch à Rodriguez et Rojas pour enfin revenir sur Bosch.

— Je peux vous donner Zeyas, dit-il, désespéré. Il savait. Il savait tout et approuvait.

— Vous en avez la preuve, ou c'est juste des mots ? lui demanda Rojas.

— J'ai des e-mails et des mémos, lui répondit Spivak. J'avais tout noté au cas où.

— Des enregistrements ? demanda Rodriguez. Vous l'avez sur bande ?

— Non, mais je pourrais. Vous pourriez me mettre un micro. Vous m'envoyez le voir et moi, je lui dis que Broussard est mort et que nous courons de grands risques. Je vous le mets sur bande, je vous le filme, moi. Tout ce que vous voulez. Il est chez lui à Hancock Park en ce moment même… je viens de lui parler. On peut avoir tout ça avant que la nouvelle éclate. Qu'est-ce que vous en dites ? Parce que c'est lui que vous voulez, pas moi.

Sur un nouveau signe de Bosch, Rodriguez s'approcha de Spivak pour lui ôter ses menottes. Tout marchait comme Bosch l'avait espéré et s'y attendait. L'arrestation était un coup de bluff. Moralement, Spivak avait certes commis des crimes, mais le déférer devant un tribunal pour complicité d'assassinat aurait été sacrément tiré par les cheveux, juridiquement. Au lieu de ça, Bosch avait eu pour but de s'assurer sa coopération.

Spivak une fois libéré de ses menottes, Bosch lui posa une main sur l'épaule, le repoussa doucement dans son fauteuil, s'assit au bord de son bureau et le regarda.

— On va vous donner une chance de faire tout ça, reprit-il. Une seule.

— Je ne merderai pas, c'est promis.

— Vous le faites et on vous recolle tout sur le dos. Est-ce bien compris ?

— Promis, promis. Je peux vous le livrer.

— Alors, voici ce qu'on va faire : on va sortir d'ici comme si la visite avait été agréable et que tout allait bien. Nul besoin que quiconque se doute de quoi que ce soit. Nous, on va au parking devant la gare d'Union Station et on vous y attend. Vous avez un quart d'heure pour avertir vos larbins que vous allez voir le candidat avant de venir nous retrouver. Si jamais vous ne vous pointez pas, vaudrait mieux que vous ayez un Learjet qui vous attende avec tout le carburant nécessaire pour décoller. Parce que nous, on ira vous chercher.

— Je sais. Je viendrai, c'est promis.

— Bien. Nous allons vous conduire au Bureau du district attorney, où nous avons un type qui vous donnera les termes de l'accord et les paramètres de ce que nous voulons et de ce à quoi vous, vous aurez droit quand vous aurez fait ce qu'il faut.

— Parce que… vous saviez ? Vous saviez qu'on passerait un accord ?

— Disons seulement qu'on avait un plan. Quand on veut le gros poisson, on commence par les petits. Vous êtes toujours d'accord, Spivak ?

— Ça marche. On y va.

— Un quart d'heure. Ne soyez pas en retard.

Bosch se leva du bureau et regarda par-dessus la tête de Spivak. Puis il fit le tour du bonhomme et arracha l'affiche du mur. Et la laissa complètement déchirée par terre.

Chapitre 39

Ce vendredi-là, quinze jours après la mort de Broussard, Bosch attendit jusqu'à midi pour parler à Lucy installée à son nouveau poste. Le vendredi, la salle des inspecteurs était à moitié vide à cause de l'option « quatre fois dix heures[1] ». Les autres inspecteurs étaient en train de déjeuner. Mise sur la touche, c'est-à-dire « de bureau », Soto attendait l'issue de l'enquête sur son tir et le résultat de son évaluation psychologique. Elle avait été assignée au bureau juste devant celui du capitaine jusqu'à ce qu'elle reçoive l'ordre de reprendre le service. Son job consistait à répondre aux correspondants anonymes. Holcomb avait repris son travail avec son coéquipier.

— Alors, lança-t-il, quelles sont les nouvelles ?

— Le docteur Hinojos m'a mis le tampon *Reprise du service* sur le bulletin d'évaluation psychologique hier. Toujours rien des gars de l'évaluation des tirs, mais le capitaine m'a déjà dit que je pourrai retrouver mon box

---

1. Semaine de travail effectuée sur quatre jours.

dès lundi. J'ai l'impression qu'il n'aime pas trop m'avoir près de lui. Je pourrais entendre des trucs.

Il acquiesça. Il apprécia qu'elle ait parlé de l'« équipe d'évaluation des tirs » plutôt que de la « division d'Enquête sur l'usage de la force » comme on l'appelait maintenant. Cela montrait qu'elle était d'allégeance vieille école.

— Parfait, dit-il. Vous ne devriez pas avoir de problèmes avec eux. Mais ça prend un temps fou à cause de la paperasse.

— Je ne sais pas, dit-elle. Deux incidents de tir en moins d'un an… ils pourraient se dire qu'il y a une espèce de conduite récurrente.

Il fronça les sourcils.

— Il y a vingt-cinq ans, on vous aurait donné une médaille et une augmentation pour ce genre de conduite récurrente ! dit-il.

— Les temps changent, Harry.

Il acquiesça et décida que le moment était venu de passer à autre chose, même si la suite de la conversation risquait d'être désagréable.

— Bon alors, dit-il. J'ai des nouvelles de sœur Esther.

— Et ça donne quoi ? demanda-t-elle, incapable de contenir son excitation. Elle est revenue au couvent ?

— Euh… non. Et elle ne va pas y revenir. J'ai parlé avec sœur Geraldine hier et elle m'a dit que les narcos l'avaient tuée.

— Quoi ?! Ah, mon Dieu !

— À l'entendre, ils sont entrés dans le village où elle se trouvait et l'en ont sortie en disant que c'était une indic de la *Policía Judicial*. Ils lui ont fait certaines choses et après, ils l'ont tuée et l'ont laissée au bord d'une route pour qu'on la trouve.

Soto recula dans son fauteuil et regarda dans le vide en pensant au destin d'Ana Acevedo, alias sœur Esther Gonzalez.

— Je n'arrive pas à y croire, dit-elle enfin.

— Eh bien, moi non plus, enfin… pas vraiment. Pas pour l'instant, en tout cas. C'est pour ça que je vais y aller. À Calexico. Le corps est censé repasser la frontière aujourd'hui et doit être enterré dans un cimetière derrière le couvent. Je vais descendre vérifier certaines choses pour être sûr, et sœur Geraldine m'a promis de me laisser entrer dans sa chambre et de voir toutes ses affaires et… Je voulais savoir si ça vous intéresserait de descendre là-bas avec moi.

— Harry, dit-elle, je suis clouée à ce bureau. Le capitaine ne me laissera jamais…

— C'est pour ça que j'y vais demain. Je me suis dit que le samedi, vous étiez libre de faire ce que vous vouliez. Le capitaine ne peut pas vous dire ce que vous devez ou ne devez pas faire. Elle doit être inhumée dimanche. Bref, c'est demain ou jamais.

Elle avait acquiescé avant même qu'il finisse.

— J'en suis, dit-elle.

— OK. J'aimerais partir tôt.

— Tôt me va aussi.

Il sourit et hocha la tête.

— Je sais, dit-il. On se retrouve ici à 7 heures.

Elle avait retrouvé son regard perdu dans le lointain.

— Quoi ? lui lança-t-il.

— Je me disais juste… Vous croyez que sœur Geraldine l'a avertie qu'on était passés au couvent et qu'on avait demandé après elle ?

— Oui, répondit-il. Je le lui ai demandé, et elle lui a bien dit que nous étions passés et que nous voulions lui parler. Elle avait enfin eu de ses nouvelles quelques jours plus tard, et c'est là qu'elle le lui a dit.

— D'accord. Et donc, vous pensez qu'elle…

Elle ne termina pas sa phrase, mais Bosch sut ce qu'elle pensait et ce qu'elle était sur le point de lui demander : se pouvait-il que sœur Esther ait parlé à quelqu'un parce qu'elle savait que ça reviendrait aux oreilles des narcos et que les conséquences seraient aussi rapides qu'assurées, qu'elle soit nonne en mission dans la région ou pas ?

— Oui, dit-il, c'est exactement ce que je pense.

*

Ils arrivèrent au couvent des Sœurs de la Promesse Sacrée à midi, ce samedi-là. Ils venaient du funérarium du centre-ville où ils s'étaient d'abord arrêtés pour voir le corps de sœur Esther et confirmer aussi bien sa mort que son identité. Bosch avait emprunté un kit d'empreintes digitales à Flowers et s'en était servi pour prendre celle de son pouce droit et l'envoyer à la base de données du Department of Motor Vehicles[1]. La concordance avait été aussitôt établie avec celle qu'Ana Maria

---

1. Équivalent américain du service des Mines et des permis de conduire.

Acevedo avait dû donner en demandant le renouvellement de son permis de conduire en 92 – le dernier qu'elle avait obtenu avant de disparaître.

La jeune sœur Theresa les accueillit à la porte du couvent et les invita à entrer. Sœur Geraldine l'avait avertie qu'ils viendraient de Los Angeles et qu'ils devraient avoir accès à la chambre de sœur Esther. Elle leur fit monter une volée de marches, puis suivre un long couloir qui ressemblait à celui d'un dortoir universitaire hormis pour les images pieuses et les citations de la Bible apposées sur des panneaux d'affichage entre les portes des chambres.

— Resterez-vous demain pour la messe d'enterrement ? leur demanda-t-elle.

— Non, nous ne sommes ici que pour la journée, lui répondit Bosch.

— Oh, c'est dommage. Ça sera très spécial. C'est le Seigneur que sœur Esi s'en va rejoindre.

Bosch se contenta de hocher la tête. Il n'avait aucune idée de ce qu'il convenait de répondre à ça.

Sœur Theresa s'arrêta à la dernière porte à droite. Diverses cartes saintes ayant été coincées dans la rainure de la porte, elle les ôta avant d'ouvrir. La porte n'avait pas été fermée à clé.

— C'est petit, dit-elle. Vous n'avez donc sûrement pas besoin que je reste ici pour vous prendre de la place.

— Ça ira, dit-il. Ça ne devrait pas prendre longtemps.

Elle jeta un coup d'œil à l'autre bout du couloir comme pour confirmer qu'ils étaient bien seuls et que sœur Geraldine n'était pas là à les observer.

— Je peux vous demander quelque chose ? reprit-elle. Qu'est-ce que vous cherchez ? Que pensez-vous qu'ait fait sœur Esi ? Je ne crois pas avoir jamais rencontré quelqu'un d'aussi gentil.

Bosch réfléchit un instant. Il n'y avait aucun besoin d'entacher la façon de voir et les sentiments qu'un être humain pouvait porter à un autre, surtout quand cet autre était mort. Sans même parler du fait qu'elle saurait bien assez tôt ce qui s'était passé lorsque les médias s'empareraient de l'affaire.

— Nous essayons juste de confirmer qu'elle n'était pas quelqu'un qui a disparu il y a longtemps à Los Angeles, dit-il enfin.

— Ah bon, OK. Je pensais que c'était peut-être quelque chose de très mal et que nous ne pourrions pas célébrer son union avec Jésus demain. Avez-vous vu ce que nous allons mettre sur sa pierre tombale ?

— Non, quoi ?

— En fait, c'est plutôt elle qui va l'y mettre. Elle l'a écrit dans ses dernières volontés. Ça dira : *Sœur Esther Gonzalez. Elle a trouvé la rédemption pour les enfants avec les enfants.* C'est beau, non ?

— « La rédemption pour les enfants avec les enfants », répéta-t-il en hochant la tête.

— Voilà. Elle a écrit ça il y a longtemps. C'est dans cette vieille boîte-là, sur le lit, qu'on a trouvé ses instructions pour l'enterrement.

Elle la leur montra de la porte du couloir.

— OK, eh bien, merci, ma sœur, répondit-il. Comme je vous l'ai dit, ça ne prendra pas longtemps.

— Ma chambre est la dernière à gauche au bout du couloir, dit-elle. C'est parce que je suis la plus jeune.

Et, très fière, elle fit un petit bond sur les talons.

— Parfait, comme ça, on saura où c'est, dit-il en se retournant et en entrant dans la pièce.

Ils y découvrirent un lit simple avec un crucifix accroché au mur au-dessus de la tête de lit en bois. S'y trouvaient aussi une table de chevet, une commode, un bureau et une étagère de livres montée juste au-dessus. La penderie n'avait pas de porte et n'était pas plus grande que les vieilles cabines téléphoniques de la gare d'Union Station. Mais il y avait toute la place nécessaire pour les quelques habits qui y étaient suspendus.

Bosch et Soto se séparèrent et commencèrent à ouvrir des tiroirs. La plupart étaient vides ou ne contenaient que les rares vêtements et affaires d'un individu respectant ses vœux de pauvreté. Bosch inspecta la boîte que Sœur Theresa venait de lui montrer. Il s'y trouvait quelques feuilles de notes. Des sermons et des versets de la Bible écrits à la main, nombre d'entre eux avec le mot rédemption souligné. Épître aux Éphésiens, aux Galates, aux Romains… les citations étaient portées sur des demi-feuilles, des enveloppes et autres bouts de papier.

Il choisit deux d'entre elles et les glissa dans la poche intérieure de sa veste :

Qu'ainsi disent les rachetés du Seigneur,
ceux qu'Il a sauvés du mal.

Psaumes, CVII, 2

Qui s'est donné pour nous racheter de toute iniquité et nous purifier en un peuple sien et zélé pour les bonnes œuvres.

Tite, II, 14

En cherchant plus profondément dans la boîte, il trouva et sortit un document plié qui n'était autre que l'acte de naissance d'Esther Maria Gonzalez. Il avait été délivré en 1972, dans le comté de Hyde, Caroline du Nord. Imprimé sur du papier à fort grammage, il semblait authentique, mais Bosch n'eut aucun doute : c'était un faux. Il savait que le moyen le plus facile de se fabriquer frauduleusement une nouvelle identité était de commencer avec ce qui semblait être un acte de naissance délivré par un petit comté rural dans un État très éloigné de celui où la fraude serait perpétrée. Un acte de naissance était en effet la seule pièce exigée par l'État de Californie pour l'obtention d'un permis de conduire. Le problème était qu'il n'y avait aucun modèle national pour ces actes. Des milliers de comtés en délivraient dans tout le pays, et chacun selon son modèle propre. Un employé du DMV de Californie aurait donc eu bien du mal à déclarer qu'un acte de naissance du comté de Hyde, Caroline du Nord, était un faux, surtout si la pièce avait l'air parfaitement légale et officielle.

Et le permis de conduire était le seul obstacle à franchir pour avoir tout le reste, numéro de Sécurité sociale et passeport inclus. Le document qu'il avait dans les mains expliquait beaucoup de choses.

Il s'assit sur le lit et glissa l'acte dans sa poche de veste avec les autres papiers. Puis il remit le couvercle sur la boîte et regarda Soto qui continuait d'inspecter la penderie.

— Ça vous embête ? lui demanda-t-il.

— Quoi ? Qu'est-ce qui m'embête ? lui renvoya-t-elle en se tournant vers lui.

— Je ne sais pas, dit-il. Qu'elle ait choisi sa punition elle-même. Qu'elle soit venue ici, se soit lancée dans des missions, se soit occupée d'enfants, tout ça, quoi. Qu'elle ait fait vœu de pauvreté, qu'elle ait réglé l'hypothèque, et le reste. Mais surtout qu'elle ne se soit pas livrée et n'ait pas dit : « Je suis responsable de ce qui s'est passé. » Qu'elle n'ait pas dit à tous ces parents pourquoi leurs enfants étaient morts.

Il lui montra la boîte et ajouta :

— Elle parle de rédemption, mais tout ça, c'est elle qui l'a choisi. Rien ne lui a été enlevé. Vous voyez ce que je veux dire ?

— Je comprends, oui. Mais ça va me prendre pas mal de temps pour digérer tout ça. Je vous dirai ce que j'éprouve dès que je le saurai, d'accord ?

— Oui, d'accord.

Elle reprit son inspection et Bosch se leva pour passer au bureau. Le plateau en était libre de tout ce qui aurait pu être personnel et son seul et unique tiroir contenait d'autres documents du même genre – des notes prises au crayon sur la rédemption avec d'innombrables références aux enfants.

Il referma le tiroir et leva les yeux vers l'étagère. Y étaient posées quatre versions de la Bible, un dictionnaire d'espagnol et des livres sur les sacrements, le catéchisme et les méthodes d'enseignement.

Il s'empara de la première bible et la feuilleta sens dessus dessous dans l'espoir que de beaux aveux écrits à la main tombent du volume dans son giron.

Au lieu de ça, il trouva une carte pieuse montrant Jésus montant au ciel. Elle servait de marque-page et avait été insérée dans un passage des Actes dont elle avait souligné certains mots formant une phrase quand on les lisait à la file : *Repens-toi… et… tes péchés pour-ront t'être effacés.*

— Harry ! cria Soto.

Il se tourna vers elle. Elle était à quatre pattes sur le plancher, un album de photos ouvert devant elle. De ses pages, elle avait sorti et tenait bien haut ce qui ressem-blait à un cliché découpé dans un journal.

— C'était là, en vrac, dans cet album, dit-elle. C'est eux, n'est-ce pas ?

Bosch lui prit la coupure et l'examina. Jaunie, l'image était constituée de deux photos d'hommes mises côte à côte. Il n'eut aucun mal à y reconnaître les deux bra-queurs de la banque de North Hollywood. Il n'y avait pas un seul flic dans tout L.A. qui ne les aurait pas reconnus.

— Oui, c'est bien eux, dit-il.

— Gus Braley avait donc raison ?

Il continua de regarder les photos. De se rappeler ce qui s'était passé ce jour-là.

— Faut croire, dit-il enfin. Mais à ce moment-là, il n'a jamais réussi à relier les pointillés

Elle s'approcha du lit et s'y assit près de la chaise pour regarder la coupure.

— Elle n'est pas avec eux, dit-elle. Ça ne prouve donc absolument rien.

— Peut-être pas devant un tribunal. Mais pour moi, ça conclut assez fortement l'affaire.

— Oui, mais où se sont-ils tous croisés ?

— Bonne question. Je me rappelle avoir entendu quelque chose comme quoi ces deux types se seraient rencontrés dans un gymnase quelque part. À Venice, je crois.

— Ana n'aurait pas pu en être plus loin, dit-elle. Ils ont dû se croiser ailleurs.

— Eh bien, il se pourrait qu'on ait à le trouver si jamais le district attorney veut officialiser la fermeture du dossier.

— Et si on faisait passer ça dans les médias ? Il se pourrait que quelqu'un nous la donne, cette connexion.

Il réfléchit. Tout cela remontait à vingt ans. Ça ne servirait peut-être à rien, mais il ne voulait pas se montrer pessimiste avec elle.

Elle parut lire dans ses pensées.

— Tous ces parents qui ont perdu des enfants, dit-elle. Ils ont le droit de savoir. Et la famille d'Esi Gonzalez aussi. La vraie Esi.

Elle lui prit la coupure des mains et l'examina.

Soudain, Bosch se rappela quelque chose et claqua des doigts. Ça l'avait déjà agacé juste après qu'il avait parlé avec Gus Braley.

— Varsol, dit-il.

— Quoi ?

— Je viens de me rappeler quelque chose. Le jour du tir… Je suis arrivé à la fin et on m'a mis dans l'équipe des éléments de preuve à recueillir. De fait même, j'avais la voiture du détachement, dit-il en lui montrant les deux types sur la coupure qu'elle tenait toujours.

— En gros, j'ai dû faire du baby-sitting jusqu'à ce que les collègues arrivent. Et ça a pris deux ou trois heures parce qu'ils étaient demandés partout ce jour-là… et sur cinq rues. Bref, je suis là à attendre dans la voiture, alors j'enfile des gants et commence à farfouiller un peu partout et là, sur la banquette arrière, il y a une couverture de l'armée posée sur quelque chose.

Je l'enlève et il y a encore des armes sur le siège et un cocktail Molotov attaché par la ceinture de sécurité pour qu'il ne tombe pas.

— Confectionné avec du Varsol?

— Je ne sais pas. Je ne sais même pas si ç'a été analysé de façon à le savoir, mais on devrait pouvoir le trouver. Et, quoi qu'il en soit, s'être servi d'un cocktail Molotov est un lien de plus entre ces types et l'incendie du Bonnie Brae.

Elle acquiesça.

— Qu'est-ce que vous en pensez? Vous pensez qu'Ana a tout planifié ou qu'elle a juste servi d'intermédiaire?

Il réfléchit un instant, puis hocha la tête :

— Difficile à dire. Il semble bien qu'elle ait manipulé Burrows et Boiko comme une vraie pro. Elle est devenue intime avec eux et a compris qu'ils ouvriraient dès qu'elle serait menacée. Mais il se pourrait aussi qu'elle ait été manipulée par l'un ou l'autre de ces deux types. Et je ne pense pas qu'on le saura un jour.

Ils restèrent assis un petit instant en silence. Il savait qu'elle avait quelque chose à lui dire. Enfin elle parla.

— Je pensais que ce serait différent, dit-elle.

— Que quoi serait différent?

— Dès que j'ai voulu être flic, j'ai pensé à résoudre cette affaire. C'était ça qui me motivait. Ça me brûlait à l'intérieur, vous voyez?

— Oui.

Il repensa à ce qu'il avait dit plus tôt sur le fait d'ouvrir une porte sur une pièce en feu.

— Et maintenant, me voilà, reprit-elle.

— Et vous l'avez résolue, cette affaire.

— Sauf qu'il n'y a pas de… que ce n'est tout simplement pas ce que je pensais quand j'avais tous ces fantasmes.

Il hocha la tête. Il n'avait rien à ajouter. Au bout de quelques instants, elle donna l'impression de mettre son angoisse de côté et parla d'un ton positif :

— Bon, dit-elle, je crois qu'on a fini ici. Je veux rentrer, Harry.

Il hocha encore une fois la tête.

— Bien sûr, dit-il. Allons-y.

Chapitre 40

Bosch arriva à la salle des inspecteurs et y trouva
Soto déjà assise à son bureau. En fait, elle n'en avait
pas bougé depuis le dimanche, lui avoua-t-elle. Elle était
revenue rédiger le compte rendu d'enquête sur l'incendie qui devait être soumis au capitaine Crowder pour
approbation avant d'être transmis au Bureau du district attorney qui devait, lui aussi, confirmer officiellement la fermeture du dossier suite à un « événement
autre qu'une arrestation et une condamnation ». Bosch
lui avait confié cette tâche dans la mesure où l'affaire
était plus à elle qu'à lui.

Le rapport faisait douze pages. Il était si complet et
détaillé qu'il se retrouva, sans même s'en rendre compte,
à opiner au fur et à mesure qu'il le lisait. Elle avait certes
ordonné les faits qu'ils avaient découverts de façon à
ce que la conclusion s'impose d'elle-même, mais ils
n'avaient toujours pas le nœud du problème, celui qui
avait vu Ana Acevedo rencontrer les deux individus qui
avaient allumé l'incendie avant de braquer l'EZBank.

Il ne pensait pas que Crowder y voie à redire parce
qu'il n'avait rien à y perdre. Il pourrait annoncer qu'il

avait résolu une affaire de grande importance et il n'y aurait aucun procès pour prouver le contraire. Pour lui, ce serait ce qu'il y avait de mieux au monde. Mais l'étape suivante serait la plus difficile. Au Bureau du district attorney, on ne serait en effet pas si prêt à entériner sa décision faute d'aveux, de preuves indiscutables, d'un lien direct entre tous les protagonistes de l'affaire.

Cela étant, il y aurait des moyens de circonvenir le district attorney, il le savait. La résolution de l'affaire serait reprise dans tous les médias, et pas seulement à cause du nombre de victimes et de l'identité des suspects maintenant décédés, mais aussi à cause de celle de l'inspectrice qui s'y était attelée. Dans son compte rendu, Soto n'avait pas caché ce qui l'attachait personnellement à l'incendie. Tout cela pourrait servir et être utilisé pour pousser à la clôture officielle du dossier.

Une fois sa deuxième lecture du compte rendu achevée, il ne lui restait plus qu'une question, qu'il lui posa :

— Lucy, vous êtes vraiment sûre de vouloir révéler vos liens personnels avec cette affaire ? lui demanda-t-il.

— Oui. C'est mon histoire. Même si ça me vaut des ennuis, l'heure était venue de le faire.

Il acquiesça. Il n'allait certainement pas essayer de la convaincre du contraire. Elle avait raison. C'était son histoire et le moment était venu de la dire. Cela étant, ça ferait apparaître que, dans sa demande d'intégration dans le service, elle n'avait nulle part mentionné l'incendie du Bonnie Brae comme un des facteurs ayant motivé sa décision de devenir officier de police.

Le téléphone bourdonnant sur son bureau, Bosch décrocha. C'était Crowder.

— Harry, dit-il, j'ai besoin que vous passiez me voir.

— Parfait. On s'apprêtait justement à le faire.

— Non, vous seul. Venez tout de suite.

— Mais Soto a…

— Vous seul.

Crowder raccrocha avant qu'il puisse argumenter. Bosch reposa le téléphone et informa Soto qu'ils soumettraient le rapport à Crowder plus tard. Puis il fit le tour de la salle des inspecteurs, trouva la porte du bureau du capitaine ouverte et entra. Le lieutenant Samuels était assis dans un des fauteuils devant le bureau.

— Asseyez-vous, Harry, lui lança Crowder.

— Ça ira. Je vais rester debout.

— OK, mais je n'ai pas envie que vous pétiez un plomb quand vous l'apprendrez.

— Quand j'apprendrai quoi ?

— On vient de recevoir un coup de fil du Bureau du district attorney. Il n'y aura pas de poursuites contre Zeyas.

Il fallut un moment à Bosch pour digérer la nouvelle et trouver quoi répondre.

— Ah, les trouillards ! s'exclama-t-il Quelle mascarade !

— Écoutez, dit Crowder. Le type qui m'a appelé… Boland… m'a dit qu'il n'y avait pas assez de preuves pour condamner. Il n'y a rien venant de source indépendante pour corroborer votre thèse. Il n'y a absolument rien qui l'incrimine sur la bande, même de loin. Il a roulé Spivak dans la farine… Sans compter que ses prétendues preuves sont intéressées et n'importe quel avocat de la défense pourra les démolir. Bref, ça nous donne Zeyas gagnant, surtout s'il a droit à un jury de l'East Side.

Bosch haussa les épaules comme si la nouvelle ne l'irritait qu'à peine.

— Je représenterai le dossier à quelqu'un d'autre du Bureau, dit-il. Boland n'est qu'un gamin qui a peur du noir. Ça, ou alors il a été acheté.

— Non, Harry, vous ne représenterez le dossier à personne, lui renvoya Crowder. Ce n'est pas Boland qui a pris la décision. Elle vient d'en haut. L'affaire est terminée. Lucky Lucy a flingué Broussard et c'est là que ça s'arrête. Le dossier est clos. Ça vous réconfortera sans doute de savoir que Zeyas n'a aucune chance de s'installer au palais du gouverneur et qu'aucun autre candidat n'engagera Spivak, plus jamais, jamais. Pas avec la façon dont le *Times* monte tout ça en épingle depuis quinze jours.

C'était Virginia Skinner qui menait la charge pour le *Times*… grâce à Bosch qui avait tenu sa promesse. Mais rien de tout cela n'avait d'importance pour l'instant. Bosch en avait soudain marre de tout.

— Y a autre chose ? demanda-t-il. On a fini ?

— Non, on n'a pas fini, répondit Crowder. Lieutenant ?

Samuels se leva et se posta devant Bosch. Tout donnait à penser que, quoi qu'il s'apprête à dire, il allait être heureux de le dire. Et cela n'augurait rien de bon pour Bosch.

— Inspecteur, dit-il, j'ai besoin que vous déposiez votre arme et votre badge sur le bureau du capitaine.

— Quoi ? Qu'est-ce que vous racontez ?

— Votre arme et votre badge sur le bureau. Tout de suite. Vous êtes suspendu, inspecteur, jusqu'à la conclusion de l'enquête interne.

498

Bosch regarda Crowder et vit qu'il le regardait d'un air impassible. Il n'aurait pas son aide. Le doigt toujours pointé sur le bureau, Samuels restait raide comme s'il était prêt à s'en prendre physiquement à Bosch, si nécessaire. Il était bien plus grand, bien plus large et bien plus jeune que lui. Il n'y aurait pas eu photo.

Bosch sortit lentement son arme de son étui et la posa sur le bureau. Et fit de même avec son badge. Crowder s'en empara aussitôt et les mit dans un tiroir de son bureau.

— Je ne sais pas de quoi il est question ou ce que j'aurais fait, dit Bosch, mais Soto et moi sommes sur le point de clore la plus grosse affaire depuis vingt ans et vous allez avoir l'air…

— Vous voulez savoir de quoi il est question ? l'interrompit Samuels. Eh bien, je vais vous le montrer, moi, de quoi il est question. Je viens juste de le passer au capitaine.

Il gagna l'écran de télévision posé sur un classeur à quatre tiroirs, prit la télécommande en dessous et appuya sur « play ». Une pièce plongée dans l'obscurité apparut à l'écran. En arrière-plan se trouvait, juste à côté d'une porte fermée, une fenêtre allant du plancher au plafond et qui laissait entrer un peu de lumière.

— Le capitaine Gandle, là-bas au Robbery Special, collectionne les stylos, vous le saviez ? lui demanda Samuels.

— Non, je ne savais pas. Et je m'en contrefous.

— D'accord. Mais toujours est-il qu'il collectionne les stylos et que le problème, c'est que des tas de gens passent dans son bureau pour les lui piquer et, bon sang, certains de ces stylos valent beaucoup d'argent. Ce qui fait qu'il s'est payé une caméra peluche et l'a installée sur l'étagère dans son bureau. Et regardez-moi ce qu'il a trouvé.

À l'écran, une porte qui s'ouvre et un plafonnier qui s'allume. Bosch entre dans la pièce. Balance quelque chose dans la corbeille et s'approche des étagères où s'alignent les registres annuels des vols.

— Effraction caractérisée, Bosch, lança Samuels. Vous feriez bien de contacter votre délégué syndical parce que vous allez en avoir besoin.

— Des conneries, oui ! Il fallait que je consulte un des registres. Je n'ai absolument rien sorti de ce bureau.

— Le règlement, c'est le règlement, lui renvoya Samuels. La porte était fermée à clé et vous avez crocheté la serrure. Le capitaine Gandle a trouvé vos trombones tout tordus dans la corbeille. Que vous ayez ou n'ayez pas pris quelque chose dans son bureau, il y a entrée illégale. Vous avez de la chance de ne pas déjà vous trouver en état d'arrestation. C'est le capitaine qui, dans sa grande bonté, a déterminé que ce n'était pas nécessaire.

Bosch regarda encore une fois Crowder.

— Parce que vous êtes d'accord avec ça ? lui demanda-t-il.

— Mais putain, Harry ! s'écria Crowder. Vous êtes entré dans le bureau d'un capitaine par effraction ! C'était vraiment nécessaire ? Comme si n'importe quelle affaire l'autorisait !

— Rentrez chez vous, Bosch, reprit Samuels. Vous êtes suspendu jusqu'à plus ample informé. Vous recevrez notification de la conclusion de l'enquête et saurez alors si vous devez vous présenter à une audience du Board of Rights[1].

Bosch en fut tellement stupéfait qu'il donna l'impression d'avoir perdu toute mobilité.

— Rentrez chez vous, répéta Samuels. Et j'espère que vous n'avez pas impliqué votre coéquipière dans vos agissements. Je détesterais perdre un jeune fusil comme elle.

Bosch retrouva enfin la force de remuer les jambes. Il se retourna et se dirigea vers la porte. Samuels l'arrêta.

— Vous savez, Bosch, reprit-il, pour quelqu'un d'aussi près de la retraite… Vous devriez vraiment songer à rendre votre tablier et ne plus vous faire suer avec ces conneries. Vous avez donné plus que votre temps à la police. Pourquoi vous casser la tête avec ça ?

Bosch se retourna et le vit imiter quelqu'un qui ôte un badge de sa chemise d'uniforme.

— C'est faiblard, ça, Samuels. Exactement comme vous.

Et lentement, il sortit du bureau et se dirigea vers son box. Il sentit des regards se porter sur lui. On avait regardé à travers la vitre et l'avait vu rendre son arme et son badge. La rumeur se répandait. Rien de tel ne pouvait jamais rester circonscrit à une salle pleine d'inspecteurs.

Soto était assise à son bureau dans son box. Elle se tourna dans son fauteuil dès qu'il entra.

---

1. Organisme placé sous la direction du chef de police et chargé d'enquêter sur les violations du règlement et tout ce qui pourrait porter atteinte à l'image du LAPD.

— Harry, qu'est-ce qui se passe ? demanda-t-elle. On dit qu'ils viennent de vous prendre votre badge et votre arme.

Il approcha son fauteuil du sien. Puis il s'assit et se pencha tout près d'elle.

— Je suis suspendu, dit-il.

— Quoi ?! s'écria-t-elle. Mais pourquoi ?

— Écoutez-moi. Quand ils vont venir vous poser des questions sur le jour où j'ai crocheté la serrure du bureau du capitaine au Robbery Special, dites-leur que vous n'étiez pas là. Dites-leur que vous étiez restée ici et que j'y suis allé tout seul. D'accord ?

— Non, Harry, je ne vais pas…

— Il va falloir le faire, Lucia, parce que je vais dire la même chose. Vous n'étiez pas là. Et devinez quoi ? Vous n'y étiez pas. Vous étiez dans le couloir. Bref, vous direz juste au type des Professional Standards que vous étiez restée à votre bureau. D'accord ?

— D'accord.

Il jeta un coup d'œil au bureau du capitaine. Debout dans l'encadrement de la porte, Samuels le regardait. Bosch se dit qu'il avait encore cinq minutes max avant que Samuels n'appelle deux ou trois flics de la patrouille pour l'escorter jusqu'à la sortie.

— Je me suis déjà tapé ça plusieurs fois, reprit-il. Protégez-vous et tout ira bien. Pour vous et pour moi. Je les aurai.

Puis, presque dans sa barbe, il ajouta :

— Si j'en ai envie.

Il repoussa son fauteuil jusqu'à son bureau et rassembla quelques affaires. Les photos de sa fille en priorité. Il ne savait absolument pas s'il reverrait jamais ce bureau.

Tim Marcia passa la tête par-dessus la demi-cloison de son box.

— Hé, Harry, je pourrais avoir ta place de parking jusqu'à ce que tu reviennes?

Ça le fit sourire.

— Va te faire voir! lui renvoya-t-il.

Dès qu'il eut tout rangé dans sa mallette et fut prêt à y aller, il se tourna vers Soto qui n'avait pas bougé de son siège et le regardait fixement.

— Ce n'est pas juste, dit-elle.

Il s'approcha d'elle, se pencha et lui posa une main sur l'épaule.

— Ce n'est pas la question, dit-il. Je m'en sortirai. Ce dont il faut vous rappeler, c'est que vous êtes une sacrée inspectrice. Le secret, vous l'avez. Alors, ne laissez jamais les crétins autour de vous vous entraîner avec eux. Vous avez des choses à faire, Lucy.

— OK, dit-elle en hochant la tête. Ça me donne envie de pleurer.

— Non, Lucia. Au lieu de pleurer, apportez votre rapport là-bas et mettez un point final à cette affaire. Prenez un ou deux jours pour savourer cette victoire et ensuite, reprenez le boulot. Après tout, il n'y a que dix mille autres dossiers qui vous attendent.

Elle hocha encore une fois la tête et tenta de sourire, sans succès. Parler allait être un problème.

Il lui serra l'épaule et la laissa. Puis il prit sa mallette sur son fauteuil et se dirigea vers la sortie. Il n'y était pas encore lorsqu'il entendit quelqu'un applaudir dans son dos. Il se retourna et vit que c'était Soto debout à côté de son bureau.

Bientôt, Tim Marcia se leva dans son box et se mit lui aussi à applaudir. Puis ce fut au tour de Mitzi Roberts, puis de tous les autres inspecteurs. Alors Bosch se mit dos à la porte, prêt à la pousser pour sortir. Et là, il hocha la tête pour remercier tout le monde, leva le poing à hauteur de poitrine et le serra fort. Et franchit la porte avant de s'en aller.

Du même auteur :

Les Égouts de Los Angeles
Prix Calibre 38, 1993
1re publication, 1993
Calmann-Lévy, l'intégrale
MC, 2012 ;
Le Livre de Poche, 2014

La Glace noire
1re publication, 1995
Calmann-Lévy, l'intégrale
MC, 2015 ;
Le Livre de Poche, 2016

La Blonde en béton
Prix Calibre 38, 1996
1re publication, 1996
Calmann-Lévy, l'intégrale
MC, 2014 ;
Le Livre de Poche, 2015

Le Poète
Prix Mystère, 1998
1re publication, 1997
Calmann-Lévy, l'intégrale
MC, 2015

Le Cadavre dans la Rolls
Seuil, 1998 ; Points,
n° P646

Créance de sang
Grand Prix de littérature
policière, 1999
Seuil, 1999 ; Points,
n° P835

Le Dernier Coyote
Seuil, 1999 ; Points,
n° P781

La lune était noire
1re publication, 2000
Calmann-Lévy, l'intégrale
MC, 2012 ;
Le Livre de Poche, 2012

L'Envol des anges
1re publication, 2000
Calmann-Lévy, l'intégrale
MC, 2012 ;
Le Livre de Poche, 2012

L'Oiseau des ténèbres
1re publication, 2001
Calmann-Lévy, l'intégrale
MC, 2012 ;
Le Livre de Poche, 2011

Wonderland Avenue
1re publication, 2002
Calmann-Lévy, l'intégrale
MC, 2013

Darling Lilly
1re publication, 2003
Calmann-Lévy, l'intégrale
MC, 2014

Lumière morte
1re publication, 2003
Calmann-Lévy, l'intégrale
MC, 2014

Los Angeles River
1re publication, 2004
Calmann-Lévy, l'intégrale
MC, 2015

Deuil interdit
Seuil, 2005 ; Points,
n° P1476

La Défense Lincoln
Seuil, 2006 ; Points,
n° P1690

Chroniques du crime
Seuil, 2006 ; Points,
n° P1761

Echo Park
Seuil, 2007 ; Points,
n° P1935

À genoux
Seuil, 2008 ; Points,
n° P2157

Le Verdict du plomb
Seuil, 2009 ; Points,
n° P2397

L'Épouvantail
Seuil, 2010 ; Points,
n° P2623

Les Neuf Dragons
Seuil, 2011 ; Points
n° P2798 ; Point Deux

Volte-Face
Calmann-Lévy, 2012 ;
Le Livre de Poche, 2013

Angle d'attaque
Ouvrage numérique,
Calmann-Lévy, 2013

Le Cinquième Témoin
Calmann-Lévy, 2013 ;
Le Livre de Poche, 2014

Intervention suicide
Ouvrage numérique,
Calmann-Lévy, 2014

Ceux qui tombent
Calmann-Lévy, 2014,
Le Livre de Poche, 2015

Le Coffre oublié
Ouvrage numérique,
Calmann-Lévy, 2015

Dans la ville en feu
Calmann-Lévy, 2015,
Le Livre de Poche, 2016

*Muholland, vue
plongeante*
Ouvrage numérique,
Calmann-Lévy, 2015

Les Dieux du verdict
Calmann-Lévy, 2015 ;
Le Livre de Poche, 2016

Billy Ratliff, 19 ans
Ouvrage numérique,
Calmann-Lévy, 2016